Monika Fagerholm (Finland, 1961) studeerde psychologie en literatuurwetenschap. De schrijfster behoort tot de Zweedse minderheid in Finland. Haar in het Zweeds geschreven *Mooie vrouwen aan het water* was een internationaal succes (Fay Weldon noemde het een 'briljante roman') en werd genomineerd voor de Aresteion en de International IMPAC Dublin Literary Award. In Scandinavië viel de roman veelvuldig in de prijzen.

Mooie vrouwen aan het water is in elf talen vertaald.

Het boek werd verfilmd door regisseur Claes Olsson en kwam in januari 1998 uit.

In dat jaar verscheen ook *Diva*, een grensoverschrijdende roman over de dertienjarige Diva, een superheldin. De roman kreeg een cultstatus in Zweden.

'Schrijven is een zoektocht. Je bent bezig met dat wat verborgen is; dat wil je benaderen. Je wilt licht werpen op wat nog onzichtbaar is en wat de psychologie niet kan verklaren: het menselijk bestaan. Nadat ik jarenlang psychologie gestudeerd had, werd ik moe van de manier van denken waarin alles, speciaal het vrouw-zijn, wordt uitgelegd.

In het schrijven is niet het belangrijkst dat het mijn verhaal, dat van Monika Fagerholm, is. Of dat ik "het zijn" van Monika Fagerholm onderzoek. Mijn doel is niet boeken de wereld in te helpen, maar mijzelf te veranderen en de wereld te begrijpen.'

Mooie vrouwen aan het water

Monika Fagerholm

Mooie vrouwen aan het water

EEN ROMAN OVER SOORTGENOTEN

Vertaald uit het Zweeds
door Bertie van der Meij

DE GEUS

Eerder verschenen bij Uitgeverij De Bezige Bij, Amsterdam 1997

Oorspronkelijke titel *Underbara kvinnor vid vatten*,
verschenen bij Söderströms

Omslagontwerp Mijke Wondergem
Omslagillustratie © Bradley Smith/Corbis/TCS
Foto auteur © Ulla Montan
Druk GGP Media GmbH, Pößneck
ISBN 90 445 0810 5
NUR 302

Verspreiding in België via Libridis NV, Industriepark-Noord 5a,
9100 Sint-Niklaas

I

'I have heard the mermaids singing
I do not think that they will sing to me'

Isabella, zeemeermin

Kajus ging een keer ballengooien in het zeemeerminnenhuis in het pretpark. De zeemeerminnen lagen of zaten ieder op een groene plank boven een waterbassin. Als de werper met zijn bal een lichtrode schietschijf onder de plank precies in de roos raakte, gaf de plank mee en klapte omlaag. De zeemeermin gilde, viel en belandde in het water dat niet diep was en maar tot net boven haar knieën kwam. Steeds weer mikte Kajus op dezelfde schietschijf. Steeds weer viel Isabella, steeds weer slaakte ze dezelfde korte, schelle gil, die niet mooi klonk maar waar geen ontkomen aan was. Een gil die Kajus zo ging achtervolgen dat hij hem voortdurend in zijn hoofd hoorde, ook wanneer hij niet in het pretpark was.

Op een avond ging hij weer naar het pretpark, en na sluitingstijd bleef hij bij de personeelsuitgang op Isabella staan wachten.

Zo, en in versies die hierop leken, vertelden Isabella en Kajus hun verhaal aan Thomas. Dat Isabella een zeemeermin was die Kajus bij de zeemeerminnen in het pretpark had weggehaald.

'Vond je het niet rot om zo te zitten wachten tot er iemand precies in de roos gooide?'

'Had je het niet koud?'

Al dat soort dingen kon Thomas soms vragen. Hij hing met zijn ene arm aan Isabella's hand en met zijn andere aan die van Kajus en werd in het bos over stronken en stenen heen gezwierd. En Isabella lachte en Kajus lachte en over Thomas' hoofd heen keken ze elkaar aan.

Volgens Isabella was het origineel om een moeder te hebben die zeemeermin was. Ze zei ook dat het leuker was om van de plank af te vallen dan om de hele tijd te zitten wachten tot er iemand een bal zou gooien en de lichtrode schijf onder de plank precies in de roos zou raken.

Maar de gil liet Isabella in het pretpark achter. Die was niet van haarzelf geweest, legde ze uit, nee, die had ze op een cursus geleerd. In het pretpark wilden ze dat het heel speciaal klonk als er een zeemeermin gilde en van haar plank viel en in het bassin eronder belandde. Om op de juiste manier te gillen moest je niet te diep ademhalen, anders werd de gil namelijk niet hoog en schril, zoals de bedoeling was. En de gil moest tussen half-geopende, altijd glimlachende lippen door worden geperst. Isabella lachte toen ze beschreef hoe het moest. Isabella's eigen lach, Isabella's eigen stem, die waren anders. Die buitelden klaterend alle kanten op en plantten zich voort door alle dagen van de zomer. Die vloeiden uit over maanden, jaren. Almaar door, eigenlijk.

Het vierkante plein

's Winters wonen ze in een flat in de stad, op de derde verdieping boven een vierkant binnenplein. Het is een nieuwe flat en Thomas hoort zodoende bij de eerste generatie kinderen van het plein. Ze hebben twee kamers en een keuken, een badkamer en een balkon. De ene kamer is van Thomas. Zijn raam is aan de straatkant. Hij staat vaak voor het raam te kijken naar de mensen die beneden bij de bushalte op de bus staan te wachten. De andere kamer is de woonkamer. Daar slapen Isabella en Kajus op de uitklapbare bank. Daar staat de platenspeler paraat op een krukje naast Isabella's toilettafel met de driedelige spiegel, die ze de vleugelspiegel noemen, omdat de zijdelen beweeglijk zijn als vleugels. In de badkamer staat de badkuip waarin Isabella en Kajus een bad nemen. Ze zetten de platenspeler zo dicht mogelijk bij de badkamer, gieten Fenjal-badschuim in het badwater, zetten een goede plaat op en stappen in de kuip. Dan nemen ze een bad en galmt er tot diep in de nacht jazzmuziek door de buizen van de flat.

De woonkamer heeft een balkondeur die Isabella openzet.

'Heb jij ook zin?' vraagt Thomas.

Isabella zegt ja. Isabella knikt.

Isabella keert zich om en blaast rook in Thomas' gezicht.

Thomas vindt het fijn om rook in zijn gezicht geblazen te krijgen.

'Kom, Thomas', zegt Isabella. 'We gaan. Naar de zeemeerminnen, de wereld in.'

Later doen ze de deur dicht en gaan naar binnen. Het spel is afgelopen. Tijd om eten te koken of op te ruimen of iets anders te doen totdat Kajus thuiskomt. 's Winters wonen ze in een flat in de stad, op de derde verdieping boven een vierkant binnenplein. 's Zomers wonen ze in een zomerparadijs.

Het zomerparadijs

Eerst wonen ze in het grijze huisje dat rood geschilderd wordt en dat sindsdien 'het rode huisje' wordt genoemd. Isabella trekt Thomas in een kist op wielen over het bosweggetje voort. Thomas is klein van stuk, hij past een hele tijd in die kist, tot hij zeven is. Als ze bij het witte huis komen blijft Isabella stilstaan op de bosweg. Zoiets moois heeft ze nog nooit gezien, zegt ze.

Ze verhuizen van het rode huisje naar het witte huis. De kamers op de begane grond zijn ingericht met oude meubels. Er is een echte zolder met alkoven en daar is ook de kamer die Isabella's atelier wordt.

'Dit wordt mijn atelier, Thomas', zegt Isabella de eerste keer dat ze de zolderkamer binnenkomen die leeg is, de enige kamer in het witte huis die niet gemeubileerd is. 'Hier gaan we van alles en nog wat doen, Thomas. Ik hou van lege ruimten. Lege ruimten die je kunt vullen,' ze is even stil om echt iets goeds te verzinnen, 'met van alles en nog wat,' zegt ze dan, 'met alles wat je maar wilt, Thomas. Komt je fantasie al op gang?'

En Thomas en Isabella verven de wanden lichtgroen en brengen twee matrassen, een lage ladekast en tijdschriften naar de kamer.

In de serre beneden huist Kajus. Daar heeft hij zijn zomerbibliotheek en zijn nieuwe transistorradio van het merk Helvar Rita de Luxe. Kajus luistert naar alle radioprogramma's, maar vooral naar programma's met jazz.

De grote kamer is groot. De verste hoek is wat ze de leeshoek noemen. In de leeshoek staat een witte tafel met een petroleumlamp, er staan witte boekenkasten en drie houten stoelen. De planken achter de glazen deuren van de boekenkast zijn volkomen leeg, maar op de tafel liggen weekbladen. Soms gaat Isabella in de leeshoek zitten, zo kunnen ze tenminste zeggen dat ook dat gedeelte van de kamer wordt gebruikt.

Ze steekt met haar aansteker de petroleumlamp aan, ook als het midden op de dag is en er door vier hoge ramen tegelijk licht in de kamer valt. Ze tikt een sigaret uit het pakje sigaretten, pakt een tijdschrift en slaat het open op haar schoot. Ze steekt de sigaret aan en roept naar Thomas dat hij een asbak moet brengen. Het volgende moment rekt ze zich uit en legt het tijdschrift terug op de tafel, staat op, gaat naar de buffetkast en spiegelt zich in de mozaïekspiegel die haar gezicht meerdere malen in kleine stukjes weerkaatst. Ze blaast rook naar zichzelf in de spiegel. Ze vist een lippenstift uit de beautycase onder de spiegel, draait de stift omhoog en verft haar lippen. Isabella's zomerlippenstift is roze, altijd roze, want er is geen kleur die beter past bij een zonverbrande huid en gele kleding. Ze lacht en verschikt wat lokjes van haar dikke donkere haar, hoewel dat totaal onnodig is, want Isabella heeft haar dat altijd leuk zit, of het nu netjes gekamd is of juist slordig. Dan is ze tevreden. Isabella is altijd tevreden als ze zichzelf in de spiegel ziet.

Ze drukt de sigaret uit in de asbak en draait zich om, naar het publiek dat daar al een tijdje naar haar stond te kijken, zoals ze heel goed wist.

En ze zegt: 'Kom Thomas, we gaan naar buiten. We gaan iets leuks verzinnen.'

Isabella's atelier

'...en ja, zo werd ik dus een brunette', zegt Isabella tegen Thomas in Isabella's atelier op de zolder van het witte huis, die zomer dat ze bijna voortdurend boven zitten en elkaar geheimen vertellen om de tijd te doden. 'Het is een geheim, Thomas. Jij weet het nu. Maar je mag het aan niemand doorvertellen. Beloof me dat.'

'Ik beloof het', zegt Thomas, nogal sloom. De belofte blijft hij nog lang onthouden. Maar Isabella's verhaal over hoe ze een brunette werd vergeet hij ongeveer net zo snel als Isabella het verteld heeft. Misschien luistert hij niet.

Zo gaat dat. Als je daar zit, in het atelier, dan kun je vrij gemakkelijk je aandacht laten verslappen en doen alsof je verdiept bent in de *Donald Duck*, ook al kun je nog maar nauwelijks lezen. Het is zelfs mogelijk om helemaal niet te luisteren, ook al zeg je 'hm, hm', terwijl Isabella's stem min of meer vervloeit met de regen die hard en aanhoudend op het zinken dak klettert. Boven je hoofd; een geluid als van machinepistolen.

1962, het is een regenachtig begin van de zomer.

Thomas ligt op een matras aan de ene kant van de kamer.

Isabella ligt op een matras aan de andere kant.

'Weet je nog wie dit is?'

Isabella houdt een tijdschrift omhoog en wijst op een foto. Op de foto staat een vrouw in een fontein. Het water reikt tot haar dijen. Het spuit om haar heen. Ze heeft al haar kleren aan. De doorweekte kledingstukken plakken tegen haar lichaam zodat haar figuur extra duidelijk uitkomt, en haar tepels en navel vormen donkere plekken onder de natte stof. Ze ziet er blij uit. Ze lacht met een grote, open mond.

'Zij zat ook bij de zeemeerminnen, Thomas. Maar zij is de

wereld in gegaan. Dit is de beroemdste fontein ter wereld. De Fontana di Trevi. Daar is ze nu. Midden in *la dolce vita.*'

'Wat is dat?' vraagt Thomas.

'Het lieve leven.' Isabella steekt haar benen omhoog en legt ze tegen de wand boven haar matras.

'Wat is dat?' Thomas steekt zijn benen omhoog en legt ze tegen de wand boven zijn matras.

Isabella gooit haar tijdschrift opzij, het belandt in een hoek van de kamer. Ze bonkt met haar hielen tegen de wand op de maat van de regen. Ze onderbreekt haar getrommel en zegt: 'Hé, Thomas. Moet je per se van die vragen stellen?'

'Neu', antwoordt Thomas.

Natuurlijk niet.

Als je daar zit kun je talloze andere dingen doen dan domme vragen stellen.

Dan klinkt er een getoeter dat de regen overstemt. Thomas holt naar het raam.

'Kijk eens, Isabella. Moet je zien!'

Daar komt een grote witte auto over de bosweg hun zomerparadijs binnenrijden.

De familie Engel

Ze noemen hen de familie Engel. De familie Engel roept dingen naar elkaar bij hun pasgebouwde houten huis boven op de berg. Ze roepen in het Amerikaans. Dat blijven ze zo hardnekkig doen, dat Maj Johansson een keer bij de sauna van de Johanssons, als de familie Engel zojuist is opgehaald in de boot van de familie Lindbergh om naar een feest te gaan bij iemand die op een eilandje woont bij de uitgang van de baai, daar waar de echte scherenkust is met de open zee erachter, dat Maj Johansson het nodig vindt op te merken dat die mensen toch zeker gewoon Zweden zijn net als wij. Ze zegt niet wat aan haar stem wel te horen is. De familie Engel vindt zichzelf heel wat.

Thomas leert een paar zinnetjes. Hij oefent zijn uitspraak. Als de jongste dochter Engel een keer met een stok in de modder van Maj Johanssons strandje staat te porren zodat de klodders bruine smurrie haar om de oren vliegen, gaat hij naar haar toe en zegt: *'How do you do? Do you speak English?'* Ze houdt op met haar geklieder, smijt de stok een stuk verderop in het riet, wendt haar gezicht naar Thomas en zegt iets dat eindigt op 'idioot'. Thomas draait zich om en terwijl hij wegloopt stijgt het bloed hem naar zijn wangen. Plotseling staat hij stil en luistert. Nee. Dat kan niet de echo van zijn eigen voetstappen zijn. Hij kijkt om. Ze komt achter hem aan.

'Ik heet Thomas', zegt Thomas.

'Renée', antwoordt Renée.

Ze gaan verder, diep het bos in. Ze lopen steeds maar door. Ze blijft de hele tijd een stukje achter hem. Vlak voordat hij bij het wespennest is, dat hij pas opmerkt als het al te laat is en hij er pardoes bovenop stapt, draait hij zich weer om en ziet dat ze verdwenen is.

Ze noemen hen de familie Engel. Nog voordat iemand de familie Engel kent heeft iedereen al gehoord hoe Meneer Engel het over 'zijn witte engel *from over there*' heeft. Die witte engel, dat is de auto waarin de familie op een dag over de bosweg is komen aanrijden, een van de eerste regenachtige zomers dat Kajus en Isabella en Thomas in het witte huis wonen.

Die zomer komt mevrouw Engel vaak met een mand aan haar arm de berg af, gekleed in een witte lange broek en een witte pull-over en met een wit sjaaltje om haar hoofd. Ze loopt naar het strand en gaat op de aanlegsteiger staan. Soms komen de Lindberghs haar ophalen in hun glanzende mahoniekleurige speedboot. Op een keer vraagt mevrouw Engel aan Maj Johansson of ze de roeiboot van de Johanssons mag lenen, want pas de volgende zomer zal de familie Engel een eigen bootje kopen met een 5 pk buitenboordmotor achterop, en het duurt nog twee zomers voordat meneer Engel de 18 pk Evinrude van de Lindberghs overneemt. Maj Johansson zou hun roeiboot heel graag willen uitlenen, zegt ze, ware het niet dat ze er zelf mee naar de winkelboot moet. Mevrouw Engel loopt terug, de berg weer op. Vanaf het strandje ernaast roept Isabella, die onder een paar dekens in de zon ligt, dat mevrouw Engel de boot van het witte huis wel kan lenen als ze wil, en mevrouw Engel bedankt haar en keert weer om.

'sAvonds komt Meneer Engel naar het water, hij loopt stampend over de wrakke houten steiger van de Johanssons en zegt dat de familie Engel en de familie Johansson, nu ze gezamenlijk eigenaar zijn van dit stuk strand hier, vóór het volgend zomerseizoen maar eens in hun beurs moeten tasten en een stevige, mooie ponton moeten bouwen. Verder moeten ze ook maar eens in de bodem naar water zoeken en een fatsoenlijke put laten graven, één die niet midden in de zomer al opdroogt; je moet toch zeker ook in augustus je auto nog kunnen wassen.

Ze noemen hen de familie Engel. Dat komt door de auto, die witte engel van ver overzee. Die hebben ze in Amerika gekocht, in Washington DC, waar Meneer Engel bij een elektriciteitsbedrijf heeft gewerkt en waar de familie Engel minstens een jaar heeft gewoond; volgens Huotari, die zijn vakanties en zo nu en dan een weekeinde doorbrengt in zijn vissershut op een eilandje recht tegenover de strandjes van het zomerparadijs, moet je minstens een jaar in het buitenland hebben gewoond om zo'n auto, zo'n echte Chevrolet Chevelle, belastingvrij te mogen invoeren.

Ze noemen hen de familie Engel. Zo heten ze natuurlijk niet echt. Ze hebben een gewone achternaam, een achternaam als ieder ander.

Ze, dat zijn Gabriel Engel, Rosa Engel en Nina Engel en dan is er nog Renée Engel, die al deze zomer het slordigste haar, de vurigste oranje trui en de spugerigste mond heeft. 'Glinsterend van speeksel'. Wat die woorden betekenen begrijp je wanneer je Renée ziet.

'Elektriciteit is de toekomst', lacht Gabriel Engel.

'Met elektriciteit heb je 'n beter leven', lacht Gabriel Engel. 'Jullie moeten maar eens bij ons aankomen. In ons zomerstulpje. Volgende zomer leggen we daarboven elektriciteit aan en dan trekken we de kabels door naar het hele zomerparadijs', lacht Gabriel Engel, weidse gebaren makend naar JazzKajus en IsabellaZeemeermin die een boswandeling gaan maken met hun zoon Thomas, zeven jaar oud, wiens opmerkelijkste prestatie tot nu toe bestaat uit het feit dat hij last heeft van zeven soorten allergie, en daar zal het niet bij blijven. Het is een paar weken voordat hij zijn voet in die vermolmde boomstronk met dat wespennest zal zetten.

Maar deze zomer komt er nog niets van een bezoekje aan het huis op de berg. Ze werpen af en toe een blik naar binnen, als ze erlangs komen. Zomaar ernaartoe gaan, zonder een speciale aanleiding, dat durven ze nog niet. Ze zijn bang dat ze storen. Zoals je iemand kunt storen die volop van het lieve leven geniet. Dan wil je niet alleen niet storen uit kiesheid, maar ook niet omdat je er zelf een beetje treurig van wordt als je ziet hoe sommige mensen volop van het lieve leven genieten terwijl je zelf maar een beetje aanmoddert in een achterafstraatje waar de zon lang zo fel niet schijnt en waar leuke dingen niet zomaar vanzelfsprekend leuk zijn. Neem nu bijvoorbeeld de barbecue op midzomeravond bij de familie Johansson, waarvoor je je eigen worstjes moet meenemen omdat Maj Johansson zegt dat ze er bij de Johanssons, waar ze het niet breed hebben maar wel met veel monden aan de dis zijn, niet 'zomaar op los kunnen fuiven' zoals bij sommige anderen wel gebeurt.

Meneer en mevrouw Engel worden vaak opgehaald om naar feestjes te gaan bij de Lindberghs aan de andere kant van de baai of bij onbekende mensen die op kleine eilandjes wonen aan de echte scherenkust, aan de open zee waar Isabella zelfs nog nooit geweest is.

De familie Engel gaat trouwens ook vaak met de auto weg, als de avonden of de dagen lang worden. Naar de bioscoop, of gewoon een eind rijden.

'Wij zijn geen types om stil te zitten', lacht Gabriel Engel ofwel 'Gabbe', en zijn blik valt op de mooie IsabellaZeemeermin.

Zij lacht terug. 'Wij ook niet', wil ze zeggen, maar Thomas knijpt hard in haar ene hand omdat er een grote spin over de grond recht op hem af komt lopen, en deze zomer heeft hij nog niet veel op met spinnen. Kajus knijpt hard in Isabella's andere hand: dat is een teken van verstandhouding. In die tijd hebben ze meer van dat soort tekens, JazzKajus en IsabellaZeemeermin, gebaren, blikken, glimlachjes, bepaalde woorden, muziekstukken.

'Als je vaak genoeg naar Jazzmuziek luistert en als je Jazzmuziek leert begrijpen, dan kun je misschien wel evenveel van Jazzmuziek leren houden als ik', zegt JazzKajus en hij meent het, deze zomer is het nog mogelijk van bepaalde muziek te houden omdat je die muziek begrijpt.

'Hmmm, dat denk ik ook', zegt IsabellaZeemeermin en ze probeert mee te neuriën. En ze meent wat ze zegt; ieder woord.

Mevrouw Engel komt met een maatbekertje in haar hand door de tuin naar het witte huis toe lopen. Het is een decilitermaatje met Mickey Mouse erop, van plastic. De zomer is bijna afgelopen en twee weken geleden is Marilyn Monroe doodgegaan, en mevrouw Engel komt de keuken van het witte huis binnen en zegt dat ze een cake wilde gaan bakken, maar dat ze vergeten heeft bloem te kopen en dat dat mens van Johansson geen kilopak bloem voor haar van de winkelboot wil meenemen omdat dat zo zwaar is om te dragen en Maj Johansson juist vandaag aan Maggi en Erkki Johansson had beloofd dat ze mee mochten en dan gaat het roeien zo zwaar...; mevrouw Engel staat midden op de donkerblauwe keukenvloer terwijl ze dat allemaal zegt, en als ze even later zwijgt en haar vingers veelbetekenend een ogenblikje door de lucht laat wapperen, begrijpt Isabella zonder woorden dat hiermee Maj Johanssons kletspraatjes worden geïmiteerd. Isabella zelf zegt dat ze altijd wel bloem in huis heeft, maar dat een deciliter niet genoeg is voor een cake. Daarop glimlacht mevrouw Engel op een manier zoals Thomas zijn moeder IsabellaZeemeermin alleen heeft zien glimlachen toen ze het een keer over de zeemeerminnen en over het lieve leven hadden, en ze antwoordt: 'Gelijk heb je, ik denk trouwens dat ik Gabbe ook wel had kunnen vragen om het te halen, maar ja, ik bak nooit cakes, en als ik ze bak gebruik ik altijd MIX', waarbij haar handen zich kloppend als een garde door de lucht bewegen; dan lacht ze weer en komt naar de tafel toe, gaat zitten en zegt dat ze Rosa heet.

'En als ik met een Amerikaans accent spreek dan komt dat doordat wij drie jaar in Washington DC hebben gezeten en pas sinds dit voorjaar terug zijn. Marilyn Monroe is dood. Heb je 't gehoord?'

'Marilyn Monroe', lacht Isabella, de harteloze lach van een brunette.

'Marilyn Monroe', lacht Rosa Engel, de harteloze lach van een brunette.

Als ze samen zijn, zijn ze bíjna net Elizabeth Taylor en Jacqueline Kennedy.

Twee uur lang zijn ze samen.

Voordat mevrouw Engel het witte huis verlaat, zegt ze: 'Kom maar eens bij ons aan, Isabella. Een dezer dagen.'

En, terwijl ze nog in de deuropening staat: 'Ik dacht net: wat een geluk dat jullie er zijn. Ik was bang dat ik me zou doodkniezen in dit zomerparadijs hier. Wat een geluk', zegt Rosa Engel als ze het witte huis verlaat, 'dat er hier tenminste ook nog geciviliseerde mensen zijn.'

Rosa Engel laat het maatbekertje met Mickey Mouse erop op tafel achter. Thomas staart ernaar. Hij wil het pakken en het opbergen, het verstoppen en bewaren.

Na Rosa Engels bezoek aan het witte huis voelt Thomas dat hij is aangeraakt door iets groters en mooiers, iets uit een andere wereld. Tot nu toe heeft hij pas één keer iets soortgelijks ervaren, heel lang geleden, in het pretpark. En daar herinnert hij zich niet veel meer van, alleen wat Isabella erover verteld heeft, en dat is natuurlijk niet hetzelfde.

Op een keer stonden Isabella en haar zoon Thomas in het pretpark bij het kraampje van de gesponnen suiker te kijken, terwijl alle andere hysterische vrouwen overal elders samendromden. Toen plotseling was Paul Anka zomaar uit het niets opgedoken, buiten adem, met een rood gezicht, zoals alleen iemand eruit kan zien die net aan een hele menigte bewonderaarsters heeft weten te ontsnappen.

'Here you are, son', had Paul Anka gezegd terwijl hij Thomas een stokje met gesponnen suiker aanreikte. Roze, Thomas weet de kleur nog. Zelf had Paul Anka een gele genomen.

'Wat zei hij?' had Thomas gevraagd.

'Hij zei: hier zoon, voor jou', had Isabella vertaald.

Ze waren naar huis gegaan en hadden alles aan JazzKajus verteld die had gegrinnikt om Paul Anka, een charmeur zonder enige muzikale verdiensten. Daarna had hij nog een keer gelachen, een beetje geërgerd maar toch niet echt neerbuigend, aangezien Thomas en Isabella nogal opgewonden waren en hij hun plezier niet wilde bederven door te laten merken dat hij beter wist dan zij. En toen er vlak daarna in de krant stond dat Paul Anka in het raam van zijn hotelkamer had gestaan en zijn kleren, het ene kledingstuk na het andere, naar de menigte bewonderaarsters had gegooid die zich op de stoep onder hem had verzameld, toen had Isabella gezegd dat Paul Anka z'n onderbroek haar gerust gestolen kon worden nu ze hem eenmaal *Live* ontmoet had, net als die opname van hoe-heet-hij-ook-alweer, o ja, Bill Evans, en terwijl Kajus de plaat op de draaitafel legde zei hij tegen Isabella, hoopvol, blij en optimistisch: 'Als je maar vaak genoeg luistert en deze muziek leert begrijpen, dan ga je er vanzelf van houden en dan wil je naar niets anders meer luisteren.'

En Isabella zonk diep weg in de leunstoel en Thomas ging naar bed en Isabella luisterde en bleef luisteren en daarna zei ze: 'Ja, dat denk ik ook. Ik denk van wel.' En ze meende wat ze zei. Ieder woord.

De dag nadat Rosa Engel in het witte huis is geweest, gaat IsabellaZeemeermin op weg naar het huis van de familie Engel boven op de berg.

Die dag heeft Isabella vergeten in de agenda te kijken. Die dag is de zomer afgelopen.

'Je hebt vergeten in de agenda te kijken', zegt Kajus opgetogen.

Hij is al bezig zijn zomerbibliotheek in een bruine koffer te pakken. En IsabellaZeemeermin legt zich erbij neer, slaat witte lakens uit en laat ze over de meubels in de grote kamer neerdalen.

Er klinkt getoeter op de bosweg.

Dat is de familie Engel die wegzoeft in haar witte Chevrolet Chevelle. Ze hebben een aanhangwagen met al hun spullen erin.

Maar nu is het nog zomer in het jaar 1962, de zomer vóór de zomers met Rosa, en Thomas stapt in een wespennest in het bos. Hij wordt flink gestoken en rent het bos uit, wespen op zijn huid en achter zich aan. Hij rent de bosweg af, over de rotsen langs het strand, het water in. Kajus gaat achter hem aan. Met kleren aan waadt Kajus het water in en probeert de wespen weg te jagen die boven het wateroppervlak blijven cirkelen. Toeschouwers verzamelen zich op het strand. In ieder geval staan Maj Johansson, Erkki Johansson en Renée daar te staren. Naderhand, als hij met hoge koorts in zijn bed ligt met de gordijnen dicht, krijgt Thomas de gelegenheid erover na te denken. Dat ze daar hebben staan staren. Hebben ze gelachen? Misschien een heel klein beetje hun mond vertrokken? In dat geval – Thomas is nog zo goed bij zijn verstand dat hij de gedachte helder en duidelijk kan formuleren: in dat geval zou het hun verdiende loon zijn als hij ziek werd en doodging. Thomas' lijf zwelt op, de koorts blijft stijgen. Midden in de nacht kleedt Isabella zich aan en gaat naar het huis op de berg. Het is wel vervelend om het te vragen, zegt ze, maar zou Gabbe haar en haar zoon Thomas misschien nu meteen met de auto naar het ziekenhuis kunnen brengen? Nood breekt wet en deze zomer is Gabbes witte engel de enige auto in het zomerparadijs.

Thomas wordt in dekens gewikkeld en op de rode achterbank van de witte engel gelegd. Naderhand weet hij alleen nog hoe hij heeft liggen staren naar de donkere hemel die langzaam lichter werd. Terwijl de koorts in zijn slapen klopte, de motor van de auto ronkte en de radio een mat licht verspreidde tussen de stoelen voorin. De gewone uitzendingen zijn allang afgelopen maar, zo verklaart Gabbe, het is geen enkel probleem om wat lichte muziek op de middengolf te krijgen. Hij draait aan verschillende knopjes, maar er klinkt alleen maar gebrom. Ten slotte buigt Isabella zich naar voren, lacht een zeemeerminnenlach en draait aan een ander knopje, waarna het stil wordt in de auto.

Gabbe lacht, trommelt met zijn vingers op het stuur en neuriet 'Two Of A Kind, Two Of A Kind'.

Als Thomas uit het ziekenhuis komt, pocht hij tegen Renée dat hij bijna doodgegaan is. Ze spelen het Peter Panspel en Renée zorgt ervoor dat Thomas in de grot van Kapitein Haak gevangengezet wordt en drie beurten moet overslaan. Dan laat ze hem midden in het spelletje in de steek. Thomas blijft in de kamer achter, een herstellende zieke die drie dagen niet naar buiten mag, opgesloten in de grot van Kapitein Haak. Renée slentert weg. Door het raam ziet Thomas haar oranje rug achter in de tuin verdwijnen.

II

De zomers met Rosa, 1963-1965

'Willen we de hoop koesteren elkaar te begrijpen, dan moeten we in gelijkenissen spreken, in beelden. Dat doen we normaalgesproken altijd wanneer het eenvoudige zaken betreft, en dat moeten we ook nu doen, nu we samen iets over de werkelijkheid pogen te leren. De ware wetenschapper zegt nooit: zo is het! Nee, hij zegt: dit is een beeld van hoe wij denken dat het is.'

Thomas' verjaardagsskelet 1963, gebruiksaanwijzing

Maar de tweede zomer van de familie Engel in het zomerparadijs, in 1963, staat Rosa al na een paar dagen weer in de keukendeur. Isabella en Thomas zitten aan de ontbijttafel. Ze eten *fil*, gezuurde melk. Ze tillen de fil in hun lepels hoog boven hun borden, en laten hem als taaie zuilen weer op hun bord vloeien. En dat steeds opnieuw, als Kajus erbij zou zijn zou hij er gek van worden. Maar Kajus is er nu niet, hij is in de nieuwe Austin Mini van het gezin naar zijn werk gegaan. En het duurt nog een hele tijd voordat hij vakantie heeft.

Rosa leunt tegen de deurpost, ze lacht, slaat haar armen over elkaar voor haar buik, lacht nog meer, heeft sandalen aan haar voeten, leren sandalen met witte bandjes rond de hielen. Thomas bestudeert ze zorgvuldig want hij is opeens verlegen, zo verlegen dat hij zijn hoofd niet durft op te richten.

Het is die vanzelfsprekendheid waarmee ze daar in de deuropening staat. Alsof ze daar al ik weet niet hoe vaak gestaan heeft. Niet alleen maar de vorige zomer toen ze dat maatbekertje met Mickey Mouse erop meebracht en op tafel liet staan, waarna Isabella het meenam naar de stad en het onder de vleugelspiegel op haar toilettafel neerzette om er de pinnetjes van haar krulspelden in op te bergen.

Ze is in badpak en badjas, over haar schouder hangt iets dat ze een picknickbox noemt, een koeltas aan een schouderriem, 'een fantastisch ding, hier kun je alles wat je op een hete dag in de zon *on the beach* nodig hebt in bewaren, iets te lezen, softdrinks, zonnebrandcrème, van alles en nog wat', zoals ze even later op het strand zal verklaren. 'Nu ja, *beach* kun je 't hier eigenlijk niet noemen, een beetje te veel rotsen en te weinig... te weinig zand.' Haar hoofd zal ze in haar nek gooien zodat haar donkere haar naar achteren dwarrelt, ze zal nog een keertje lachen en een sigaret uit haar pakje tikken, aansteken en oproken en de rook in een rechte, veelbetekenende streep door haar neusgaten uitblazen.

'Trouwens, ik zal je zeggen dat ik eigenlijk helemaal niet zo dol ben op zand. 't Is zo zand.....erig. Geef mij maar rotsen. Hete zomerrotsen.'

Ze gaat languit op haar rug op de rotsgrond liggen, blikt recht omhoog de hemel in waar een vliegtuig gaat. 'Oh, Bella,' zegt ze dan, 'vliegtuigen. Ik ben gek op vliegtuigen.'

'Ik mag toch wel Bella zeggen? Isabella is zo lang.'

Maar eerst nog dit moment. Ze staat in de deuropening, een van de eerste dagen van de eerste zomer met Rosa. En ze spreekt de woorden die zich in Thomas vastzetten, die hij zich nog lang zal blijven herinneren, zijn hele leven lang: 'Kom Isabella, we gaan. Naar het strand. Zo te zien wordt het een mooie dag.'

De foto van de Strandvrouwen

Op een dag in de maand juli van 1963 neemt Thomas de foto van de Strandvrouwen. Hij gebruikt de camera van Rosa, een volautomatische instamatic die afstand en belichting zelf instelt zodat degene die de foto neemt niets anders hoeft te doen dan op een rood knopje boven het kijkgaatje te drukken.

Bella en Rosa liggen op een deken op de rots bij het strand, iets hoger dan waar Thomas staat. Bella en Rosa laten hun bovenlichaam op hun ellebogen rusten, hun schouders raken elkaar net. Bella en Rosa hebben een badpak aan, de een een geel, de ander een wit, maar die kleuren zullen op het kiekje niet te zien zijn, want het is een zwartwitfilmpje. Ze hebben allebei hun zonnebril opgezet.

Achter Bella en Rosa, in de spleet die ontstaat tussen hun achteroverleunende bovenlichamen, schittert de baai blauw in het zonlicht. Op het water glijdt Tupsu Lindbergh op waterski's achter de glanzende mahoniekleurige speedboot van de familie Lindbergh.

Tupsu Lindbergh heeft een witte bikini en blond haar, waar bij die gelegenheid een rood-wit-blauw sjaaltje omheen gewikkeld is.

Ze ziet er mooi uit.

Wat zou er op een foto van de Strandvrouwen nu beter passen dan een waterskiënde Tupsu Lindbergh op de achtergrond? Thomas zou het niet weten. Hij probeert Tupsu Lindbergh in de zoeker te krijgen.

Daar komt Renée. Ze laat zich achter Bella en Rosa op de rots zakken. Met haar rug naar hem toe, zodat haar oranje trui de hele ruimte tussen de ruggen van Bella en Rosa in beslag neemt. Renée trekt haar benen op, slaat haar armen eromheen en laat haar kin op haar knieën rusten. Ze doet alsof ze zich in het uitzicht verdiept. Thomas morrelt aan de camera om tijd te winnen. Maar hij weet dat het zinloos is. Ze zal heus niet ergens anders gaan zitten. Thomas en Renée kunnen tegen die tijd elkaars gedachten lezen, maar daar heeft Thomas niets aan in deze situatie. Gewoonlijk vindt Renée het afschuwelijk als ze op een foto staat.

'Op het rode knopje drukken, Thomas!' roept Rosa.

Een haarlok waait in Bella's gezicht. Ze schuift hem met een ongeduldig gebaar terug.

'Schiet nou op, slome duikelaar! Als je nu niet gauw afdrukt draait de wind en dan blijf ik m'n hele leven met die grijns op m'n gezicht zitten.'

En Thomas weet dat hij het moment niet langer kan uitstellen, Bella en Rosa moeten dadelijk kunnen opstaan en hun badjassen aantrekken, de dekens kunnen oprollen en onder hun armen klemmen, de strandmand en de koeltas kunnen meenemen, de schaduw in, die op het koele strandlaantje begint.

De foto moet genomen worden, moet de vorm van een herinnering aannemen.

En Thomas drukt op de rode knop.

Precies op datzelfde moment strijkt er van een andere kant een windvlaag over het water, de wind draait.

En op de rots achter de Strandvrouwen zit Renée met haar rug naar hem toe en zwijgt.

En alle dagen van de zomer, 1963

Als je door het laantje van het witte huis naar het strand loopt, heb je de andere huizen aan je linkerhand. Het hoogst op de berg het houten huis van Rosa en Gabbe, daaronder het huis van de Johanssons en iets terzijde daarvan het rode huisje waarin dit jaar Johan en Helena Wikblad wonen met een blauwe baby die ziek is en in de herfst zal sterven.

Rechts ligt het Ruti-bos. In het Ruti-bos schieten schriele boomstammen dicht opeen uit de grond, sommige zo fragiel dat ze met de blote hand uit de aarde kunnen worden getrokken. In het Ruti-bos worden hutten gebouwd en gesloopt, wordt aarde platgetrapt voor paadjes. In het Ruti-bos crossen ze op hun fietsen, Renée en Thomas en Erkki Johansson, Nina en Maggi soms, maar niet zo vaak. Nina en Maggi Johansson zitten meestal bij elkaar in de kleedruimte van de sauna van de Johanssons. Daar hebben ze hun vriendjes, al weet niemand dat het hun vriendjes zijn behalve Renée en Thomas, want die weten na verloop van tijd alles over alles waarover maar iets te weten valt in het zomerparadijs. De vriendjes zijn schijven karton die om de rollen kabeldraad hebben gezeten die eerder dat voorjaar naar het zomerparadijs zijn vervoerd, toen er op initiatief van Gabbe bijna overal elektriciteit is aangelegd, behalve in het rode huisje. De vriendjes van Maggi en Nina heten Klas Lindbergh en Peter Lindbergh, Thomas komt er toevallig achter dat er nog een derde vriendje is geweest, een veel smoezeliger stuk karton met de naam Lars-Magnus dat dus het vriendje van Renée moest zijn omdat Renée de jongste van de meisjes is, en die Lars-Magnus mag dan wel heel vervelend zijn maar ja, de familie Lindbergh heeft nu eenmaal niet meer dan drie jongens. Deze kennis weet Thomas nuttig aan te wenden in zijn betrekkingen met Renée, en uiteindelijk nemen Thomas en Renée de vriendjes in het geheim alledrie mee, diep het woud in, waar ze ze boven een vennetje in snippers scheuren.

Op de rotsen bij het water liggen Rosa en Isabella. Isabella slaapt in de zon tussen grijze dekens als ze lang genoeg heeft gezonnebaad. Ze heeft zich ingesmeerd met een zonnebrandolie die een sterke, karakteristieke geur heeft, een geur die alle dagen van de zomer in haar huid blijft. Op het etiket van het flesje zonnebrandolie staat een donkerbruine jongen met een witte zwembroek. Een al even zongebruinde vrouw in een geel badpak zit op haar knieën in het gele zand naast hem, met op de achtergrond de blauwe hemel, de blauwe zee en een parasol. De jongen houdt een flesje zonnebrandolie in zijn hand, hij sproeit een straaltje over de rug van de vrouw. Het straaltje olie is wit en kegelvormig. Als je lang genoeg naar het plaatje kijkt, dan merk je dat er nooit een eind aan komt. Het flesje in de hand van de jongen heeft precies zo'n zelfde etiket. Ook daarop staat dus een vrouw in een geel badpak en een jongen met een flesje zonnebrandolie met weer zo'n etiket. Zo gaat het maar door, tot in het oneindige.

De vrouw op het flesje lijkt op Isabella.

Thomas daarentegen heeft een overgevoelig pigment, zoals de diagnose van de dokter luidde. Hij krijgt pukkeltjes van te veel zonneschijn. En zijn zwembroek is blauw met rode streepjes.

Isabella en Rosa hebben zonnebrillen met schuin oplopende zijkanten. Als ze allebei hun zonnebril op hebben lijken ze op elkaar, bijna alsof ze een tweeling zijn. Hetzelfde donkere haar, dezelfde bruine gezichten. Maar die met de gele haarband is Isabella, en die in lichtrode badjas, wit badpak, witte sandalen en witte nagellak op haar tenen, is Rosa.

Als het tijd is om te gaan zwemmen, draait Isabella zich onrustig om in haar slaap tussen de dekens.

Rosa zegt dat ze dol is op de zee, gaat het water in en zwemt een eind weg. Eenmaal weer terug zit ze op de rots aan het strand en laat haar lichaam drogen in de zon. Ze kijkt uit over het water. Aan de overkant, ver achter de eilandjes midden in de baai, kun je het zomerhuis van Tupsu en Robin Lindbergh zien liggen op dagen dat het niet heiig is. Bij een bepaalde lichtval welft het huis zich als een schaduw over de baai. Tupsu en Rosa zijn vriendinnen. Ze woonden in Amerika al naast elkaar.

'Groen gazon naast groen gazon in Washington DC, Bella. Zo word je vanzelf *close*.'

Isabella beweegt in haar slaap. Thomas is aan het snorkelen en ontdekt een vishaak met kunstaas in de modderige bodem. Renée ligt in de schaduw onder de elzenboom op het strand te wachten tot er een elzenhaantje op haar buik valt. Ze wil zien wat er gebeurt als het kevertje zich in haar huid schroeft. Het is een test.

Maar soms wordt het 's middags weleens te heet, ook op het strand. Bella en Rosa staan op, rollen hun stranddekens op, slaan hun badjassen om zich heen, pakken hun spullen en lopen bergop naar het huis van Rosa en Gabbe.

De gordijnen in de zitkamer gaan dicht. Rosa zet het airconditioningapparaat aan en schenkt softdrinks in uit het schitterende barmeubel met ingebouwde koelkast. Bella gaat in een zwarte vleermuisstoel aan de ene kant van de tafel zitten, Rosa in een oranje aan de andere kant. Bella en Rosa steken een sigaret op, roken en kijken naar de grijze rook die zich als een zacht vlies over de kamer legt.

Dan begint Rosa te praten. In het begin is het vooral Rosa die praat.

'Wij zijn gek op vliegtuigen', zegt Rosa. 'Zo hebben we elkaar ook gevonden, door onze belangstelling voor vliegtuigen.

We hebben elkaar op een vliegveld ontmoet. Ik was stewardess daar.'

'*Grond*-stewardess, Bella, geen *lucht.* Maar dat is bijna hetzelfde.'

'Je bent alleen niet zo vaak in de lucht.'

'Gabriel kwam iedere zondag. Hij kwam altijd met een stel andere freaks mee. Uren stonden ze over de landingsbanen te staren.'

'Op een dag ben ik eropaf gestapt en heb ik me aan hem voorgesteld. Volgens mij hebben we een interesse gemeen, zei ik.'

'En toen, Bella, toen zijn we getrouwd en naar Amerika gevlucht.'

'Gevlucht?' vraagt Bella.

'Nou ja, Bella, bij wijze van spreken dan. We houden bijna te veel van elkaar. "Vlucht naar de vrijheid op vleugels van hartstocht".'

'Ik wilde vrij zijn, Bella.'

'Begrijp je wat ik bedoel?'

Bella knikt.

'Hmmm', zegt ze.

'Zullen we een film kijken, Bella?'

Bella knikt. Ze kijken naar een film. Steeds weer naar dezelfde. Er is er maar één. FAMILY MEMORIES IV staat er in zwarte inkt op de doos geschreven.

'De rest hebben we in de stad laten liggen, Bella. We hebben er nog een heleboel in deze serie. Maar dit is de enige die we deze zomer hebben meegenomen.'

De filmprojector heet 'Private Eye Family Viewing', het is een doosmodel. De film wordt achter het scherm langs gespoeld, zo kun je ernaar kijken als naar een televisietoestel.

De film flikkert en wipt een beetje op en neer maar dat hindert eigenlijk niet, het hoort er gewoon bij. Hij begint op een groen gazon. Kinderen met zonnehoedjes op spelen met water in een ronde opblaasbare pool. De pool is blauw, de kinderen klein, ze spetteren met het water. Twee konijnen huppelen over het gazon. Ze zijn gespikkeld en ze eten gras. Ze eten aan één stuk door en als je ze niet af en toe in een hok stopt eten ze zich dood, zoals Renée bij een andere gelegenheid tegen Thomas beweert.

Daar komt Gabbe in beeld. Hij duwt een grasmaaier voort.

'Dat ding leek wel een dorsmachine, Bella', lacht Rosa. 'Nog een geluk dat dit een stómme film is.' Uit een sproeier spuit water. Gabbe laat de grasmaaier staan en maakt de slang van de sproeier los. Een witte auto vult het beeldscherm. Gabbe richt de waterslang op de auto en spuit. Rosa trippelt over het gazon. Ze komt recht op de camera af. Tussen haar handen houdt ze een dienblad met softdrinks. Plotseling wiebelt de camera geweldig heen en weer. Het lijkt alsof Rosa ieder moment haar evenwicht kan verliezen en met blad en al zal omvallen. Maar dat gebeurt niet. Ze blijft heus wel overeind; Gabbe haalt alleen maar een paar trucjes uit met de camera.

'Echt Gabbe weer, hoor', zegt Rosa altijd als de film op dit punt is aangekomen.

Haar mond verbreedt zich tot een bijna vierkante lach. Ze komt steeds dichterbij. Haar gezicht wordt steeds groter. Aangezien de camera niet beweegt, is het op het laatst zo dichtbij dat het zijn contouren verliest en in een troebel waas verdwijnt.

De film eindigt bij de zee. Rosa in het zand op een bijna leeg strand. De golven zijn hoog, het waait. Op de voorgrond ploegen kinderen met zonnehoedjes op gangen door het zand. Rosa heeft haar rug naar de camera. Ze kijkt naar de zee, houdt een schelp tegen haar oor.

In die schelp luistert zij naar het ruisen van de zee.

'Eigenlijk best wel idioot, Bella, om naar een schelp te gaan luisteren als je de hele zee voor je hebt.'

'Wij zijn geen types om stil te zitten, Bella.'

'Soms moet je gewoon weg. Je neus achterna.'
'Inpakken en wegwezen.'
'Maar weet je, Bella. Amerika is groot.'
'En als je kleine kinderen hebt.'
'Neem nou Arizona, bijvoorbeeld. Je hebt daar plaatsen waar het meer dan honderd graden kan worden.'
'Fahrenheit hoor, Bella. Niet Celsius.'

'Ich Bin Ein Berliner!' roept Kajus op een avond, eind juni, vanuit zijn serre. 'Er zijn grote dingen gaande in de wereldgeschiedenis, Thomas.'

Thomas antwoordt niet. De wereldgeschiedenis interesseert hem niet. Hij denkt aan zijn verjaardag. De enige cadeautjes die hij wil hebben zijn een bouwpakket van een skelet en een bepaald soort vishaak met ronddraaiend kunstaas die hij in een van Huotari's hengelsportbladen heeft gezien. Kajus doet zijn radio uit.

'Zullen we iets leuks gaan doen, Thomas? Zullen we naar het strand gaan, iets bouwen voor IsabellaZeemeermin? Een duikplank?'

'Mmm.' Thomas mompelt iets onhoorbaars bij wijze van antwoord. Daar komt Isabella zelf de serre in. Ze draagt een witte broek en een gele pull-over en heeft geen woord opgevangen over een duikplank.

'Kom mee!' zegt ze. 'We gaan naar het huis van Rosa en Gabbe. We krijgen Shangri-la's bij Rosa in de tuin.'

'Welkom in ons elektrische zomerstulpje. Simsalabim!'

Gabbe trekt het keukengordijn opzij en kijk, daar staat een enorm fornuis. Het heeft vier kookplaten en een opklapbaar paneel waarop knoppen zitten om de temperatuur van platen en oven mee te regelen. Gabbe klapt het paneel op en neer. Het is precies een navigatiepaneel in een ruimteschip, zegt hij. Hij richt zich tot Thomas. Ja toch?

'Raketten, Thomas. De Gemini. Het Apollo-project.'

'Binnenkort landen we op de maan, Thomas.'

'We leven midden in een ongelooflijke tijd.'

Tegen de volwassenen zegt hij dat je eigenlijk een zoon moet hebben als je echt eens over dat soort dingen door wil praten. Hij klopt Thomas op zijn schouder, lijkt het fornuis als het ware opnieuw te ontdekken en klopt erop. *Vlamloos koken*, zegt hij.

'Hier kunnen jullie je recepten op uitproberen.' Gabbe lacht naar Bella en Rosa, hij laat zijn linkermondhoek omhoogkrullen, precies zoals Gene Pitney.

'Een lekkere cake slaan wij mannen heus niet af.' Gabbes hand maakt een landing op Thomas' schouder.

Isabella lacht haar zeemeerminnenlach.

'Nee dank je, ik bak niet...'

'Wij zijn niet zo'n doorsnee gezin', vult Kajus aan. 'We hebben muziek in ons bloed. We luisteren veel naar muziek. Naar jazzmuziek.'

Gabbe spitst de oren bij het woord muziek. '*Music.* Ik hou ook van music.'

'Miles Davis, Charlie Parker, Bill Evans...' begint Kajus op te sommen.

'Ik heb plannen om in de muziek te gaan', verklaart Gabbe. 'Bandrecorders, Kajus. Binnen tien jaar zal de cassettebandtechniek de traditionele technieken om muziek weer te geven weggeconcurreerd hebben. Wedden?'

'Nee dank je, ik...'

'Er zijn grote dingen gaande in de music-geschiedenis. Daar wil ik bij zijn. Gooi je platenspeler maar in zee, Mister Jazz!'

'Nee, dank je', begint Kajus weer, en nu is het zijn beurt om zijn handen op Thomas' en Bella's schouders te leggen. 'Wij houden ons bij het vinyl.'

Bella schudt zich los uit Kajus' greep. Zij is nog waar ze werd onderbroken.

'Ik bak niet op de traditionele manier', zegt ze. 'Ik gebruik MIX.'

Rosa komt de keuken in met een dienblad Shangri-la's. Ze herkent de woorden.

'Nou, Bella,' zegt ze met een lachje, 'dan zullen wij het samen best kunnen vinden.'

Gabbes mond valt open. Hij kijkt naar Bella en Rosa, van de een naar de ander. Dan lacht hij met de glimlach die Rosa 'zijn onweerstaanbare Wolvengrijns' noemt.

'En wat de muzikale kant betreft', zegt Gabbe, 'zou ik mezelf zo ongeveer als een "alleseter" kunnen omschrijven.'

Thomas bloost. Hij voelt Renées ogen in zijn huid. Hij gluurt over zijn schouder. Ze staat niet meer achter hem en de muur van de volwassenen. Hij gaat naar buiten. Ze is aan de voet van de berg, op weg naar het bos. Hij rent de berg af, gaat haar achterna.

Over de overtocht vanuit Amerika heeft Rosa het volgende verteld: 'Er was zoveel dat we wilden meenemen. Je zou het onmogelijk allemaal in een vliegtuig kunnen krijgen. Vandaar dat we ons hebben gesplitst. Gabbe nam de boot met Renée. En Nina en ik gingen met het vliegtuig, wij zouden klaarstaan in de haven om ze op te halen. Maar midden op de Atlantische Oceaan stak er een storm op. Orkaanachtige toestanden.'

Thomas heeft het voor zich gezien: Renée en Gabbe op een schip midden op de oceaan. Diep onderdeks weggekropen, in het ruim tussen al hun spullen. Te midden van auto, fornuis, airconditioningapparaat, grasmaaier en schitterende bar met ingebouwde koelkast, waarvan de ranke deurtjes met de zeegang meeklapperen. Zware rollers, overal water.

Hij heeft ook aan zichzelf gedacht. Zelf heeft hij zich op een vierkant binnenplein bevonden onder een balkon van een flat op de derde verdieping. Hij is een van die kinderen geweest die 'Mama, kom eens naar het raam' riepen. Dat was een soort wedstrijd. Ze wilden indruk op elkaar maken met hun moeders. Steeds weer voelde Thomas hetzelfde warme gevoel van trots in zich opwellen als Isabella het balkon opkwam en zich over de balustrade boog, terwijl ieders blikken op haar gericht waren. Want er is geen twijfel mogelijk, Isabella is de mooiste moeder van het plein, of ze nu krulspelden in heeft of niet. 'Wat is er, Thomas?' riep ze dan nogal ongeduldig, schijnbaar onaangedaan door alle aandacht die haar ten deel viel. Thomas kon geen antwoord geven; er was eigenlijk niets. Ze haalde haar schouders op en ging de flat weer binnen. Hij bleef roepen. Hij bleef zo lang roepen, dat ze zich weer moest laten zien. En dat aldoor weer, een paar dagen achter elkaar. Ze werd boos, maar dat was niet zo erg, het was een soort spel geworden. Een ritueel waarvan Thomas was gaan houden. Hij roept en zij komt. Het kan even duren. Maar vroeg of laat komt ze te voorschijn.

Op een dag fluit ze hem naar boven. Ze schuift een sleutel aan een bandje, hangt het bandje om zijn nek. Ze zegt dat hij in het vervolg zelf naar boven moet komen, zolang het tenminste geen zaak van leven of dood betreft.

'Ik ben niet op afroep beschikbaar', zegt ze. 'Niemand is op afroep beschikbaar. Dat is iets dat je moet leren.'

Thomas knikt geestdriftig. Hij heeft er niets op tegen een eigen sleutel te krijgen. Zo wordt hij het eerste kind van zijn leeftijdgroepje op het binnenplein met een eigen sleutel. Hij gaat weer naar buiten en kauwt op het sleutelbandje, zodat iedereen het kan zien. Een bittere smaak, het bandje knapt. Hij krijgt een nieuw, maar kauwt ook dat kapot. En daarna nog een paar, zodat hij na twee jaar vier bandjes en een sleutel heeft versleten.

Gedurende deze twee jaar heeft Renée onder meer het volgende gedaan. Ze heeft het Amerikaanse continent bereisd in een witte engel, is aan de kustlijn van de Stille Zuidzee geweest, heeft met eigen ogen kunnen waarnemen hoe de lucht in de hitte boven verlaten autowegen in Arizona tot gelei wordt, met water gespeeld in een blauwe plastic pool op een groen gazon in Washington DC, twee konijnen in bezit gehad en die naar eigen zeggen afgemaakt. En tot slot ook nog eens de Atlantische Oceaan overgestoken in een schip dat bijna vergaan is in een verschrikkelijke storm. En dat nog wel zonder zeeziek te zijn geweest.

'Ongelooflijk, dat kind!' had Rosa gezegd. 'Ze moet stalen ingewanden hebben. Of misschien is het gewoon een kind dat voor de zee geboren is.'

Thomas dacht eerst dat hij niet onder de indruk was. Maar dat is hij natuurlijk toch.

Thomas en Renée gaan het bos in, deze zomer, alle andere zomers. Thomas' triomf is dat hij het bos beter kent dan iedereen. Ook beter dan Renée. Ze maken er natuurlijk ruzie om. Maar niet zo erg. Thomas vindt niet dat hij iets hoeft te bewijzen. Het is hem voldoende als hij zijn triomf in stilte voelt, wanneer blijkt dat hij alle plekjes waar ze hem mee naartoe neemt en waarbij ze laat doorschemeren dat ze ze voor hem heeft ontdekt, al kent.

Soms hebben ze Erkki Johansson bij zich als ze het bos in gaan. Soms laten ze hem daar achter. Ergens op een heel akelig plekje. Op moerassige grond bijvoorbeeld, waarboven kleine mugachtige insecten in snerpende zwermen rondvliegen, of op ondoordringbare plekken vol struikgewas, waar ieder moment van de dag een muffe duisternis hangt. Ze gaan er samen vandoor. Maar niet zo ver weg als Erkki denkt. In feite verstoppen ze zich tamelijk dicht in zijn buurt om hem te kunnen bespieden. Erkki Johansson staat stil. Hij kijkt om zich heen, weifelend. Hij wappert met zijn handen om de insecten te verjagen die in de lucht om hem heen drommen. Hij luistert. Spiedt in het rond, verdacht op ieder geluidje, ieder beweginkje. Dat blijft een poosje zo. Het is stil. Er gebeurt niets. Erkki's gezicht vertrekt in rimpels. Hij kruist zijn armen voor zijn lichaam, balt zijn vuisten, drukt ze tegen zich aan. Zijn gezicht vertrekt nog erger. Het huilen begint, het lijkt zich uit Erkki Johansson naar buiten te persen, hoe hard hij er ook tegen vecht. Eerst is het zacht en weifelend, maar als het een poosje aan de gang is zonder dat er iets gebeurt, wordt het luider en krachtiger.

Het is een raar gevoel om zo vanuit hun schuilhoekje naar Erkki Johansson te kijken. Opwindend en onprettig tegelijk. Het is verwarrend. Om dat gevoel weg te krijgen moeten Thomas en Renée soms wel te voorschijn komen en te kennen geven dat ze er nog zijn. Dan zeggen ze dat ze de hele tijd maar vijf meter van hem vandaan waren. Dat ze even iets te doen hadden. Wat staat Erkki daar te grienen? Heeft iemand iets gedaan? Steken de muggen? Eigen schuld. Had hij maar niet de hele tijd op één plek moeten blijven staan. Nogal wiedes dat de muggen je vinden als je zo dom bent om je niet te verroeren.

'Maar in ieder geval, Proefpersoon', zeggen ze ten slotte. 'Je hebt het Experiment doorstaan. Gefeliciteerd.'

En na verloop van tijd barst Erkki Johansson niet meer in huilen uit als ze hem alleen achterlaten. Hij staat stil, kijkt afwachtend om zich heen, opmerkzaam, laat zich op zijn hurken zakken. Drukt zijn vuisten tegen zich aan, zijn gezicht vertrekt in rimpels. Maar er komt geen geluid. Hij kijkt om zich heen, draait zijn hoofd van de ene kant naar de andere. Het is net alsof hij weet dat Renée en Thomas in de buurt zijn, alsof hij alleen maar wacht tot ze komen opduiken om hem te vertellen dat hij proefpersoon is geweest in een belangrijk wetenschappelijk experiment en vervolgens met een wetenschappelijke uitleg komen om nog eens extra duidelijk te maken hoe het allemaal in elkaar zit en waar het experiment nu eigenlijk om draaide.

Thomas en Renée gaan ervandoor zonder hun aanwezigheid te verraden. Ze wandelen terug naar het zomerparadijs of naar een heel andere kant van het bos. Erkki blijft achter, moet op eigen gelegenheid zien thuis te komen. Hij komt ook wel thuis, uiteindelijk. Het kan een poosje duren, vooral in het begin.

Maar vroeg of laat klinkt Maj Johanssons stem op vanuit de tuin van de Johanssons: 'Wat hebben ze nú weer gedaan?'

Erkki Johansson begint te huilen bij die stem van Maj Johansson. Maar hij laat niets los, tenminste, zo weinig mogelijk. Hij doet zijn best om een volwaardig proefpersoon te zijn. Onder alle omstandigheden. Een die zich groot houdt, die geen wetenschappelijke geheimen naar buitenstaanders laat uitlekken.

Hebben Thomas en Renée een slecht geweten? Niet bepaald. Zo denken ze gewoon niet. Dankzij hem en Renée komt Erkki tenminste in het bos en leert daar de weg, denkt Thomas.

Maggi en Nina leven in de driehoek tussen de sauna van de Johanssons, het huis van de Johanssons en het huis van Gabbe en Rosa op de berg. Maj Johansson gaat alleen het bos in als het bosbessentijd is; maar dan moet ze er ook met Jan en alleman inderhaast op af, met Pusu Johansson en de neven en plukmachines, want bij de Johanssons hebben ze het niet breed terwijl ze wel veel monden aan de dis hebben, dus ze moeten profiteren van de gaven van het bos voordat iemand anders hun vóór is. Kajus zit met zijn detectiveromans en zijn muziek in de serre, Gabbe gaat niet graag ergens naartoe als hij de auto niet kan nemen, en Johan en Helena Wikblad – die hebben die zieke baby. En Bella en Rosa, nu ja, dat zijn 'Strandvrouwen'. Zo nu en dan wandelen ze weleens over de bosweg. Naar de brievenbus. En terug.

Dus enkel en alleen dankzij hem en Renée breidt Erkki Johansson zijn revier uit, dat nu dus verder reikt dan de buitenste perceelgrenzen van het zomerparadijs. Niemand beweegt zich door het bos zoals Thomas en Renée, niemand kan Erkki Johansson beter met het bos vertrouwd maken dan Thomas en Renée.

's Avonds, als het weer zich ertoe leent, gaan Thomas en Huotari op open zee uit vissen in Huotari's boot. Ze werpen netten en kunstaas uit. Dan varen ze weer naar huis en steken het vuur in de sauna aan. Ze nemen een saunabad en als ze klaar zijn zoeken ze verkoeling op het trapje voor de deur, daar zitten ze met handdoeken rond hun buik worstjes te eten die ze in folie op de hete stenen van de sauna hebben gebakken. Ze praten over boksen. Hoewel. Veel zeggen ze niet, maar als ze iets zeggen, gaat het over boksen.

Van het trapje voor Huotari's huisje hebben ze een mooi uitzicht over de strandjes van het zomerparadijs. Die liggen recht voor hen, vijftig meter van hen af aan de overzijde van het water. 's Avonds liggen ze in de schaduw. Ze zijn leeg, zien er een beetje verlaten uit.

Maar kijk, daar is beweging in de laan. Twee figuren verschijnen op de rots op het strand. De ene is geel, de andere lichtrood. De gele draagt een pannetje, het afwaspannetje van het witte huis, al van verre zichtbaar door de vuurrode kleur ervan. De lichtrode draagt wasteiltjes, en heeft handdoeken om haar hals, een beetje zoals een bokser.

Bella zet het pannetje op de afwastafel. Rosa giet heet water uit het pannetje in de twee teiltjes. Het stoomt. Eén moment verandert de lucht rondom Bella en Rosa in gelei, ongeveer zoals het er boven de asfaltwegen in Arizona uit kan zien als het echt heet is, meer dan honderd graden Fahrenheit. Ze verdwijnen bijna uit het zicht. Dan klaart de lucht weer op. Rosa heeft er koud water uit de baai bij gedaan.

Ze buigen zich elk over een teiltje, wassen hun haar. Ze roepen dat het water koud is en dat ze shampoo in hun ogen krijgen. Zelfs Huotari kijkt op. Thomas is trots, zoals altijd wanneer zijn moeder de mooiste is, zijn moeder die bezig is met haar fantastische lange haar, haar zeemeerminnenhaar. Maar hij zegt niets. Hij zwijgt en geniet van de situatie.

Als Bella en Rosa hun haar gewassen hebben rollen ze een handdoek als een tulband om hun hoofd, trekken hun badjassen aan, zetten de teiltjes omgekeerd op de afwastafel en nemen het afwaspannetje mee als ze de laan weer op lopen. Het wordt stil.

Thomas eet wat worst. Huotari leest voor uit zijn krant: 'Ik ben het best, het mooist, het sterkst, het snelst, het formidabelst, het meest bewonderenswaardig, en het ongelooflijkst.'

Thomas spitst zijn oren. Daarginds is nu iets anders te zien. Iets oranjekleurigs op het uiterste puntje van de gemeenschappelijke ponton van Gabbe en Rosa en de Johanssons. Het houdt het gezicht in een vreemde houding naar boven gekeerd, snuffelt in de lucht, een beetje als een dier. De mond gaat open, brengt een wonderlijk geluid voort.

Thomas kijkt opzij. Huotari is weer in zijn krant verdiept. Thomas wendt zijn blik langzaam in de richting van de aanlegsteiger. Renée is weg.

'Wat zeg je?'

'Ik ben het bést, het formidábelst', zegt Huotari.

'Ja, dat heb ik wel gehoord. Maar wie zegt dat?'

'Clay natuurlijk. Zo gaat het maar door. Cooper is een súl, een zóútzak, een stóéthaspel. Wat denk jij, Thomas? Wie gaat er winnen?'

'Dat hoef je toch zeker niet te vragen.'

'In welke ronde, Thomas?'

'De eerste', zegt Thomas.

Hij krijgt gelijk. Clay verslaat Cooper in de eerste ronde.

Een dof geronk. Eerst is er niets te zien. Maar kijk, dan komt er een witte engel op zijn gemak aanrollen. Eerst duikt hij op bij het huis van de Johanssons, glijdt om het huis heen, rijdt verder over het heuveltje bij het strandje van Maj Johansson en over Maj Johanssons gazonnetje heen. Gewoon rechtdoor. Eén moment denk je dat hij pardoes het water in zal rijden.

Dat is natuurlijk gezichtsbedrog. Bij de sauna van de Johanssons staat de auto plotseling stil. Het portier gaat open. Gabbe stapt uit en gooit het portier achter zich dicht met een dreun die over het hele zomerparadijs dendert. Gabbe rolt de gemeenschappelijke tuinslang uit, die aan een haak aan de muur van het saunahuisje hangt. Hij draait de kraan open en gaat de auto wassen.

Rosa en Bella gaan naar het huis op de berg, trekken de gordijnen dicht. Ze zitten in de vleermuisstoelen, nippen aan softdrinks en roken sigaretten.

'Zullen we een film kijken, Bella?' vraagt Rosa.

'Best.'

'Welke dan?' vraagt Rosa.

'Eén keer raden', zegt Bella met een voorzichtig lachje, want ze hebben dezelfde film al meermalen gezien, er is immers maar één film.

Rosa lacht ook. Ze zet de projector op tafel en doet hem aan.

Het gazon, de pool en de kinderen. Het dienblad met softdrinks, Rosa's wiebelende lichaam dat in een troebel waas oplost als ze te dichtbij komt en Gabbe niet opzij gaat. Echt Gabbe weer, hoor.

Maar ze zegt het niet. Deze keer is Rosa stil.

Dan de zee, het laatste stukje. Het strand waarop Rosa zit met haar rug naar de camera toe, terwijl ze een schelp tegen haar oor gedrukt houdt. Het ruisen van de zee, waar ze altijd een grapje over maakt. Deze keer zegt ze niets. Ze staat op uit de oranje vleermuisstoel. Het airconditioningapparaat draait, de filmprojector zoemt. Ze loopt naar het raam en blijft daar staan. Ze trekt met een ruk de gordijnen open. Het beeld in de projector vervaagt, het scherm wordt wit. Ze gaat op haar hurken bij het airconditioningapparaat zitten, bekijkt de witte propeller die achter het witte traliewerk ronddraait. Ze grijpt het snoer en rukt de stekker uit het stopcontact. De propeller draait nog een paar keer aarzelend rond en staat dan stil.

'Meer dan dit', zegt Rosa, terwijl ze op de propeller wijst, 'zal het nooit worden met die vliegtuigen van Gabbe.'

Ze kijkt Bella strak aan.

'Ik klets maar wat, Bella. Allemaal onzin.'

'Moet je horen.'

'Ik weet niets van vliegtuigen.'

'We zaten bij dezelfde studentenvereniging. Ik herkende hem. Ik ben hem gaan vragen of hij nog wist wie ik was.'

'Dat was op dat vliegveld.'

'Ik was stewardess, Bella. *Grond*-stewardess, geen *lucht*. Dat maakt een groot verschil.'

'Bijvoorbeeld dat je de hele tijd op de grond blijft.'

'Hij werd niet toegelaten tot de pilotenopleiding. Hij zakte voor de simulatietest. Hij was te zenuwachtig.'

'Nou', zegt Rosa en ze knipt met haar vingers. 'Dat was het dan.'

Ze zwijgt weer. Ook Bella zwijgt.

'Zal ik eens iets vertellen', zegt Bella zomaar ineens.

'Kajus en ik hebben elkaar helemaal niet bij het concert van Charlie Parker in Topsys Nalen ontmoet. Ik ben nog nooit in Stockholm geweest, Rosa. Ik ben nog nooit ergens geweest.'

'We hebben elkaar in het pretpark ontmoet.'

'Ik was zeemeermin.'

'Ik zat op een plank te wachten tot er iemand kwam ballengooien en een bordje zou raken dat onder mijn plank zat. Als er iemand raak gooide zou mijn plank omklappen en dan moest ik gillen en me in het bassin onder me laten vallen. Kajus kwam en Kajus gooide. En Kajus gooide raak. Midden in de roos.'

'En toen, Rosa. Toen kwam ik met een plons in het bassin terecht.'

'Wat denk je, Bella? Nu?'

'Niks. Dat ik me nog steeds plakkerig voel. Die vreselijke olie overal.'

Gabbes witte engel, 1963

Thomas is op 4 juli jarig. 's Morgens schijnt de zon en is het feest bij het witte huis. Thomas, Renée, Erkki Johansson, Maggi Johansson en Nina staan in een kring in de tuin. Ze doen een spel en Nina dirigeert de boel om te zorgen dat alles rechtvaardig toegaat en dat niemand hem te vaak achter elkaar is. Vooral Erkki Johansson niet, die de jongste en de domste is en die hem in spelletjes met alleen Thomas en Renée erbij altijd moet zijn.

Midden onder het spel verlaat Renée de kring om in de schaduw bij het keukentrapje te gaan zitten. Ze trekt een grasspriet uit de grond en steekt die in haar mond, kauwt erop en gaat zonder blikken of blozen om zich heen zitten kijken. Met geen mogelijkheid kunnen ze haar zover krijgen of van haar eisen dat ze weer mee komt doen met het spelletje, dat pas voor de helft gespeeld was. Thomas vindt het een grappig gezicht, hij houdt er ook mee op en gaat naast Renée op het trapje voor de keukendeur zitten, trekt een grasspriet uit de grond, kauwt erop en doet zijn best om er onbewogen uit te zien. Nina wordt boos en holt het witte huis binnen waar Bella en Rosa zijn, om alles aan Rosa te vertellen. Als Rosa naar buiten komt en Thomas en Renée op het trapje ziet zitten, zegt ze verrukt dat ze er geweldig uitzien, net gangstertjes. '*Freeze!* Blijf zitten waar je zit!' roept ze. 'En verroer je niet!'

Ze holt het huis weer in om de camera te halen. Maar als het kiekje geschoten moet worden, zitten alle andere kinderen plotseling ook op het trapje, grassprieten in de mond, met uitdrukkingloze gezichten. Daarmee is het spel uit, beseft Thomas, en hij komt overeind en gaat naar binnen om zijn cadeautjes uit te pakken. Van Maj Johansson krijgt hij de donkerblauwe zuidwester van de kinderen van haar neven. De kinderen van haar neven zijn er al uitgegroeid, maar voor Erkki Johansson is het ding nog te groot en omdat blauw een jongenskleur is, past de zuidwester beter op Thomas' hoofd dan op het hoofd van Maggi Johansson zolang Erkki de juiste maat nog niet heeft bereikt. 'Van harte', aldus Maj Johansson.

Het cadeau van Gabbe en Rosa en Nina en Renée is het spel LEVENSWEG in de Zweedse versie, die de naam 'TRIOMF' draagt. Triomf, geweldig zoals die naam ook bij de verjaardagsstemming past die op deze dag zo nu en dan de kop opsteekt. Een warm gevoel overspoelt Thomas. Ook Erkki Johansson voelt iets dergelijks, want plotseling blinkt er iets ondeugends in zijn ogen, hij roept dat hij even iets moet halen thuis en gaat er op een holletje vandoor. Een paar minuten later is hij terug, met volle handen. Ze zien niet onmiddellijk wat hij erin heeft, omdat hij ze geheimzinnig over iets heen gevouwen houdt, totdat hij ze met een triomfantelijk gebaar naar Thomas uitstrekt, ze voorzichtig op een kiertje opent en zegt: 'Alsjeblieft, voor jou.' Het zijn alle rubberen miniatuurdieren uit Erkki Johanssons miniatuurdierenverzameling. Ook de gele giraffe met de elastische hals waarin je een knoop kunt leggen, Erkki Johanssons lievelingsdier. Maar het volgende moment barst Erkki in huilen uit. Want eens gegeven blijft gegeven. Maj Johansson is er nog net op tijd bij om verdere overhandigingsplechtigheden te voorkomen. Later zullen ze zich vrolijk kunnen maken om Maj Johanssons definitie van een geschenk, immers, het officiële verjaarscadeau van de familie Johansson valt er strikt genomen niet onder. Maar nu kan er geen lachje af. Erkki Johansson heeft één ding begrepen uit de verklaringen van Maj Johansson. Het zal hem kennelijk worden belet zijn bijdrage aan de verjaardag te geven. Zijn handen vallen slap langs zijn lichaam, de dieren rollen over de grond – er schuift een wolk voor de zon. Nu ja, nog niet meteen. Maar Erkki's gesnik is op de een of andere manier een slecht voorteken.

Het wordt middag. De gasten gaan naar huis. De lucht betrekt.

‘Soms krijg je ineens zo’n gevoel over je’, zegt Rosa tegen Bella, ‘dat je weg moet. Heb jij dat nooit?’ Ze stelt de vraag, maar blijft niet op het antwoord wachten. Ze pakt haar spullen bij elkaar en haast zich weg door de tuin, het huis in, om kleren voor een boottochtje aan te trekken. Ze gaat straks met het motorbootje naar Tupsu Lindbergh in het huis van de Lindberghs, ze wil kijken of ze daar nog iets doen aan de *fourth-of-July*.

Bella begint de verjaardagsboel op te ruimen. Ze brengt kopjes en bordjes naar de keuken, zet acht gebruikte taartkaarsjes op een rijtje op het dichtgemetselde houtfornuis. Zet het pannetje voor het afwaswater op het gas en giet er water in. Plotseling onderbreekt ze haar bezigheden. Ze slaat haar gele badjas om zich heen en begint te lopen.

Bella loopt door alle kamers op de begane grond. Van de keuken naar het trapportaal naar de grote kamer naar Thomas’ kamer. Op blote voeten, in haar gele badjas, met speurende voetstappen, alsof ze iets nieuws en iets leuks wil verzinnen, nu het ook nog slecht weer is geworden. En alsof ze Thomas bij dat nieuwe leuke wil betrekken. Maar Thomas heeft deze keer nu eens geen belangstelling. Hij zit op zijn bed, druk bezig zijn nieuwe vishaak aan het uiteinde van de lijn van zijn werphengel vast te maken. En als hij daarmee klaar is wil hij er tussenuit knijpen naar het strand. Op eigen houtje. Met Bella kun je niet vissen. Ze zit geen minuut stil en praat aan één stuk door.

Dloink. Dloink. Daar vliegen Bella’s sandalen tegen de wand. Bella staat blootsvoets midden in Thomas’ kamer en laat op deze manier weten dat ze er is. Maar Thomas kijkt niet op of om. De lijn is glad en als je alle ingewikkelde knopen die nodig zijn om het lepeltje met de haken eraan vast te maken er goed in wil leggen, moet je je concentreren.

Even later staat ze in de grote kamer. Daar vliegen horzels door de open ramen naar binnen. Ze praat over onweer. Ze somt verschillende tekens in de lucht op waaraan je kunt aflezen dat het gaat onweren. Zegt: 'Ja toch, Thomas?' bij ieder ding dat ze opnoemt. 'Hmmm', antwoordt Thomas zonder te luisteren. Even later is hij ervandoor. Het laatste dat hij van Bella ziet, is hoe ze met opgeheven arm voor de spiegel van de buffetkast staat.

'Kijk eens, Thomas!'

Alle door de zon gebleekte haartjes op haar onderarm staan rechtovereind.

Ze balt haar vuist. Heel even lijkt het net alsof ze haar vuist tegen een van de spiegelruiten wil slaan. Dan laat ze haar arm zakken, fronst haar dikke, donkere wenkbrauwen, steekt een sigaret aan. Ze rookt, blaast kringetjes van rook naar zichzelf in de spiegel. Maar Thomas is er dan niet meer, die is buiten op het laantje. Bij het strand duikt Renée plotseling op uit het Ruti-bos en pakt hem zijn hengel af.

'Mag ik even proberen?' vraagt ze, en meteen staat ze op de steiger en heeft de lijn voor de eerste keer uitgegooid.

En nu staat Renée met Thomas' werphengel op de steiger van het witte huis. Ze werpt uit, haalt weer in. Ze draait vlug aan het molentje, veel te vlug, helemaal niet afwachtend en rustig zoals je een vislijn hoort op te winden en zoals ze het heus wel kan, als ze wil. Ze wil niet. Thomas weet het; hij hangt achter haar op een paaltje van de steiger en staart naar haar oranje rug. 'Beet', zegt Renée en ze draait nog sneller. Beet. Ze zegt nog een paar keer hetzelfde, en iedere keer windt ze de lijn op zonder dat er iets aan het lepeltje zit, en iedere keer gooit ze hem weer uit. En haalt hem weer in. Zonder zich ook maar iets van Thomas aan te trekken.

'Nu ben ik aan de beurt', zegt Thomas, ook al weet hij dat het met praten alleen maar erger wordt.

'Beet', antwoordt Renée en ze gaat door met opwinden.

Het lepeltje hangt nonchalant boven het wateroppervlak,

druipend en schoon, en zwaait heen en weer onder Renées hardhandige aanpak.

Thomas denkt na of hij hulp kan inroepen. Wie zou hij moeten roepen? Er is niemand te zien. Renée en hij zijn de enigen op de steiger en de strandjes. Bij de Johanssons is het leeg, zelfs uit de sauna, waar Maggi en Nina meestal te vinden zijn, komt geen enkel geluid. Het eilandje van Huotari ligt er verlaten bij. Het is midden in de week en Huotari heeft nog geen vakantie. In de verte, aan de linkerkant van de baai, staat een schoorsteen hevig te roken. Dat is het enige teken van leven. En dat is een paar kilometer ver weg, al lijkt het dichtbij.

Renée is hem de baas. Op dit moment kan Thomas niets met haar beginnen. Dat weten ze allebei. Ze draait en draait aan het molentje.

'Geef hier!' Thomas reikt nu toch naar zijn hengel. Renée trekt met een haastige beweging haar hand opzij. De lijn die niet netjes opgerold is, slingert naar achteren, het lepeltje met de haken raakt even Thomas' wang. Hij deinst achteruit.

'Idioot. Kijk uit voor m'n ogen.'

De wind gaat liggen. Het begint te regenen. Plotseling giet het.

Renée luistert niet. Ze rolt de lijn op en werpt hem weer uit. Het lepeltje zakt een stukje verderop met een ploppend geluidje het water in. Deze keer pauzeert ze even na haar worp. Zodat ze allebei ruimschoots de tijd hebben om zich voor te stellen hoe de haak door het water naar de bodem afdaalt, zich in de waterplanten begraaft en daar blijft vastzitten. Ze begint weer te draaien. De top van de hengel buigt diep omlaag. Ze geeft een ruk. De top komt verend los met een huilend geluid, dat afschuwelijk klinkt in Thomas' oren. Ze blijft draaien.

Thomas is de eerste die merkt dat de lijn afgebroken is. Er drijft een doorzichtig stukje draad op het wateroppervlak. In slappe lussen. Renée blijft nog een hele poos aan het molentje draaien, met nonchalante rukken, alsof ze niet gemerkt of begrepen heeft wat er gebeurd is. Thomas wordt razend. Met stijgende woede staat hij naar haar te kijken. De rooklucht dringt zijn neusgaten binnen, zijn slapen kloppen. Dan werpt hij zich boven op haar en hij pakt de hengel af. Het ding valt tussen de stenen die de steiger aan de oeverzijde dragen.

Maar Thomas let niet meer op de hengel, zodra hij hem weer in handen heeft is hij niet meer belangrijk. Het lukt hem Renée op de steiger onderuit te halen. Ze vechten, maar hij is bozer en sterker nu, en algauw ligt ze op haar rug onder hem. Hij zit half boven op haar, drukt zijn knieën tegen haar armen om te zorgen dat ze stil blijft liggen, timmert met zijn vuisten op haar buik, op haar gezicht. Hij trekt aan haar haar, probeert ergens houvast te vinden om haar hoofd tegen de planken van de steiger te beuken. Ze kronkelt zich onder hem vandaan, met kracht. Met steeds meer kracht, merkt Thomas, en ergens in zijn achterhoofd beseft hij dat hij zijn overmacht aan het verliezen is. Hij duikt op haar trui neer, zijn kaken slaan op elkaar, huid tussen de tanden, een flinke beet. Zijn mond vult zich met pluis en met een vieze smaak, is dat bloed? Hij geeft haar een harde duw, ze valt op een akelige manier op de stenen, met haar hoofd eerst. Haar trui schuift omhoog en legt een stukje witte rug bloot, dat hij op weg naar boven door het laantje de hele tijd voor zich blijft zien. Ze rolt verder, haar voeten in blauw witte gympen komen in het water terecht. Thomas heeft haren en pluizen van de trui in zijn mond, maar hij heeft het op een rennen gezet. Over het laantje, naar het witte huis. En al hollend roept hij om Bella. Daar zal Renée hem naderhand nog aan herinneren, onder vier ogen.

'Bellaaa! Bellaa!'

Het was immers zijn verjaardag en het was zijn nieuwe vishaak. Het lepeltje had in zijn doosje liggen glanzen, het doosje dat hij die morgen uit het gele cadeaupapier te voorschijn had gehaald. Bella en Kajus waren met een verjaardagsdienblad naar zijn kamer gekomen en ze hadden gezongen en hij had zijn handen tegen zijn oren gehouden en was diep onder zijn dekbed weggekropen, tot hij bijna met zijn hoofd bij het voeteneind lag. Maar dat was maar een spelletje geweest, het hoorde erbij, want zo kreeg Bella de kans het dekbed met een ruk opzij te trekken om naast hem in bed te ploffen en hem eens stevig te knuffelen voor zijn verjaardag. En Kajus stond naast het bed, net als op alle andere verjaardagen, klaar om het verjaardagsdienblad te presenteren met een beker chocola erop en boterhammen en alles wat Thomas zich maar had kunnen wensen. Een bouwdoos van een skelet. En dat lepeltje.

Thomas is bij het witte huis aangekomen. De vieze smaak van trui en bloed zit nog in zijn mond. Hij roept nu niet meer. En hij heeft vaart geminderd. Het is net of zijn snelheid de laatste meters bergop steeds minder is geworden, en als hij het trapje naar de keukendeur op gaat, zijn zijn voetstappen al zwaar en talmend. Hij spuwt om iets smerigs uit zijn mond weg te krijgen. Pluis. En hij merkt dat hij zijn hengel in zijn hand heeft. De werphengel. Eén moment schijnt ook die hem volkomen vreemd toe. Hij gooit hem met kracht van zich af, het ding komt midden tussen de verwelkte seringenstruiken terecht die onder het raam van zijn kamer groeien.

In het trapportaal zegt hij Isabella's naam nog een keer. De deur slaat achter hem dicht. Maar het wordt niet helemaal donker. Het daglicht sijpelt door een paar kiertjes boven de keukendeur naar binnen. Daar in het donker blijft hij een hele poos staan. Hij luistert naar zijn eigen stem. Die klinkt anders nu. Weifelend, alsof zijn tong de klanken proeft.

B-e-l-la, zegt hij. Hij werkt zich door de naam heen als door een alfabet.

Dan draait hij de sleutel van de keukendeur om die zo stroef gaat, hij doet de deur open en sluipt de keuken in. Met stille, weifelende passen, en midden op de blauwe keukenvloer blijft hij helemaal stilstaan, verstart, luistert. Zijn eigen ademhaling. Onregelmatig hijgend, hij is nog steeds buiten adem van het hollen door het laantje. Er vliegt een horzel tegen het raam. Steeds weer botst hij tegen de ruit. De regen klettert op het zinken dak. Op zolder maakt het een geluid als van machinepistolen. Hierbeneden lijkt het geratel van heel ver weg te komen. Vóór hem, op het oude, dichtgemetselde houtfornuis, liggen de restanten van een feestje. Stukken taart op gebaksschoteltjes, taartkaarsjes met gedroogde slagroom onderaan. Servetten. Als een soort bewijs dat er een leven bestond voordat dit gebeurde. Een verjaardag.

De gebeurtenissen aan de waterkant zijn als vervlogen. En al het andere ook. Álles is plotseling ergens anders. Een onbehaaglijk, onverklaarbaar gevoel.

Dan schrikt hij op, zich er plotseling van bewust dat hij wordt gadegeslagen. Hij wendt zijn hoofd naar links, naar zijn kamer. Op zijn tafel staat de doos van het bouwpakket rechtop. Het skelet op het deksel grijnst hem toe, met een holle grijns die Thomas weer naar de werkelijkheid terugvoert.

De tijd keert terug, de betovering is verbroken.

En hij holt weer. Door de kamers op de begane grond heen, de trap op naar het atelier.

Op de vloer van het atelier vindt hij de gele badjas. Over de trapleuning hangt een badpak. In zijn kamer liggen de sandalen. De ene onder het bed, de andere naast de tegelkachel, precies op de plek waar ze eerder op de dag, toen zij ze uitschopte, terechtgekomen waren. De bovenste lade van de kast in de slaapkamer staat open. Dat is haar lade. Kousen en blousemouwen slierten in een onmiskenbare Bella-wanorde uit de opening te voorschijn. En overal, in heel het witte huis, een zwakke geur van haar parfum, Blue Grass.

Hij is het huis alweer uit, zet het op de bosweg weer op een sprinten. Hij rent maar voort in de stromende regen zonder goed te weten waarheen. Langs de grote berk gaat het, en langs de houtstapels van de neven van de Johanssons, het bos uit, waar aan de ene kant het open veld begint. En waar je ver kunt kijken.

Misschien vijftig meter verderop, aan het eind van het veld waar achter een paar bochtjes de grote weg begint waar de brievenbus is en de bussen rijden: daar loopt ze op de weg, ze houdt een rode paraplu boven haar hoofd. In haar andere hand draagt ze haar witte tas, haar reistas, de tas die Thomas en zij al meermalen bij wijze van spelletje hebben ingepakt. Beige is haar jas, hoog zijn de hakken van haar wandelschoenen. Maar niet te hoog, voor schoenen waarop je prettig moet kunnen wandelen zijn ze net hoog genoeg. En de gele jurk. Die schemert door het regengordijn heen. Want nu heeft ze zich omgedraaid en hem in het oog gekregen. Ze is stil blijven staan, heeft haar paraplu ingeklapt.

En dan staan ze daar op de bosweg naar elkaar te kijken, door de regen heen die nu op hen beiden neervalt.

Thomas is onderweg. Hij landt ergens in haar kleren.

'Thomas. Wat is er? Wat is er gebeurd?'

Of anders is hij nog in de duisternis van het trapportaal en spreekt haar naam uit als een alfabet. Ze hoort geluiden, doet de keukendeur open. Staat voor hem, op blote voeten, in haar gele badjas, roze warme natte afwashandschoenen aan haar handen.

Hij kan geen woord uitbrengen. Zijn mond zit weer vol pluis. Oranje truienpluis, waarvan je moet kokhalzen.

Hij begint natuurlijk ook te huilen. Hij huilt totdat ze hem bij zijn schouders pakt en hem door elkaar schudt. Dan komt het er allemaal uit. Alles wat hij eigenlijk al vergeten was. Een verhaal over Het Kleine Jongetje Dat Uit Vissen Ging. En wat dat voor gevolgen had, allemaal even rampzalig. Maar over Renée rept hij met geen woord. Hij weet niet waarom niet. Ze past er gewoon niet in.

Maar Bella is een goed verstaander. Ze houdt zijn hoofd tussen haar handen zodat hij haar recht aankijkt.

'Toch niet dat dure cadeautje van Kajus?' Thomas knikt langzaam.

'Kom, Thomas', roept ze dan, haar stem klinkt bijna blij. 'Laten we meteen naar Johansson gaan om Kajus op te bellen, dan kunnen we hem dit hele treurige verhaal vertellen.'

En terwijl ze andere kleren aantrekken en door de tuin naar het huis van de Johanssons hollen, houdt het op met regenen en wordt de lucht weer helder en zonnig.

Kajus' rode Austin Mini rijdt om zes uur de tuin in. De witte engel volgt in zijn kielzog. Deze remt af, de ruit glijdt omlaag, Gabbe steekt zijn hoofd naar buiten en roept: 'Haha! Ik had je bijna!' waarna hij weer gas geeft en doorrijdt naar het huis van de Engelen. Kajus zegt weleens dat Gabbe levensgevaarlijke toeren uithaalt op de grote weg. Aan zulk soort spelletjes zal hijzelf beslist niet beginnen. De grote weg is absoluut niet geschikt om een rally op te houden.

Maar vandaag trekt Kajus zich niets van Gabbe aan. Hij doet het portier open, stapt uit en begint zonder een woord te zeggen zijn kleren uit te trekken. Stropdas af, overhemd uit, en als laatste schopt hij zijn schoenen uit zodat ze de hele tuin door vliegen. Op een holletje het laantje af naar het strand, de steiger op, en daar neemt hij een sprong, zijn voeten naar voren, zijn lange broek nog aan. Hij zwemt een paar meter onder water en pas als zijn hoofd weer opduikt en hij het proestend heen en weer schudt, begint hij te praten. Hij roept dat hij hier de hele dag naar uitgekeken heeft. In de stad zijn er helemaal geen verkoelende onweersbuien geweest zoals hier. Het was er zo heet dat het asfalt kookte onder je schoenen. Hij crawlt een heel eind weg. Thomas gaat erachteraan. Hij springt ook met kleren aan het water in. Kajus wacht op Thomas en als Thomas hem heeft ingehaald, keren ze om en zwemmen terug naar de wal, zij aan zij, in evenwijdige lijnen.

Bella is de baai in gelopen. Ze staat op onvaste benen in het water dat tot de onderrand van haar shorts reikt, houdt haar handen voor zich in de lucht, maar maakt een weifelende indruk. Kajus en Thomas roepen haar toe dat ze niet zo slap moet doen, ze moet er gewoon in duiken. Bella blijft staan en schudt lachend haar hoofd. Het is te koud! Thomas en Kajus zwemmen op haar af en beginnen haar met water te gooien. Bella geeft een gil en rent terug naar het strand. Thomas en Kajus zetten de achtervolging in. Zo wordt Bella achternagezeten, het hele laantje door, het witte huis in en door de kamers op de begane grond heen. Pas een hele tijd later komen ze tot bedaren, slaan badjassen om zich heen, dekken de tafel en hangen hun natte kleren aan de waslijn in de tuin te drogen. En op de eettafel ligt een nieuwe vishaak bij Thomas' bord. Met precies zo'n lepeltje als hij had.

Terwijl Thomas en Bella en Kajus hun avondmaal eten, komt Renée binnen. Ze knikt, loopt door de keuken heen naar Thomas' kamer en gaat aan zijn tafel zitten, waar ze papier en krijt pakt en begint te tekenen. Thomas gluurt naar haar over zijn bordje erwtensoep heen. Ze zit geconcentreerd te tekenen, zonder op te kijken. Ze heeft een andere trui aan, een donkerrode. Maar verder zijn er geen sporen te zien.

Als Thomas klaar is met eten gaat hij naar zijn kamer. Hij gaat tegenover Renée aan zijn tafel zitten en begint bloeddruppels te tekenen. Ook zij tekent bloeddruppels voor de spookkamer die ze in de ene alkoof op zolder naast Bella's atelier willen inrichten. Ze kunnen de ranken met bloeddruppels uitknippen, hebben ze bedacht, en ze dan aan elkaar plakken tot lange stroken die ze voor de ingang kunnen hangen. En dan willen ze Erkki Johansson een keer meenemen en hem de stuipen op het lijf jagen. Niet dat ze iets tegen Erkki Johansson hebben, maar Erkki Johansson is de kleinste van allemaal en de enige die je mogelijk de stuipen op het lijf kunt jagen in een spookkamer.

Renée pakt een nieuw vel papier en begint theekoppen te tekenen met oren en een neus en een mond, die via tekstballonnetjes met elkaar communiceren. Ze aarzelt over wat ze in de ballonnen moet schrijven; dat komt, weet Thomas, doordat ze nog niet goed kan schrijven. Thomas pakt ook een nieuw vel papier en begint figuren te tekenen die met elkaar babbelen door middel van verschillende korte uitroepen die hij in grote wolkvormige vlakken boven hun hoofden schrijft.

Ze stoppen met tekenen en bouwen Thomas' kamer om tot een raket. Renée zit op Thomas' tafel in de houding van een astronaut, gereed voor vertrek. Thomas kruipt onder de tafel en probeert het dingetje waarmee je moet starten aan de praat te krijgen. Dat mislukt een paar keer achter elkaar en ten slotte raakt Renées geduld op, ze zegt dat Thomas maar in een eigen raket moet gaan. Thomas klimt op de lage ladekast onder het raam en gaat daar ineengedoken op zitten, ook in astronautenhouding. Hij trekt zijn benen op tegen zijn lichaam, slaat zijn armen om zijn benen heen en drukt zijn kin tegen zijn knieën, want een ruimtecapsule is erg klein, niet groter dan de bestuurderszitplaats van een kleine auto, en een kleine auto is zo groot als Kajus' Austin Mini.

Dan staat Rosa daar plotseling met haar camera.

'*Freeze*, kinderen! Blijf zitten waar je zit en verroer je niet!' Thomas en Renée draaien allebei tegelijk hun hoofd om. Ze worden verrast door het flitslicht. Ook Rosa is verrast: ze had niet gedacht dat er hierbinnen zo weinig licht was dat de automatische flitser in werking zou treden. Op de foto later zullen Renée en Thomas de toeschouwer allebei met een strakke blik aankijken. Kijk toch eens hoe leuk, zal Rosa later zeggen, het zijn net die kosmonaute Valentina en haar kameraad Bykovskij die in juni dat jaar ieder in een eigen ruimtecapsule rond de aarde cirkelden en radiocontact met elkaar hadden.

Rosa knipt een berichtje uit de krant met een grappige tekst die ze onder de foto wil plakken in het fotoalbum dat ze de komende winter zal gaan samenstellen.

'Bella! Kajus!' Rosa bergt de camera weer in het etui en roept naar de grote kamer.

'Waar zitten jullie? Gabbe en ik lopen te wachten tot jullie op de borrel komen!'

'Alweer?' Bella komt te voorschijn uit de richting van de serre. Geel en vrolijk, maar een beetje in verlegenheid, want de avond daarvoor zijn ze immers ook al bij Gabbe en Rosa op de borrel geweest. Kajus staat achter Bella. Hij heeft een detective in zijn hand. Op de kaft gilt een ordinaire blondine met geverfde open mond naar een onbekend gevaar. Hoewel zo'n blondine geen enkel verband houdt met de inhoud van het verhaal, zoals Kajus een keer heeft uitgelegd toen Thomas wilde weten welke rol de blondine in het boek speelde en waar ze precies bang voor was, is overduidelijk te zien dat Kajus niet net zo blij verrast is als Bella.

'Waarom niet', zegt Rosa. 'Voor een feestje is er altijd wel een reden te bedenken. En Gabbe en ik zijn nu eenmaal mensen die graag andere mensen om ons heen hebben.'

'En nu dachten we zo', lacht Rosa, 'dat als Goliath niet naar de berg komt, nou, dan komt de berg maar naar Goliath. Dadelijk is Gabbe hier met de auto!'

En even later rijdt de witte engel de tuin in. Het schitterende barmeubel met ingebouwde koelkast wordt uit de kofferruimte getild en de serre in gereden, waar de avondzon schijnt – er heerst immers een hittegolf en in het witte huis kun je nergens drankjes koel zetten. De ranke teakhouten deurtjes van het meubel worden opengeklapt zodat de in spiegelmozaïek gevatte binnenwanden zichtbaar worden. Geluiden van ijs en glazen, gepraat en gelach, geluiden die zich met elkaar vermengen in een rustgevend geroezemoes dat vanuit de serre in het hele witte huis doordringt, ook tot Thomas en Renée in de kamer van Thomas, waar Renée nog steeds in moeilijkheden verkeert met haar raket die voortdurend last heeft van motorpech. Thomas bemoeit zich niet met haar reparatiewerkzaamheden. Hij drukt zijn kin nog steviger tegen zijn knieën en stijgt op.

*

Rosa en Bella zijn in de keuken. Ze praten met elkaar, maar nogal zachtjes, en bovendien rinkelen ze met pannen zodat er maar af en toe een woord of een zinnetje op te vangen is. Als Bella en Rosa onder vier ogen met elkaar spreken, op zo'n intense manier dat je dadelijk begrijpt dat het niet over huis of man of kinderen gaat, dan hebben ze het over het liefdesleven van Elizabeth Taylor, zoals dat in andermans omschrijving heet. Uit de manier waarop dat laatste gezegd wordt, valt tevens op te maken dat het liefdesleven van Elizabeth Taylor iets onbenulligs en onbelangrijks is. Maar Thomas weet, al kan hij niet verklaren hoe, dat dit een verkeerde voorstelling van zaken is. Bella en Rosa hebben het niet over het liefdesleven van Elizabeth Taylor. Niet omdat dat onbenullig en onbelangrijk zou zijn. Dat is het niet. Het is alleen op dit moment niet interessant. Iedereen weet toch zeker dat Elizabeth Taylor met Burton gaat trouwen, hoe hard ze het allebei ook publiekelijk ontkennen.

Nee, Bella en Rosa praten over iets anders, en op een heel andere manier.

'...nou, Bella', zegt Rosa nu, in de keuken. 'Vandaag was ik bij Tupsu. En vervelend dat het was. *Boring*. Boring, ik kan niet anders zeggen. Ik verlangde aldoor naar hier. Toen ik erheen ging had ik meteen al spijt. Onderweg in de boot dacht ik: wat doe ik hier, ik keer om en ga terug. Ik weet niet hoe ik het moet uitleggen. Begrijp je wat ik bedoel?'

Haar stem is zacht, rustig, zodat het opeens moeilijk te begrijpen is dat hij bij dezelfde persoon hoort die altijd met de camera ronddraaft op jacht naar onvergankelijke momenten die voor het familiealbum dienen te worden vereeuwigd.

'Hmmm', antwoordt Bella. Thomas kent dat 'hmmm' van Bella. Bella humt altijd op die manier als ze niet zeker weet of ze iets begrijpt, maar dat niet wil laten merken omdat dat misschien verkeerd wordt opgevat.

Maar ze lacht, haar stem klink echt blij. Cool, denkt Thomas. Ze zijn allebei cool. Bella is cool zoals de jazzmuziek waar ze in hun flat in de stad naar luistert. Een luisteren dat zich door de hele kamer verspreidt, onlosmakelijk verbonden met sigaretten, kranten, krulspelden, GoGay-haarlak en gepraat dat van de hak op de tak springt, gepraat dat over van alles en nog wat kan gaan, óók over het liefdesleven van Elizabeth Taylor. Maar Rosa is ook cool. Zoals wanneer je je hand in het schitterende barmeubel met ingebouwde koelkast steekt en met je vingers donkere strepen op het ijswaasje op de wanden tekent. Niet zoals de koeltas; dat is gewoon camouflage, die heeft een functie. Of zoals die camera.

Bella en Rosa; ze passen bij elkaar, ze lijken op elkaar.

'Zullen we naar de anderen gaan, Rosa?' vraagt Bella.

'Goed', antwoordt Rosa. 'Als je wilt.'

'Met een innemende glimlach en stalen zenuwen trad de brunette Valentina Teresjkova deze zondag toe tot de tot nu toe exclusief mannelijke ruimtevaartwereld.'

'Lukt niet.' Renée geeft een schop tegen de tafelpoot en loopt de kamer uit. Thomas gaat haar achterna. Op het trapje voor de keukendeur staan ze na te denken. Ze beginnen te lopen. Zij eerst, dan Thomas, zijn ogen op haar rode rug gericht. De volgende dag al heeft ze haar oude oranje trui weer aan. Het gat is eigenhandig dichtgenaaid met dik draad in een witte, na verloop van tijd smoezelig grauwe, donkere knoedel op haar schouder. En tegen iedereen die iets vraagt zegt ze dat ze in het bos is gestruikeld en gevallen.

Maar zijn nieuwe lepeltje moffelt Thomas weg. En Renée en Thomas vissen sinds die ene keer niet meer samen. Thomas steekt in de roeiboot over naar Huotari, als Huotari's vakantie begonnen is. Renée zet netten uit.

Ze haalt de netten van Pusu Johansson van de haak in het voorportaal van de sauna van de Johanssons, 's avonds laat als iedereen binnen is. Ze roeit de baai op en gooit de netten uit. 's Morgens staat ze vroeg op om te kijken of er iets in zit. Maar de maand juli, dat is de tijd dat de temperatuur van het water aan deze kant van de baai tot boven de vijfentwintig graden stijgt en het zeewier over de bodem van de baai wolkt, zodat de glanzende mahoniekleurige speedboot van de familie Lindbergh begint te loeien als er wier in de schroef komt. En inderdaad, ze vangt alleen maar zeewier. En nadat ze de netten heeft nagekeken neemt ze niet de moeite ze schoon te maken zoals het hoort. Ze laat ze gewoon op het heuveltje bij het strand van Maj Johansson liggen. Daar liggen ze dan op grauwe hopen, ze drogen, ze stinken en gaan kapot in de hete zon die 's morgens een paar uur lang brandt, ook op het strandje van de Johanssons. Zijzelf is dan allang ergens anders, druk bezig met andere dingen.

Drie dagen achter elkaar herhaalt Renée deze procedure, totdat ze alle netten van Pusu Johansson heeft opgebruikt. Ze doen de deur van de sauna op slot en proberen de sleutel op nieuwe plekjes te verstoppen, maar dat helpt niet. Ze weet altijd waar de sleutel is. Thomas weet trouwens ook altijd waar de sleutel is. Er bestaan in het zomerparadijs geen geheimen voor Thomas en Renée.

Pusu Johansson gaat naar Gabbe om de zaak te bespreken.

'We zijn niet krenterig', zegt Gabbe. 'We trekken onze portefeuille open.'

Maar een beetje geneert hij zich wel.

'Waarom heeft ze geen belangstelling voor gewone dingen?' roept hij als Pusu Johansson weer weg is. 'Meisjesdingen. Poppen, of... of parachutespringen?' Maar toch, hij kan niet verhelen dat zijn stem bijna dof klinkt van trots.

''t Is een bijzonder kind', zegt Rosa. 'Ik wou alleen dat ze die haren van haar eens liet knippen.'

'Het is mooi', vindt Bella. 'Het heeft iets wilds.'

'Jij hebt mooi praten. Jij hoeft het na het wassen niet uit te kammen.' En Bella lacht. Dat hoeft ze inderdaad niet. Thomas heeft een zomerjongetjeskapsel, model egel. Bijna overal op zijn hoofd even kort.

'Heel goor', zegt Nina over Renée. Ze heeft het woord zojuist ontdekt en volgens haar is het precies de juiste omschrijving van iemand als Renée.

'Ze is zo klein, ze begrijpt het niet.' Dat zegt iemand anders, Thomas. Daar is ze bij, en ze maakt woeste grimassen. Ze vindt het afschuwelijk om klein te worden genoemd. Ze steekt stiekem haar tong uit. Ze komt slinks naderbij met de bedoeling om te knijpen. Maar Thomas gaat weg, hij pakt zijn werphengel en roeit naar het eilandje van Huotari.

Maar op het trapje van Huotari's huisje zit hij later naar Renée te staren, aan de overkant. Huotari merkt niets, die is in zijn krant verdiept.

'Van de herfst komt hij hiernaartoe, Thomas.'

'Wie?'

'Liston. Die vent die Patterson heeft verslagen. Hij komt naar het pretpark. Zullen we naar hem gaan kijken? Samen?'

*

Maar op een dag midden in de zomer, net als ze eraan gewend zijn dat ze er iedere morgen is, is ze er niet. Rosa komt niet. Thomas en Bella zitten net als anders naast elkaar aan de ontbijttafel, hun gezichten naar de deur gekeerd. Het is eind juli, vakantietijd. Thomas en Bella steken hun lepels diep in hun schaaltjes fil. Ze tillen de lepels hoog in de lucht en laten de gezuurde melk in taaie stromen in de schaaltjes teruglopen. Ze wachten. Ze praten niet met elkaar over het feit dat ze wachten. Ze hebben het ontzettend gezellig zo met zijn tweetjes, ze spelen met hun eten op een manier waar Kajus weleens de zenuwen van krijgt. Maar Kajus slaapt nu en ergens tikt een klokje. Op de stoel bij Thomas' bed in Thomas' kamer, waar hij op een avond ergens aan het begin van de zomer zijn horloge heeft laten liggen en het de volgende dag en de dag daarna en alle daaropvolgende dagen vergeten is. Het was opeens niet meer nodig. Opeens gold dat soort tijd niet meer, niet dat tijd niet meer belangrijk was, maar er gold een andere tijd, een andere tijdrekening. Maar nu zou hij zijn horloge willen gaan halen om te kijken hoe laat het is. Het getik is plotseling in zijn hele lichaam voelbaar. En geleidelijk aan lost alle kaneel in zijn fil op onder zijn blik. De taaie melk verandert binnen de kortste keren in een losse, oneetbare smurrie. Dan pas laat Thomas zich van zijn stoel glijden. Hij moet even naar Renée, zegt hij. Ze gaan iets doen samen, hebben ze afgesproken.

'Het is een geheim', zegt hij, luid en duidelijk. Gewoonlijk vertelt hij nooit aan Kajus of Bella of iemand anders wat hij met Renée gaat doen. En ze hoeven nooit naar elkaar toe. Ze duiken hier of daar op. Ze komen gewoon ergens vandaan. Op alle mogelijke tijdstippen. Ook midden onder het eten, als dat nodig is. Aan zulk soort dingen kun je volgens Maj Johansson zien dat je geen manieren hebt. Maar ja, Maj Johansson is iemand die nooit iets weet van dingen die de moeite van het weten waard zijn.

'Jaja, Thomas. Ga maar.'

Bella begint de ontbijtboel op te ruimen. Stapelt kopjes op elkaar. Dan onderbreekt ze haar bezigheden, alsof het haar plotseling te binnen schiet dat Kajus nog niet wakker is. Ze zet alles weer netjes neer. Tikt een sigaret uit het pakje, steekt hem aan. Rookt hem op. Kijkt naar de mooie dag die buiten aanbreekt.

Thomas holt de berg op naar het huis van Rosa en Gabbe. Hij trekt aan de deur. Die zit op slot. Hij loopt om het huis heen en probeert door de ramen naar binnen te kijken. Overal dichte gordijnen. Dan pas kijkt hij goed om zich heen. Hij komt tot de ontdekking dat Gabbes auto weg is. En dan weet hij wat er gebeurd is. De familie Engel wilde niet langer stilzitten en is de wijde wereld in getrokken.

Thomas holt de berg weer af, terug naar het witte huis, en haalt zijn fiets uit het houthok. Hij fietst zo hard als hij kan naar de brievenbus. Plotseling is hij er zeker van dat er ergens een berichtje van de Engelen moet liggen. Ze kunnen toch niet zomaar weggegaan zijn. En welke plaats ligt nu meer voor de hand om een boodschap in achter te laten dan de brievenbus aan de grote weg?

Er ligt daar wel een twee dagen oude krant. Een onbekende naam erop. Niet iemand van dit zomerparadijs. Verder is het zondag en dan wordt er geen post bezorgd.

Thomas fietst terug. Bella zit nog waar ze zat toen hij naar buiten ging.

'Ze zijn weg.' Thomas' opwinding en ademnood vullen de keuken.

'Wie?' Bella kijkt hem onbegrijpend aan.

'Nou, de Engelen', zegt Thomas ongeduldig. 'Ze zijn de wijde wereld in.'

'Zo', zegt Bella alleen maar. Alsof het haar helemaal niet interesseert. Eén moment ergert Thomas zich verschrikkelijk.

'Ik wéét het wel, hoor!' zegt hij boos en met nadruk.

'Wat weten jullie?'

Kajus komt de keuken binnen in shorts en een zomers overhemd. Hij rekt zich grommend uit en roept nog voordat iemand antwoord kan geven: 'Ik voel me net een leeuw, Thomas! Klaar om grootse daden te verrichten. Zullen we iets gaan bouwen op het strand?'

Hij knipoogt naar Thomas alsof ze samen een geheim hebben. Thomas probeert weg te kijken.

'De Engelen zijn weg', zegt Thomas ernstig.

'Heerlijk.' Kajus gaat aan de ontbijttafel zitten, pakt een schaaltje fil en begint het resoluut naar binnen te lepelen. 'Dan krijgen we tenminste een beetje rust.'

'En nu niet meer zeuren, Thomas!' voegt hij eraan toe. 'Als je op zo'n mooie dag als vandaag binnen gaat zitten sikkeneuren is de zon achter de wolken verdwenen voordat je buiten bent.' Even staat zijn gezicht ernstig. Maar dan lacht hij; wat hij zei klonk zo grappig. Dat vindt Thomas ook; hij kan er niets aan doen, hij moet meelachen.

'Kom nu maar, Thomas', zegt Kajus. 'We gaan iets bouwen.'

Bella rekt zich ook uit, net zo energiek als Kajus zo-even, en begint op te sommen wat ze allemaal te doen heeft. De aardbeienbedden wieden. Kousen stoppen. De vloer in de grote kamer dweilen. Enzovoort.

Ze laat haar handen op tafel zakken. Kijkt met een gewiekste uitdrukking op haar gezicht van Thomas naar Kajus. Ze weten allemaal wat dat betekent. Luieren. Bella is van plan gewoon niets te doen en te luieren.

'Ik moet me alleen nog even verkleden.'

Ze gaat de trap op naar haar atelier. Drie uur later is ze weer terug. Dan is het tijd voor de lunch en Kajus en Thomas die op het strand aan het bouwen zijn geweest, hebben honger als wolven. Bella zet pap op het vuur en verklaart dat ze moe was.

'Ik ben in slaap gevallen. 't Was heerlijk om te slapen.'

Maar nu is ze weer opgeknapt. Ze heeft parfum opgedaan, dat doet ze anders alleen weleens als ze bijzonder goedgehumeurd is en in de stemming voor iets leuks. Blue Grass. Kajus snuffelt in de lucht.

Maar later komt Maj Johansson. Midden onder het eten gaat de deur open: 'Neem me niet kwalijk dat ik jullie zomaar midden onder de maaltijd lastigval...'

Maar ze heeft een grote pan water in de sauna van de Johanssons op het vuur staan. En nu had ze gedacht dat zij en Bella maar eens een echte, flinke kookwas moesten doen samen.

'Kunnen we onze lakens een beurt geven.' Thomas en Kajus eten pap, hun paplepels schrapen over de borden. Bella kijkt om zich heen. Ze kan er niet onderuit. En na het eten haalt Bella alle bedden af en loopt achter het energieke gebabbel van Maj Johansson aan naar de kokendhete pannen water, de emaillen teilen, de groene zeep en de schuurborstels in de sauna van de Johanssons.

Kajus zet zijn strooien hoed op en kiest uit zijn zomerbibliotheek een echt goed boek uit.

'Kom Thomas. Laat dat bouwen maar zitten. We gaan de zee op, van de totale vrijheid genieten.'

Thomas en Kajus drijven op het water van de baai in de roeiboot van het witte huis.

'*Down by the river*, meer niet', zegt Kajus. 'Dat is de verwerkelijking van het idee van de totale vrijheid. Zoiets zou ieder mens een keer moeten proberen. Kom je, Thomas?'

Zich in een bootje op de stroom laten voortdrijven is iets dat Kajus minstens één keer per zomer doen moet, anders is het geen echte zomer.

'Kom je, Thomas?'

Natuurlijk komt Thomas. Kajus is zo grappig als hij zijn strooien hoed opzet, zijn Huck Finnhoed noemt hij die, en een echt goeie detectiveroman uitzoekt uit zijn zomerbibliotheek. Thomas en Kajus roeien de roeiboot het water op, halen midden op de baai de riemen binnenboord en gaan op de vlonder onder in de boot liggen, zodat er boven de rand niets meer van hen te zien is. Kajus kijkt omhoog naar de hemel terwijl de boot met de wind en de stroom meedrijft. Het doet hem aan de zomers van zijn jeugd denken, en aan de favoriete held uit zijn jongensboeken van vroeger, Huckleberry Finn.

'Huck Finn was bevriend met een jongen die Tom Sawyer heette. Tom, dat is Amerikaans voor Thomas. Tom Sawyer en Huckleberry Finn beleefden een heleboel avonturen op de rivier de Mississippi.'

'Huck Finn leefde een eigen leven. Hij gaf er niets om dat hij geen echt thuis had zoals Tom Sawyer en dat hij arm was. Hij had een eigen leven. Hij wist te genieten van het leven en van de totale vrijheid.'

Thomas spiedt over de rand heen. Onopvallend. Hij is een spion en het is van belang dat iedereen die de boot op de baai ziet drijven, ook werkelijk denkt dat hij leeg is. Kajus is het beu naar de hemel te kijken en van de totale vrijheid te genieten. Hij heeft zijn detective opengeslagen en is gaan lezen. Thomas heeft naar de kaft liggen staren. Een ordinaire blondine op een soort zoldertrap met een verbijsterde blik in haar ogen en dieprood geverfde lippen. Een witte lap om haar lichaam, zo dun dat de lijnen van haar figuur duidelijk te zien zijn. Thomas heeft zich afgevraagd hoe die lap daar blijft zitten. Hij hangt als het ware in de lucht tegen haar aan, want haar handen houdt ze vóór zich om zich tegen een onbekend gevaar te beschermen. Hij heeft geen bevredigend antwoord kunnen bedenken en toen hij genoeg kreeg van zijn eigen gedachten is hij op zijn knieën op de bodem van de boot gaan zitten, met hernieuwde belangstelling voor de wereld om hem heen.

Op het strand heerst een levendige drukte. Bella en Maj Johansson spoelen wasgoed uit op de gemeenschappelijke ponton van Gabbe en Rosa en de familie Johansson. Maj Johanssons mond roert zich. Maar wat ze zegt is niet te horen, want de wind voert Maj Johanssons woorden een andere kant op.

Maar het maakt niet uit hoe de wind waait. Er valt niets te raden. Alles is gewoon precies zoals het eruitziet. Maj Johansson spreekt over traditioneel vrouwelijke gebruiken die bij haar in de familie van vrouw op vrouw zijn overgegaan. Van de ene tak op de andere, in een uitbundig vertakte stamboom waarvan Maj Johansson en de vrouwen van haar neven op dit moment de laatste scheuten zijn. De grote kookwas in de sauna. Monogrammen op de lakens.

's Avonds zal Bella zoals gewoonlijk zeggen dat ze dat mens niet kan uitstaan. Vanaf nu heeft ze voortaan helaas migraine als Maj Johansson weer eens met een goed idee aankomt. Thomas en Kajus zullen er een beetje om moeten lachen. Bella zal ernstig zijn. In alle ernst zal Bella zeggen dat ze het ernstig meent.

Maar zo uit de verte ziet het er heel gezellig uit, zoals Maj Johansson en Bella daar wasgoed zitten uit te spoelen. De kinderen ravotten om hen heen. Erkki Johansson rent heen en weer tussen de steiger van het witte huis en de gemeenschappelijke ponton van Rosa en Gabbe en de familie Johansson, met zijn hand in de lucht. Wat heeft Erkki in zijn hand? Dat is niet te zien en daarom is het een grappig gezicht. Misschien is het niets. Gewoon een van de vele vruchten van Erkki Johanssons fantasie. Een miniatuur luchtvliegmachientje bijvoorbeeld. Of iets dergelijks.

Maggi Johansson volgt Erkki Johansson met haar blik. Ze staat op het gazonnetje van Maj Johansson, haar handen diep in haar blauwe broekzakken gestoken. Van mijlenver is te zien dat ze zich verveelt. Nu gaat ze Erkki Johansson achterna, ze probeert dat wat hij in zijn hand heeft van hem af te pakken. En blijkbaar lukt het haar, want Erkki Johansson wordt kwaad en begint Maggi op de karakteristieke Erkki Johanssonmanier aan te vallen door als een buffel zijn hoofd tegen haar buik te stoten. Maggi lacht. Daar wordt Erkki alleen nog maar kwader van en hij stoot zijn hoofd net zolang tegen Maggi's buik tot ook Maggi uit haar humeur raakt en het gevecht een feit is. Maj Johansson kijkt op en roept dat Maggi en Erkki lief met elkaar moeten gaan spelen.

Bij het witte huis staat een half afgebouwde duikplank. De hele zomer, sinds begin juni toen Kajus het plan opvatte IsabellaZeemeermin te verrassen met een eigen duikplank bij het eigen strandje en Thomas zowel bij het werk als bij de planning wilde betrekken, heeft Thomas geweten dat er iets mis is, er is iets fundamenteels mis met die duikplank. Al kon en kan hij nog steeds niet precies zeggen wat en hoe. En zo vanuit het water ziet de houten stellage van de duikplank er opeens heel onschuldig uit. Hij versmelt wonderwel met het landschap.

Daar klinkt bekend motorgeronk, de glanzende mahoniekleurige speedboot van de Lindberghs duikt op tussen de eilandjes in de baai. Robin staat aan het stuur, Tupsu Lindbergh komt er op waterski's achteraan. Tupsu Lindbergh doet aan waterskiën, anzoals Rosa altijd lachend zegt als Tupsu Lindbergh voor de aanlegsteigers haar kunnen demonstreert en Rosa haar best doet er niet al te veel aandacht aan te schenken, want ze is de laatste tijd nauwelijks bij Tupsu Lindbergh geweest. Alsof waterskiën totaal niet interessant is. Daar is natuurlijk geen steek van waar.

'Hmmm', zegt Bella, zonder haar blik van Tupsu Lindbergh af te wenden.

''t Is wel een mooi gezicht natuurlijk', moet Rosa ten slotte toch toegeven. Ze pakt de camera en gaat naast Bella op het rotsblok liggen. 'Thomas, neem eens een foto van ons!' En terwijl Tupsu verder skiet over de baai, neemt Thomas het kiekje van Bella en Rosa. Mooie vrouwen aan het water zijn we, zegt Rosa en ze lacht.

Bella is opgehouden met wasgoed spoelen en overeind gekomen. Daar staat ze op de steiger van de familie Johansson, ze blijft een poosje stilstaan, de wasmand aan haar voeten. Tupsu Lindbergh wuift, maakt een elegante draai en skiet achter de boot van de Lindberghs aan terug over de baai. Bella steekt haar hand op, laat hem weer zakken. Dan haalt ze met een vastberaden gebaar haar vingers door haar haar, tilt de wasmand op en loopt het land op, naar Maj Johansson bij de waslijnen van de

Johanssons. Bella en Maj Johansson slaan natte, kledderige lakens uit en zetten ze met wasknijpers vast. Schone witte lakens die na een poosje hangen te wapperen als zeilen in de wind.

Er verstrijkt enige tijd. Het is een periode met louter goede jazzmuziek op de radio. En verder is het stil. Een rustige, kalme stilte legt zich over alles heen.

'Zo stil is het de hele zomer nog niet geweest', zegt Bella op een avond als ze thee zitten te drinken. Maar ze staat niet op om de stilte te gaan verstoren, zoals ze anders zo vaak doet. Ze rammelt niet met pannen, trommelt niet met haar voeten op de grond. Ze lacht niet. Ze blijft zitten.

'Midden in de zomer werd het plotseling stil', zegt Kajus. En Bella en Kajus nemen de transistorradio mee naar de grote kamer, ze zetten jazzmuziek aan en blijven tot diep in de nacht wakker.

's Nachts ligt Thomas in zijn bed door de deur van zijn kamer, die op een kier staat, naar het donker in de grote kamer te staren. Bella is een schim die zich door de kamer beweegt, de vloer kraakt een beetje onder haar voeten. Ze gaat bij het raam staan. Haar sigaret gloeit. Die gloed is het enige lichtpuntje in de kamer, op de radio na die een gedempt geel schijnsel in de leeshoek werpt. Er is nu wel elektriciteit in het witte huis, maar daar houden ze in het witte huis nog niet echt rekening mee. Thomas' kamer is eigenlijk de enige kamer met een behoorlijke plafondlamp.

''t Is langgeleden dat ik naar echte muziek luisterde', zegt Bella plotseling. 'Ik heb het gemist.'

'O ja?' zegt Kajus.

'Op geen enkele muziek kun je zo goed dansen als op deze.'

'Fijn dat je dat vindt.'

'Toe Kajus. Laten we dansen.'

Kajus en Bella dansen. En Thomas ligt in zijn bed en volgt met zijn blik het oranje puntje van Bella's sigaret dat langzame, talmende cirkels maakt in de grote kamer. Dan draait hij zich om naar de muur en valt in slaap.

'Fijn dat je er weer bent', zegt Kajus.

'Hè?' zegt Bella. 'Ik ben toch niet weg geweest.'

Het is een tijd met louter goede jazzmuziek op de radio. Chet Baker zingt 'My funny Valentine'. Kajus en Bella voeren een discussie over Chet Bakers muziek. Ze zeggen dat Chet Baker een geweldige frasering heeft, fantastisch gewoon. Kajus verklaart dat dat komt doordat Chet Baker zijn stem precies zo gebruikt als een muziekinstrument, als zijn trompet. Dat hoor je als je heel goed luistert en op alle muzikale nuances let. Dat is zijn geheim, zegt Kajus, en Bella knikt, Bella is het met hem eens. Maar Kajus schiet ook weleens in de lach en dan zegt hij dat het eigenlijk belachelijk is, je kunt nu eenmaal niet alles tot in de finesses analyseren. En het gesprek loopt uit op een grote, kalme stilte. Duisternis, gloed van sigaretten, misschien muziek op de achtergrond.

Thomas lacht bij zichzelf als hij ernaar luistert. Als Bella en hij het over Chet Baker hebben zonder dat Kajus erbij is, dan praten ze over heel andere dingen. Bella zegt bijvoorbeeld dat Chet Baker knáp is, alsof Chet Baker iemand is als Paul Anka of een andere charmeur zonder enige muzikale verdiensten, en geen serieus musicus.

'Net als jij, Tsjet', zegt Bella tegen Thomas.

'Ik heet Thomas', zegt Thomas. Maar hij vindt het niet zo erg. Bella kan ook belachelijke dingen soms zo zeggen dat ze acceptabel klinken.

'Tuurlijk, mannetje', zegt Bella onbekommerd.

'Ik heet Thomas', zegt Thomas kribbig. Mannetje, dat is een stuk erger. Als Bella mannetje zegt, dan weet je dat ze geen woord meent van wat ze zegt of dat ze aan heel andere dingen denkt. Aan dingen die ze niet van plan is aan Thomas te vertellen.

Op een keer gaat Thomas de trap op naar Bella's atelier. Hij is alleen in het witte huis, Kajus en Bella zijn fietsbanden aan het oppompen in de tuin. Hij staat midden tussen alle spullen. Kleren, krulspelden, make-up, kranten. Hij ademt tabaksgeur in, Blue Grass. Constateert: hier is hij lang niet geweest. Herinnert zich de regen die op het zinken dak kletterde, de kranten, het gepraat over van alles en nog wat, de zeemeerminnen, het lieve leven. Bella neuriënd, daarom ben ik een vagebond.

'Straks gaat er iets gebeuren', zei Bella, maar het bleef gewoon regenen, want dit was nog voor de komst van de familie Engel.

Want eigenlijk zouden ze hier niet zijn: ze zouden naar de zeemeerminnen gaan, naar het lieve leven. Dat was een spel dat ze in het begin nog uit de flat in de stad meenamen naar het zomerparadijs. Het laten-we-ergens-heen-gaan-spel. Thomas! Ga je mee? 'Heb jij ook zin?' Dat was de vraag die gesteld diende te worden zodat de ander de kans kreeg te antwoorden. En er was maar één antwoord mogelijk. Dat antwoord was JA. JA. JA. Vervolgens dienden ze zich met spoed klaar te maken. Koffers pakken, reiskleren aantrekken en van alles en nog wat meenemen. Als ze daarmee klaar waren, was het spel afgelopen. Toen Thomas klein was begreep hij het niet goed. Hij ging huilen als bleek dat ze uiteindelijk nergens heen gingen wanneer ze klaar waren. Als ze hun reiskleren weer uittrokken, de schmink afwasten, eten kookten, opruimden, Paul Anka van de draaitafel afhaalden en er Bill Evans voor in de plaats legden omdat Kajus straks thuis zou komen, en de erwtensoep opzetten.

'Ach, Thomas', zei Bella. 'Zit niet zo te pruilen. Als je wat ouder bent gaan we alletwee weg. Samen. Je moet alleen nog wat groeien.'

'Heb jij ook zin?'

Thomas staat boven in Bella's atelier en probeert een toon

van vroeger terug te vinden. Zijn stem klinkt behoorlijk hees. En hij constateert: het is langgeleden. Hij is hier lang niet geweest.

'Wat doe je hier, mannetje?'

Bella is naar boven gekomen.

'Ik heet Thomas. Gaan jullie niet fietsen?'

'Jawel hoor, Tsjet. Ik kwam even de muggenolie halen. Heb jij die ergens gezien?'

'Ik heet Thomas', zegt Thomas.

Bella en Kajus fietsen de bosweg op. Kajus heeft zijn eigen fiets in orde gemaakt, Bella heeft de Monark van Maj Johansson geleend. Ze hebben emmertjes voor bosbessen bij zich, voor het geval ze een goed plekje vinden om te plukken. Als ze thuiskomen hebben ze anderhalve liter bessen geplukt.

'Ha!' zegt Kajus. 'We zijn ze mooi voor, Maj Johansson en de neven Johansson met hun plukmachines.' En Bella maakt bosbessentaart, Thomas eet er wel een paar stukken van. 's Nachts constateert hij dat hij allergisch is voor bosbessen. Maar het is geen sterke reactie, verhoging, kriebel in zijn keel. Het is niet zo erg, 's morgens is hij weer helemaal beter.

Erkki Johansson en Thomas zijn bezig met een rupsenproject. Ze vangen rupsen bij de sauna van de Johanssons. De rupsen stoppen ze in potjes die ze hebben gevuld met blaadjes en aarde en andere benodigdheden om een natuurlijk rupsenmilieu na te bootsen. Ze boren luchtgaatjes in de potdeksels en draaien die op de potten om te voorkomen dat de rupsen ontsnappen. Na verloop van tijd hebben ze vele verschillende rupsen in verschillende potjes. Maggi vindt een ander soort rups, niet zo'n heel bijzondere, gewoon bruin en harig zoals de meeste rupsen, maar toch weer anders dan alle rupsen van Thomas en Erkki. Maggi legt haar rups in een eigen potje en gaat prat op het feit dat zij met één enkele rups genoegen neemt. Zij hoeft niet ieder beestje dat op het perceel van de familie Johansson rondkruipt op te rapen. Zij heeft geen tientallen rupsen in verschillende potjes nodig, het lijkt nota bene wel een rupsententoonstelling daar op het terras bij de sauna van de Johanssons. Thomas en Erkki gaan naar Helena Wikblad in het rode huisje, want Helena Wikblad is de enige die een goede insectengids heeft. Op eerbiedige afstand van de baby, die deze zomerdag in de tuin in een wagen ligt te blèren, bladeren Thomas en Erkki Johansson in Helena's boek om hun rupsen te determineren en uit te zoeken wat het voor vlinders worden. Heel gewone, zo blijkt. Citroenvlinders en andere soorten, met namen die ze alsmaar niet kunnen onthouden omdat ze voortdurend voor hun ogen fladderen. En sommige rupsen worden helemaal geen vlinders. Thomas' dikste en langste rups bijvoorbeeld. Eén met een blauwgevlekte snuit en dunne oranje voelsprieten. Helena Wikblad spreekt zorgvuldig de naam van een bepaalde keversoort uit, in het Latijn. Ze probeert die mooi te laten klinken. Maar iedereen weet dat alleen vlinders mooi zijn. Maggi Johansson draait het deksel van haar potje los. Helena Wikblad kan met het blote oog zien dat het hier iets zeldzaams betreft. 'Het begin van een koninginnepage' staat er, als ze de rups in het boek opzoeken. Maggi lacht laatdunkend naar Thomas en Erkki Johansson. Erkki en Thomas gaan weg. Maggi blijft. Nog dagenlang zit Maggi Johansson met Helena Wikblad in het gras voor het rode huisje volwassen gesprekken te voeren. Volwassen gesprekken gaan niet over kevers en rupsen. Die gaan over het leven, baby's en dergelijke. Maggi stopt de speen in de mond van de baby. De baby spuugt de speen uit. Maggi stopt de speen in de mond van de baby. De baby spuugt hem uit.

Erkki Johansson en Thomas gaan het bos in. Eerst lopen ze zomaar een eind, zonder een speciaal doel. Maar later voeren ze een aantal wetenschappelijke experimenten uit. Na verloop van tijd zegt Erkki Johansson namelijk plotseling dat hij wil gaan oefenen voor als Renée terugkomt.

Renée. Het komt hard aan bij Thomas. Eerst klinkt het bijna vreemd. Thomas merkt dat hij vrijwel niet aan haar heeft gedacht. Maar op een bepaalde manier, zo beseft hij nu, heeft hij dat toch ook weer wel gedaan, al die tijd.

Midden in de bruisende zomer die, aanvankelijk tot Thomas' verbazing, uitstekend voortgang vindt zonder de familie Engel, de zomer met rupsen in potjes op het terras bij de sauna van de Johanssons, later met visbroedsel in lekke zinken emmers en met zeewier om de jonge visjes te voeren, met Helena Wikblad en Maggi Johansson bij het rode huisje, hun blonde haren allebei in een paardenstaart en een baby in een wagen naast zich, met de duikplank van Kajus waar aldoor nog aan gebouwd wordt en die steeds onheilspellender op het strandje van het witte huis verrijst, Bella's sigaretten 's avonds in de grote kamer, Kajus en Bella die praten bij jazzmuziek, Kajus en Bella die met hun fietsbellen rinkelen, tringtringtring, 'Thomas! We zijn thuis!', Erkki Johanssons 'Thomas! Wat gaan we doen?', 'Thomas! Ik ken niemand die zo slim is als jij', 'Thomas, als mama straks niet kijkt krijg jij de giraf', 'Thomas, wat gaan we nu voor experiment spelen?', 'Toe nou, Thomas, zeg het.'

Opeens dit. Idioot. Slof slof.

Geluid van voeten en niets anders. Voeten op weg naar het bos. En het bos; nee, dat heeft niets te maken met Erkki Johansson. En al evenmin met wetenschappelijke experimenten.

Maar Erkki Johansson houdt koppig vol en Thomas komt er niet onderuit. In naam van de wetenschap weet hij Erkki Johansson ten slotte zover te krijgen dat hij op de eerste tak van een tamelijk hoge boom klimt. Een heen en weer zwenkende berk die onderaan wel stevig is maar die verder naar boven schriel en levensgevaarlijk wordt, en dat moet ook want het experiment dient wel als een uitdaging te worden gevoeld. Erkki Johansson klampt zich aan de eerste tak vast, armen en benen eromheen, als een aap. Het duurt even voor hij weer omlaag durft te springen, maar eenmaal weer beneden zegt hij: 'Als Renée er weer is, klim ik helemaal naar boven.'

'Dat geloof ik niet', zegt Thomas.

'O nee?' zegt Erkki Johansson.

'Wedden van wel?' zegt Erkki Johansson.

Renée. Geleidelijk aan krijgt alles wat hij opmerkt en doet met haar te maken. Zij is degene aan wie hij alles zal vertellen. Dat wordt steeds meer het uitgangspunt van zijn ervaringen en waarnemingen. Dingen die gebeuren veranderen terwijl ze nog niet eens voorbij zijn al in verhalen, vertellingen, anekdotes die hij haar wil meedelen. Na verloop van tijd is er in zijn hoofd een voortdurend componeren gaande. Hij laadt zichzelf vol verhalen, op het laatst tot berstens toe. Maar denk maar niet dat ze komt.

Dan wordt hij ongeduldig. Waar is ze? Waarom komt ze niet? En dan gaat hij zich iets afvragen, iets waar hij in het begin, toen de familie Engel net weg was, niet over uitgedacht meende te raken. Waar ze zijn. Wat ze doen. In deze minuut, tijdens deze seconde. Wanneer komen ze terug? Stel je voor dat ze nooit meer terugkomen.

Steeds vaker merkt hij dat hij zich op het lege terreintje onder aan de helling naar het huis van de familie Engel bevindt. Hij gluurt naar het huis, de donkere ramen, de dichte gordijnen.

Hij gaat naar huis, gaat aan tafel zitten, bouwt aan zijn skelet. Leest in de gebruiksaanwijzing: 'Willen we de hoop koesteren elkaar te begrijpen, dan moeten we in gelijkenissen spreken, in beelden. Dat doen we normaalgesproken altijd wanneer het eenvoudige zaken betreft, en dat moeten we ook nu doen, nu we samen iets over de werkelijkheid pogen te leren. De ware wetenschapper zegt nooit: zo is het! Nee, hij zegt: dit is een beeld van hoe wij denken dat het is.'

Daar is ze weer. Even, een glimp. Typisch Renée.

Maar waar is ze?

'Waar denk jij dat ze zijn, Thomas?'

Thomas kijkt over zijn schouder. Bella is zijn kamer binnengekomen, staat bij het raam naar buiten te kijken. Ze praat op zachte toon, ze tuurt gespannen naar buiten alsof de hele wereld met ergens de familie Engel erin zich aan de andere kant van het raam uitstrekt.

'Ik weet het niet', zegt Thomas. 'Ik heb geen idee.'

Bella haalt haar schouders op en gaat weg.

'Zullen we een eindje gaan fietsen?' vraagt Kajus. 'De Monark even gaan lenen?'

'Ik ben moe', zegt Bella. 'Ik moet uitrusten.'

Dat kan onmogelijk waar zijn. Bella en Kajus hebben de laatste tijd ontzettend lang uitgeslapen. Soms wel tot in de middag.

'Ik ga naar mijn atelier', zegt Bella als niemand haar gelooft. 'Ik wil even rustig kunnen nadenken.'

'Nadenken', zegt Kajus vrolijk, alsof nadenken in combinatie met Bella een wetenschappelijke ongerijmdheid is. Het is niet kwaad bedoeld. Het is de manier waarop Kajus en Bella soms met elkaar praten. Alsof Bella nog steeds die zeemeermin is, en zeemeerminnen denken niet zoveel na, die reageren instinctief en gevoelsmatig al naar gelang hun temperament. Bella hoeft niets te zeggen. Meestal speelt ze het spelletje mee en soms moet ze er zelf ook om lachen.

Maar nu lacht ze niet. Ze zegt alvast welterusten, terwijl het pas acht uur in de avond is. Voetstappen klinken in het trapportaal, de deur van het atelier wordt dichtgetrokken.

'Is ze boos?' vraagt Thomas.

'Nee', zegt Kajus vriendelijk. 'Alle mensen hebben er wel eens behoefte aan om rustig te kunnen nadenken. Dat is nu eenmaal zo, Thomas.'

'Bij nader inzien denk ik dat ik me ook maar even terugtrek, in de serre. Ik ben in een goed boek bezig. Kom je bij me zitten?'

Thomas schudt van nee.

'Ik ben aan het bouwen.' Hij gaat zijn kamer in om verder te werken aan zijn skelet.

Kajus' duikplank is klaar. Donker en recht hangt hij boven het blauwe, glinsterende water. Kajus komt in zijn zwembroek naar het strandje. Hij heeft zich ingesmeerd met zonnebrandolie. Bij hem is dat niet zo'n mooi gezicht als bij Bella, want Kajus' heeft hetzelfde pigment als Thomas, ze zijn even bleek. Hij heeft de transistorradio bij zich. En de camera.

Kajus legt de camera op de rots en loopt de duikplank op. Hij gaat languit op zijn rug liggen, doet de radio aan, en begint te zonnen. Na ongeveer een halve minuut gaat hij overeind zitten en roept naar Thomas dat hij een foto moet nemen.

Bella ligt in de schaduw op haar buik tussen haar dekens te slapen, haar gezicht begraven in de gele badjas die ze onder haar hoofd heeft gepropt. Thomas neemt een kiekje van Kajus, Kajus zet het geluid van de radio zo hard dat Bella wel wakker moet worden. Kajus roept naar Bella dat ze op de duikplank moet komen. Bella zegt dat ze niet wil.

'Ik wil in de schaduw', roept ze. 'Van te veel zon krijg ik een zonnesteek.'

Maar omdat Kajus nogal stijfkoppig kan zijn als hij echt iets wil, belandt Bella ten slotte toch op de duikplank. Slaapdronken en met warrige haren, maar ontegenzeglijk mooi in haar gele badpak en met haar donkere, gebronsde huid. Kajus gaat het strand op en zoekt met de camera een plekje op het heuveltje. Hij zoomt in op Bella en roept hoe ze moet gaan liggen. Op haar zij, met haar bovenlichaam op haar elleboog leunend en haar gezicht naar de camera. Bella zegt dat ze splinters in haar billen krijgt van de ongeschaafde planken. Heeft hij nu nog niet door, denkt Thomas, heeft hij nu nog niet door dat alles, echt alles aan die duikplank verkeerd is? Maar Kajus ziet niets, hij is opeens volslagen blind, druk doende met fotograferen. Hij neemt het ene kiekje na het andere, geeft de camera vervolgens aan Thomas en gaat zelf de duikplank weer op. Hij roept dat Thomas een foto moet nemen. Thomas ziet in de camera dat Bella haar gezicht naar de sauna van de Johanssons heeft gewend, alleen Kajus kijkt recht voor zich. Thomas corrigeert lichtsterkte en afstand en vindt het plotseling zo slecht nog niet dat Kajus' camera niet zo'n praktische instamatic is als die van Rosa, maar allerlei regelknopjes heeft. 'Druk nou af!' roept Kajus en Thomas beseft dat hij moet afdrukken. Op dat moment voelt hij iets vreemds kriebelen bij zijn knieën. Hij gluurt omlaag. En ja hoor. Het klassieke voorval. De camera is opengegaan en de film hangt erbuiten in een gekrulde, glanzende strook. Kajus wordt boos op Thomas. Hij denkt dat Thomas het expres heeft gedaan.

Dan klinkt er getoeter vanuit de hoogte.

Een bekende autoclaxon die ze onmiddellijk herkennen. Er is in het hele zomerparadijs geen enkele claxon die zo klinkt. Bella kruipt langs Kajus heen over zijn duikplank. Eerst kalm aan, waardig nog, maar dan steeds haastiger en onbeheerster. Weg van de duikplank, over de rots het strand op, badjas aan, het laantje in, en daar snelt ze nu in de richting van de huizen. Ze roept trouwens nog iets over haar schouder. Iets onwaarschijnlijks: 'Ik moet heel nodig!'

Kajus en Thomas blijven op het strand achter.

'Mag ik even proberen?' vraagt Thomas. Hij doelt op de duikplank. Hij zou natuurlijk het liefst ook meteen de berg op rennen, net als Bella, maar hij begrijpt dat hij niet zomaar weg kan hollen zoals Bella deed. Het is zielig voor Kajus, en voor Kajus' duikplank, denkt Thomas, hoewel hij er zelf toch ook aan meegebouwd heeft, hij heeft echt wel meer gedaan dan alleen de waterpas vasthouden.

'Als je wilt.' Kajus probeert de bedorven film weer in de camera terug te spoelen. Hij draait en draait. Maar boos is hij helemaal niet meer. Zijn wrevel is op slag verdwenen.

Thomas probeert de duikplank uit. En ja hoor. Het is een waardeloos ding. De planken zijn te dik, ze veren niet, en als je met je hoofd naar voren het water in duikt moet je oppassen, want onder het uiteinde van de plank is het maar een halve meter diep, er heerst al een hele tijd een hittegolf en het water heeft nog nooit zo laag gestaan.

'Zullen we 'm afbreken?' vraagt Kajus plotseling, terwijl Thomas op de duikplank op en neer probeert te veren en een belangstellend gezicht probeert te trekken.

'Goed', zegt Thomas meteen. Ze beginnen onmiddellijk. Ze werken snel en systematisch en het duurt niet lang of er is geen duikplank meer, alleen een onschuldige hoop planken op de rots naast de elzenboom op het strandje.

'Zullen we een vlot bouwen van die planken?' vraagt Thomas.

'Goed idee', zegt Kajus.

Hij blijft een poosje stil, maar als hij weer begint te praten is hij heel enthousiast.

'We moeten goede drijvers hebben. We moeten een proefmodel tekenen. We moeten uitrekenen hoeveel drijfmateriaal er nodig is om het vlot goed te laten drijven. Daar heb je wiskunde bij nodig. Exacte berekeningen.'

'Ja.' Thomas beaamt het.

'Op ons vlot moet je kunnen varen zonder nat te worden. Niet soms? Ons vlot moet het mooiste vlot van de hele baai worden.'

'Dat is niet zo moeilijk', zegt Thomas. 'Er zijn hier in de baai geen andere vlotten.'

'Hm', zegt Kajus.

'Hm', doet Thomas hem na.

'Weet je wat ik nu doe, Thomas?' Kajus vertrekt zijn gezicht in een grimas waarbij zijn linkermondhoek helemaal naar zijn linkeroor toe gaat en een beetje trilt. 'Ik lach een scheve glimlach.'

'Op de manier van Gene Pitney', vult Thomas aan. Dan lachen ze, want nu is hun verstandhouding weer hersteld.

Een paar uur later vindt hij haar aan het strand. Precies op de plek waar de duikplank gestaan heeft. Die nu een onschuldige hoop planken bij de elzenboom is. Thomas is dankbaar vanwege die hoop planken. Hoe dankbaar beseft hij eigenlijk nu pas, nu hij haar weer ziet. Wat zou het moeilijk zijn geweest om het uit te leggen. En hij zou het hebben moeten uitleggen.

Ze is als vanouds, in haar oranje trui die op de schouder met grote steken dichtgenaaid is. Ze trekt voortdurend een bruine haarlok tussen haar voortanden door. Thomas, die boordevol verhalen zit, boordevol waarnemingen en geheimen die hij al die tijd dat ze weg geweest is heeft verzameld, nadert haar van achteren. Hij gaat naast haar zitten. En zij? Wat heeft zij meegemaakt? Hij begluurt haar van opzij om sporen te vinden van zonnehoed, zonnebril, autoweg, van inpakken en wegwezen. Het enige nieuwe aan haar is een beige dinosaurus van stof, die ze onder haar arm geklemd houdt. Kop en hals steken uit. Geen Tyrannosaurus Rex, maar een van de plantenetende soorten.

Thomas opent zijn mond om iets te gaan zeggen. Op de baai is Tupsu Lindbergh aan het waterskiën achter de glanzende mahoniekleurige speedboot van de Lindberghs. Ze glijdt langs de rots bij het strand, vlakbij. Wuift. Roept: 'Oooh, wat gaat het lekker.' Thomas steekt automatisch zijn hand omhoog.

'Nu raakt de benzine op', zegt Renée.

'Hè?'

'Nu raakt de benzine op.'

'Huhhuh', zegt Thomas. Wat kan hij anders zeggen?

Maar het klopt. Precies op dat moment. Hij ziet hoe het

begint. De motor loeit. Rochelt en hikt. Het gehik plant zich voort langs de waterskilijn naar het lichaam van Tupsu Lindbergh. Twee flinke hikken nog. De motor valt stil. Tupsu Lindbergh zakt omlaag. Eerst langzaam, dan sneller. Tupsu Lindbergh verdwijnt onder water. Maar voordat ze verdwijnt kijkt ze nog even om zich heen, haar gezicht vertrokken in een grimas die bestaat uit restanten van een glimlach. Ze begrijpt absoluut niet wat er gebeurt.

'Våren, verdomme!' roept Tupsu naar Robin Lindbergh in de boot. Maar Robin Lindbergh kan niets doen. Hij is machteloos. Hij staat daar maar tegen de voorruit geleund door zijn pilotenbril te kijken naar wat er gebeurt.

'Plankgas, Robin!' roept Tupsu Lindbergh.

Maar er is niets aan te doen. De benzine is op. Tupsu Lindbergh verdwijnt onder het wateroppervlak.

Ach welnee. Dat gebeurt natuurlijk helemaal niet.

Robin Lindbergh zoeft verder in de richting van het huis van de Lindberghs. Tupsu Lindbergh volgt, op de ski's. Iets te diep door haar knieën gezakt, maar als je niet zo heel goed kijkt valt dat niet op. Het broekje van haar bikini zakt wat uit onder haar billen want Tupsu Lindbergh is heel mager, als een skelet, en het rood-wit-blauwe sjaaltje dat ze altijd om haar hoofd heeft geknoopt om haar blonde haar te beschermen tegen de zon die boven de zee staat te zinderen, zit een beetje scheef, zodat een paar blonde lokken los en ontembaar rond haar hoofd fladderen; maar dat alles zal pas over een jaar of wat gaan opvallen, als Bella en Rosa ook gaan waterskiën en er vergelijkingsmateriaal beschikbaar komt.

Niets aan de hand.

Maar Thomas wordt nijdig.

Daar heb je het weer. Alleen maar omdat Renée zegt 'nu raakt de benzine op' gebeurt het ook. Dan ziet hij voor zich hoe het gebeurt. Hoe de motor begint te loeien en vervolgens stilvalt. Tupsu Lindbergh met die grimas op haar gezicht. Tupsu Lindbergh die onder het wateroppervlak wegzakt.

'Stomme eikel.'

Thomas staat op en gaat weg. Hij loopt door het strandlaantje naar het witte huis. Hij loopt met nijdige passen. Halverwege de laan slaat hij rechtsaf. Via de tuin van de Johanssons gaat hij het paadje naar het bos op. Ze komt hem achterna. Hij hoort haar voetstappen heus wel.

Maar daar is nog een derde geluid. Een sloffend geluid, niet net zo welbekend, maar duidelijk genoeg. Nee. Het is geen inbeelding. En op het laatst kan hij zich niet meer bedwingen. Hij moet zich omdraaien om te zien wie het is.

'Oké, Proefpersoon', mompelt hij. 'Dus jij bent er ook.'

'Ja', zegt Erkki Johansson plechtig. Haast nog voordat Thomas iets heeft kunnen zeggen.

*

Maar nu is het nog midden op de dag. Buiten adem, in een kletsnatte zwembroek, met splinters van de duikplank in zijn voeten en met schrijnende handpalmen van de droge, ongeschaafde planken, staat Thomas in de deuropening van de grote kamer, zijn huid heet van de zon, zijn voeten stevig op de warme vloer.

Rosa is daar al, met een zonnebril op. Ze vertelt over het leven onderweg en over alle plekjes waar ze geweest zijn. Doet ze dat eigenlijk wel? Thomas luistert niet zo goed. Het is niet zo belangrijk.

Rosa en Bella passen zonnepakjes in de grote kamer die baadt in het zonlicht. Zonnepakjes zijn knielange rokken met bijpassende losse bovenstukjes van katoen. Eén model voor Bella en Rosa. Maar in verschillende kleuren. Dat van Rosa is roze, dat van Bella geel met witte ballen. Grote witte ballen.

Rosa heeft ze in Zweden gekocht, bij wijze van souvenir voor hen beiden.

Ze lacht en dan ontdekt ze Thomas.

Er welt een sterke, vastberaden vreugde in Thomas op. Dit is het moment waarop hij ondanks alles al die tijd gewacht heeft, beseft hij. En Bella ook. Dat ze terugkomen. Nee, er is geen weg terug meer naar iets anders.

'Zo', lacht Rosa Engel in haar zonnepakje in de grote kamer. 'Ik hoef nu geloof ik nooit meer weg van hier. Deze zomer in ieder geval niet.'

'Ik weet wat we gaan doen, Bella', zegt ze even later. 'We sturen de mannen op excursie en dan gaan wij een feestje bouwen.'

*

En een paar dagen later staan Bella en Rosa met blote borsten op de berg van Gabbe en Rosa, de een in een geelwit, de ander in een roze rokdeel, voor het hele zomerparadijs goed zichtbaar. De bovenstukjes hebben ze in Rosa's prieeltje neergegooid, waar ze de hele ochtend met zijn tweetjes een feestje hebben zitten vieren. Maar nu hebben ze het warm gekregen, ze gaan naar het strand om verkoeling te zoeken en te zwemmen.

Ze komen langs het rode huisje waar Helena Wikblad op het trapje voor de deur zit met een opengeslagen boek op schoot en de blauwe baby in een wagen naast zich. Rosa en Bella wuiven en lopen verder via de tuin van de Johanssons. Helena Wikblad wuift terug, maar Maj Johansson, die met een schopje in de hand op haar aardappelakkertje gehurkt zit, doet alsof ze niets ziet, terwijl ze daar toch zo'n onovertroffen uitkijkpost heeft tussen het uitbundig vertakte aardappelloof.

Over Bella's en Rosa's borsten valt het volgende te zeggen: die van Bella zijn rond en weelderig. Die van Rosa iets kleiner en, misschien een heel klein beetje, microscopisch weinig maar toch, hangend. Rosa's tepels zijn donker en staan rechtovereind. Bella's tepels zijn precies goed.

Een paar meter achter hen aan komt Renée. Ze sleept haar dinosaurus mee. Ze heeft al haar kleren aan; lange broek, tennisschoenen, oranje trui.

Er is overigens niemand anders die dit ziet. Thomas bijvoorbeeld, die kan er alleen maar over fantaseren. Want de dag dat Bella en Rosa hun bovenstukjes neergooien, voor de eerste en trouwens ook enige keer, die dag is Thomas met de mannen op excursie in Gabbes witte auto. Hij zit op de achterbank tussen Johan Wikblad en Kajus ingeklemd, hij wandelt in de brandende zon over een grasveld tussen oude oorlogsvliegtuigen of, zoals Gabbe ze noemt, 'fijne flamingo's'.

'See that, son.'

Gabbe steekt zijn hand naar de flamingo uit, raakt het metaal aan dat brandt in de hete zon. Gabbe trekt vlug zijn hand terug en zegt: 'Verdorie, son. Wat doen die dingen hier? Er zou mee gevlogen moeten worden. Waar zijn vliegtuigen anders voor?'

'Ja, son', gaat Gabbe verder, 'in Amerika kun je *son* zeggen zonder dat het je echte zoon hoeft te zijn met wie je staat te praten.'

'Dat weet ik', herinnert Thomas zich plotseling. 'Paul Anka zei het ook.'

Gabbe kijkt hem stomverbaasd aan.

'Nounou, Thomas', zegt hij. 'Je maakt me nieuwsgierig. Vertel op.'

En voor Thomas er erg in heeft, is hij al bezig. Hij vertelt, hij laat in feite een verhaal uitlekken dat weliswaar geen geheim was, maar niettemin als een soort geheim gevoeld werd. Een oud verhaal, een privé-kwestie tussen Bella, Kajus en hemzelf.

En in de auto op weg naar huis draait Gabbe het autoraampje naar beneden, legt zijn elleboog op de bovenrand van het portier en drukt het gaspedaal bijna tot op de bodem in, ze rijden minstens honderdtwintig per uur.

En Gabbe zegt, terwijl ze in dat verrukkelijke tempo over de weg vliegen: ''t Is me wel een Entertainer, zeg, die Thomas hier.'

Thomas wilde natuurlijk helemaal niet mee. De nacht ervoor heeft hij een sinaasappel gegeten. Stiekem een paar partjes in zijn mond gestopt in de keuken. Geen hele, maar genoeg om een niet al te sterke reactie op te roepen. Hij is weer naar bed gegaan om het verloop af te wachten. Hij is in slaap gevallen, er is niets gebeurd. De reactie is uitgebleven en zodoende was er geen geldige reden om de plaats die voor hem gereserveerd was op de achterbank tussen Johan Wikblad en Kajus in, onbezet te laten. Pusu Johansson die het grootst is, is voorin naast de bestuurder gaan zitten.

De bestuurder vliegt met honderd kilometer per uur over de grote weg. De bestuurder draait het raampje naar beneden zodat hij zijn elleboog door de opening kan steken, en kijkt in de achteruitkijkspiegel naar Thomas.

'En Thomas, snap je nu wat ze bedoelen met een verrukkelijk tempo?'

Thomas knikt, maar nogal stijfjes. In het begin van de excursie is hij een beetje zo; stijfjes, zorgvuldig op afstand blijvend. Hij doet zijn best om afstandelijke gedachten te denken. Zoals deze: de kleinste zijn in een gezelschap van mannen heeft als nadeel dat je antwoord moet geven op domme vragen die de volwassenen eigenlijk aan elkaar zouden willen stellen, maar juist omdat ze volwassen zijn durven ze dat niet.

Ze zien benzinestations, borden met lappen vlees en bier, dat de mannen drinken, behalve Gabbe, de Bestuurder, maar als ze hun portemonnees te voorschijn willen halen steekt hij afwerend zijn hand omhoog. Hij trakteert, zegt hij. Ze zien vliegmachines, het doel van deze excursie. Een tentoonstelling van oorlogsvliegtuigen bij een militaire basis op de landtong van Porkkala. Hoewel, doel? Het doel op zich is niet belangrijk.

Zo over de grote weg te zoeven en het verrukkelijke tempo te voelen, dat op zich heeft al waarde.

Bij een gevoel hoort ook het tegengestelde van dat gevoel. Het gevoel is niet compleet als je in je achterhoofd niet ook een beeld van het tegenovergestelde hebt, als contrast of achtergrond om zich tegen af te tekenen. Op die manier komen ook wat je noemt 'de vrouwen en kinderen' aan bod. Terwijl de mannen op de autosnelwegen in vrijheid hun avonturen beleven, hebben de vrouwen hun eigen bezigheden in het zomerparadijs. Ze luieren maar wat en babbelen over huishouden, man en kinderen en de grote was, of ze hebben het over het liefdesleven van Elizabeth Taylor, dingen die niets te maken hebben met het werkelijke leven zoals autosnelwegen dat wel hebben.

Als de mannen van hun excursies in de wereld thuiskomen, staan hun vrouwen hen op te wachten, als het ware leeg en vol verwachting, klaar om te ontvangen, hun oren en ogen open voor de vermoeidheid na gedane arbeid, voor de belevenissen, de avonturen en verhalen van hun mannen, verhalen die trouwens best een beetje kinderachtig mogen zijn, want daardoor wordt opnieuw een contrast zichtbaar. Het contrast tussen de avonturier en de rijpe, wijze vrouw die dit soort dwaasheden niet nodig heeft omdat alles wat ze zich zou kunnen wensen haar immers gegeven is, man en kinderen en een zomerparadijs om in te luieren.

Dit is de manier waarop zeemansliederen ontstaan, zo ontstaat de mythe van het op weg zijn, het in beweging zijn, van het zwervende bestaan. Er is altijd iemand nodig die niet in beweging is, iemand die niet op zee rondzwalkt of langs de wegen zwerft, iemand die de achtergrond biedt waartegen de zeeman, de vagebond, zich kan aftekenen.

Natuurlijk denkt Thomas niet in dergelijke bewoordingen. Hij is pas acht jaar en niet bepaald filosofisch aangelegd. Maar hij voelt wel iets aan. Want hij weet iets dat de mannen niet weten of niet willen weten. Dat er in het zomerparadijs op dit moment een feestje gaande is en dat hij daar niet bij is. Een Shangri-la Feest in de Tuin bij Rosa. En dat is iets heel anders dan de mannen zich bij zoiets voorstellen.

Al kan hij niet aangeven wat het dan precies is.

Dit, bijvoorbeeld: 'Surprise, surprise. Het feest gaat niet door', zegt Rosa als Bella bij het huis op de berg aankomt nadat de mannen zijn vertrokken.

'Hmmm', zegt Bella. Maar haar weifelende lachje, de grote vrolijke ballen op haar zonnepakje kunnen haar teleurstelling niet verbergen. Kun je ook met zijn tweeën een feestje bouwen? Daar heeft ze in elk geval nog nooit van gehoord. Waar zijn Tupsu en al haar vriendinnen die in die villa's wonen op de grens tussen scherenkust en open zee, waar Bella zelfs nog nooit geweest is?

'Onzin hoor, Bella. Ik heb verder niemand uitgenodigd', verklaart Rosa opgewekt. 'Tupsu niet en mijn andere vriendinnen ook niet. Ik heb wel gewéldig veel Shangri-la ingeslagen. Dus wij komen niets te kort. We hebben de hele dag aan onszelf.'

Even later, Rosa is aan het woord: 'Er is ook nog een andere mogelijkheid. We zouden weg kunnen gaan. Gewoon op de bonnefooi vertrekken. Bella, luister je?'

'Waarnaartoe?'

'Maakt niet uit, Bella. Onze neus achterna.'

En nog later, Rosa doet haar bovenstukje af en smijt het in het prieeltje neer. Bella doet haar na; wat moet ze anders? Het is immers maar een spel, een spel met woorden.

Daar zitten ze dan in de schaduw van het prieeltje, elkaars borsten te bekijken.

Rosa maakt een foto van Bella met de instamatic. Bella vertelt iets, misschien iets over Kajus en de duikplank.

'Bedoel je zo?'

Rosa maakt de camera open met een triomfantelijk, gespeeld gechoqueerd gebaar. Dan lacht ze.

'Onzin, hoor. Ik had er geen film in gedaan. Dit blijft allemaal onder ons.'

'Wat doen we, Rosa', zegt Bella plotseling ongeduldig. 'Nu?'

Tja, inderdaad. Op die vraag heeft Rosa geen antwoord.

En als ze niets anders kunnen verzinnen, pakken ze hun spullen en gaan ze allebei maar naar het strand.

'Entertainer'; dat is iemand die anderen vermaakt, die anderen om zijn fantastische verhalen laat lachen.

'Fijne flamingo's. Fantastische vogels.' Thomas is tussen de vliegtuigen rondgeleid. Gabbes zware hand heeft op zijn schouder gerust. Gabbe heeft allerlei gegevens over de verschillende modellen aangedragen. Thomas heeft geluisterd, geknikt, beaamd. En te midden van dat alles is hij zijn afstandelijkheid vergeten. Te midden van dat alles heeft hij zich laten meeslepen. Heeft hij iets willen vertellen, een eigen verhaal.

Entertainer; iemand die anderen vermaakt met zijn fantastische verhalen. Gabbes stem in de auto is vriendelijk genoeg, en hij zegt niet tegen de andere mannen wat Thomas heeft verteld. Maar Thomas zou toch het liefst door de vloer van de auto willen zakken, het hete asfalt in, waar ze met griezelige snelheid overheen glijden. Gelukkig zet Gabbe de radio wat harder. Hij zet de volumeknop op voluit. Geruis en vreemde stemmen. Nogmaals vreemde stemmen en geruis.

'Zien jullie wel', zegt Gabbe, 'wat een koud kunstje het is om wat lichte muziek op de middengolf te krijgen in deze engel hier.'

'Zullen we eens kijken hoeveel deze engel aankan? Heel veel. Geloven jullie dat zo of moet ik het bewijzen?'

En natuurlijk moet Gabbe het bewijzen.

De vliegtuigen, ja. Dit is zoals hij ze zich zal herinneren. Zoals ze op een rij op het veld voor de militaire basis stonden opgesteld. Het leken reuzesprinkhanen uit een lang voorbije oertijd. Op die gedachte zal hij voortborduren, hij zal haar in woorden kleden en illustreren met specifieke details die het spookachtige gevoel van hitte, stilte, tijdloosheid en leegte dat over het hele tentoonstellingsterrein hing, nog versterken. Gabbe zal hij wegretoucheren, evenals alle mannen. Zó zal hij proberen het aan Renée te vertellen in het huis op de berg, zo waarheidsgetrouw mogelijk, op de avond dat ze in het witte huis het begin van het kreeftenvangstseizoen vieren. Tot zijn verbazing zal ze naar hem luisteren. Ze zal zelfs geïnteresseerd lijken.

*

Thomas en Renée roeien de baai op, zij heeft haar dinosaurus bij zich. Midden op de baai legt ze het beest met zijn bruine stoffen buik naar boven in het water. Ze zegt tegen Thomas dat hij weg moet roeien. Thomas wil niet. Hij is boos. Van geen enkel ding dat hij bezit, en dat geldt ook voor dingen waar hij niet meer om geeft en allang niet meer mee speelt, kan hij zich voorstellen dat hij er op zo'n manier mee zou kunnen omspringen. Maar protesteren heeft geen enkele zin. Hij roeit weg.

En de volgende dag drijft de dinosaurus aan land op het eilandje van Huotari: het is Thomas die het beest vindt en het naar Renée brengt. Ze kan haar verrukking maar nauwelijks verbergen, ook al doet ze alsof het haar niet raakt. Ze hangt de dinosaurus aan de waslijn bij Maj Johansson te drogen en daar hangt hij dan naast de lakens van Maj Johansson te dansen op de wind, en als hij droog is sleept ze hem dagenlang met zich mee en lijken ze onafscheidelijk. Net alsof, denkt Thomas een tijdje later, die dinosaurus een test heeft doorstaan en bijzonder deugdelijk is gebleken.

*

De laatste gebeurtenis dat jaar in het zomerparadijs is het kreeftenfeest in het witte huis. Bella en Rosa vangen de kreeften in de rivier in het bos. Ze gaan er midden in de nacht op uit en niemand mag mee. Zelfs Thomas niet, hoe hij ook zeurt. Ze vangen twee emmers vol. De kreeften worden in de afwaswaterpan gekookt en de keukentafel wordt in de serre neergezet. Zomerbibliotheek en transistorradio brengen ze naar de slaapkamer, Rosa legt een rood papieren tafellaken op tafel. Ze haalt kreeftenborden, kreeftenmesjes, kreeftenservetten, kreeftenfeestlampions. Gabbe stencilt een bundeltje feestliedjes in acht exemplaren bij zijn firma in de stad. Thomas en Bella maken rode hoedjes waarop ze de namen schrijven van iedereen die op het feest komt. De hoedjes leggen ze op ieders bord neer, want er is een tafelschikking.

Gabbe en Rosa komen in de witte engel naar het feest. Ze brengen het schitterende barmeubel met ingebouwde koelkast mee. Het zijn de hondsdagen en in het witte huis is nog steeds geen plaats waar ze dranken koel kunnen zetten.

Maj Johansson gaat gekleed in blouse en zomerrok. Haar bijdrage aan het feest is een boeket bloemen. Die heeft ze op het weitje onder aan de bosweg geplukt. Ze had genoeg bloemen om ook nog een bloemenkransje te vlechten, dat ze op haar eigen hoofd heeft vastgezet.

'Ruik eens!' Maj Johansson houdt haar hoofd onder Kajus' neus. 'De frisse geuren van een zomerweide.'

'Hmm, lekker.' Maar Kajus zegt maar wat. Eigenlijk ruikt hij helemaal geen bloemengeuren. En andere geuren al net zomin. Op één na, en dat is Bella's parfum, Blue Grass. Bella is in haar gele jurk de serre binnengekomen. Ze heeft haar haar opgestoken. Het lijkt zwart in het schemerlicht. Ze draagt geen sieraden. Zodat alles aan haar, behalve het haar en de jurk, enkel donkere huid is.

Rosa's jurk is wit. Door de stof lopen draden in een dun, haast onzichtbaar patroon, zilverachtig glanzend in het zachte kaarslicht dat zich door de serre verspreidt terwijl het buiten donker wordt. Dunne zilveren armbanden rond haar polsen, ze rinkelen als ze met haar handen gebaart. Haar donkere haar is in een pagemodel gekamd en ze heeft werkelijk wel wat weg van Jacqueline Kennedy.

'Sta jij hier in het donker?' Thomas staat in het trapportaal te spioneren. Helena Wikblad, in lange broek en trui, komt langs met een schotel dille. Nee, dat doet hij niet. Hij schudt het hoofd, pakt zijn spullen en begeeft zich naar het huis van de Engelen.

Zolang het kreeftenfeest duurt, zijn Thomas en Renée in het huis op de berg. In het begin maken ze allerlei plannen omtrent spionage en sabotage van zowel het kreeftenfeest als het passen op de baby en Erkki Johansson, een taak waarvan Nina en Maggi zich in het rode huisje kwijten. Maar daar komt niets van terecht, ze blijven waar ze zijn, de hele avond. Ze kunnen niet wegkomen. Een speciale reden is er niet, de tijd verstrijkt gewoon.

Ze praten over van alles en nog wat. Over dinosaurussen bijvoorbeeld; Renée heeft een boek met plaatjes van de verschillende soorten en ze bespreken de bijzonderheden die erbij staan. Evenals de bijzonderheden van andere dingen, vliegtuigen, raketten. Zelfs van raketten, waar Thomas normaalgesproken weinig belangstelling voor heeft.

Ze spelen het Triomf-spel. Ofwel LEVENSWEG, zoals de versie die Renée heeft, heet. Je rijdt in autootjes over het speelbord. In de autootjes zitten gaatjes waarin je plastic staafjes kunt steken. Als je een meisje bent, ben je roze en als je een jongen bent, ben je blauw. Wat je bent, steek je in het gaatje achter het stuur. Daarnaast is plaats voor je 'wederhelft' en erachter zijn twee rijen gaatjes voor kinderen. Als je meer dan vier kinderen krijgt, moet het gezin een beetje inschikken, net als in het echte leven. En als je er niet in slaagt op een van de hokjes met echte beroepen terecht te komen, word je een mislukt academicus. Je kunt onbeperkt kinderen krijgen. Als je Thomas bent, en een mislukt academicus. Kinderen houdt in: schoolgeld, geld voor hobby's en dergelijke. Daardoor heeft Thomas deze zomer tot nu toe steeds verloren. Renée is advocaat geweest en hoegenaamd kinderloos, en zij is recht op de Miljonairsvilla afgestevend, waar het spel eindigt en waar op de dag van de Afrekening al het geld geteld moet worden. Zij heeft zodoende aldoor gewonnen.

Maar nu begint Thomas plotseling te winnen. Dat is wat hij zich later het levendigst zal herinneren van deze avond. Hoe hij wint, wint en nog eens wint. De verklaring daarvoor ligt trouwens nogal voor de hand. Hij heeft de spelregels van tevoren bestudeerd en daarbij ontdekt dat er een andere uitweg is als je, in tegenstelling tot je tegenspeler, aan de verliezende hand bent. Je kunt alles wat je bezit inzetten op een cijfer op het Rad van Fortuin; als dan vervolgens het juiste cijfer wordt aangewezen mag je je bezittingen al naar gelang het cijfer vermeerderen en word je een Kopstuk van de maatschappij; en als Kopstuk win je doorgaans ook het spel, vooral als het cijfer waarop je alles wat je bezat had ingezet, hoog genoeg was.

Thomas kiest tien. Hij draait aan het rad, de wijzer komt op de tien en hij mag zijn bezittingen tienvoudig vermeerderen. Hij wordt een Kopstuk van de maatschappij en wint het spel. Steeds opnieuw, verschillende keren achter elkaar. Zelf is hij ook een beetje verbaasd over zijn absurde geluk.

'Nog een keer.' Renée probeert natuurlijk niet te laten merken dat ze haar ogen niet gelooft. Ze probeert hem na te doen, zet alles wat ze bezit in op het Rad van Fortuin. Maar de hoofdregel die voor haar geldt, is dat het cijfer dat zij kiest niet wordt aangewezen. Zij wordt met auto en plastic figuurtjes en al van het speelbord afgeveegd en belandt totaal berooid in een soort hutje op de hei.

Daarna drinken ze thee en eten een bosbessentaartje. Ze beschilderen elkaar met Rosa's make-upspullen, bekijken Nina's paardenplaatjes en lezen stiekem in haar dagboek – Renée is diep onder de indruk wanneer blijkt dat Thomas het slotje met het grootste gemak zonder sleutel open kan krijgen – 'Lief dagboek' staat er op bijna iedere bladzijde. Thomas heeft Renées nachtpon aan, een nogal lang geval zonder mouwen waarin hij het later in de nacht koud zal hebben, Renée heeft Thomas' pyjama met het helikoptermotiefje aan, het is zijn lievelingspyjama en na afloop van het spel weigert ze natuurlijk hem die terug te geven. Ze gaat in Nina's bed liggen, boven haar eigen bed, en doet alsof ze slaapt. Vervolgens valt ze zomaar ineens echt in slaap. Een rochelend geluid; alle lucht ontsnapt uit haar. Thomas gaat in haar bed liggen met die rare dinosaurus die naar zout en zeewier ruikt. Hij ligt lang in het donker te denken dat hij niet kan slapen, het is heel stil in het huis. De maan schijnt. Dat is de Kreeftmaan, heeft Rosa tegen Bella verklaard. Maar aan het feest denkt hij helemaal niet. En de maan is niet te zien, er is alleen een matgeel schijnsel dat scherpe schaduwen werpt in het bos dat aan de andere kant van het raam tegenover hem begint.

Als hij weer wakker wordt ligt hij op zijn buik, zijn gezicht in het kussen gedrukt. Hij wrijft hard over de kussensloop met zijn gezicht. Daar moet hij al in zijn slaap mee begonnen zijn, want zijn huid voelt ruw en pijnlijk aan. Maar het jeuken en kriebelen houdt niet op, het lijkt van binnenuit te komen, van onder zijn huid. Thomas is helemaal niet verbaasd, hij weet precies wat er aan de hand is. Het is weer zo'n allergische reactie. Bosbessentaartjes en make-up, dat is bepaald geen geslaagde combinatie en eigenlijk had hij dit ook wel kunnen voorzien. Hij dwingt zichzelf op te houden met wrijven want daar wordt het alleen maar erger van, en draait zich op zijn rug. Het is licht buiten, de bomen glanzen in de zon achter het raam, de bladeren zijn nat van de dauw. Maar het licht valt op een bijzondere manier, zodat je begrijpt dat het nog vroeg is, vijf of zes uur. Er staat een wekker op de tafel. En Renée? Hij ligt een poosje stil te luisteren. Eerst is er in het bed boven hem niets te horen. Heel even beeldt hij zich in dat ze hem misschien alleen in huis heeft achtergelaten, dat ze weggegaan is. Maar dan hoort hij iets. Een ademhaling. Heel dun, of licht, zoals ze het noemen als iemand heel diep slaapt. Of noemen ze dat niet zo? Thomas doet zijn ogen dicht, probeert de slaap weer te vatten.

Maar het lukt niet. Hij kan zichzelf niet voor de gek houden. De allergische reactie komt eraan, bonzend en onontkoombaar. Hij moet iets doen om die tegen te houden.

Hij staat op, sluipt naar de zitkamer. Daar wacht hem de rotzooi van de vorige avond: overal kleren, plaatjes van paarden op tafel. In Rosa's slaapkamer wijd openstaande kastdeuren en make-upspullen verspreid over Rosa's roze toilettafeltje. De bedden zijn leeg, Gabbe en Rosa zijn er nog niet. Nee, dit is ondoenlijk. Plotseling voelt hij dat hij niet in staat is om tussen al die rommel zijn eigen kleren op te zoeken. Maar één ding weet hij. Zijn huid bonst. Hij moet weg.

Hij haalt een badjas van de klerenhaak, steekt zijn voeten in een paar te grote laarzen en gaat naar buiten.

De huizen in het zomerparadijs verrijzen stil in de lichte zomermorgen. Het witte huis het verst weg, heel wit, met zwarte ramen. Het rode huisje. Het houthok en het bosje dat de tuin van het witte huis aan het oog onttrekt. Het huis van de Johanssons het dichtstbij, onder aan de berg. De tuin van de Johanssons, open voor inkijk. Maj Johanssons aardappelakkertje, Maj Johanssons potten vol Oost-Indische kers, Maj Johanssons armetierige appelboomgaard. Tussen de bomen door is de sauna van de Johanssons te zien, en een stukje van de baai. Het water is glad. De wind is nog niet opgestoken. Alles is trouwens leeg en verlaten. Alsof hij de enige overlevende na een natuurramp is. Bij tijden kan dat een opwindende gedachte zijn. Maar nu niet.

Het feest. Opeens schiet het Thomas weer te binnen. Dat is waar ook. Zodra hij het huis uit kwam is het licht over hem heen gevallen, heeft hem verblind. Verstijfd staat hij op de berg. Het feest. Opeens is het feest hem te binnen geschoten. Hoe heeft hij het kunnen vergeten?

Hij staat voor het huis van de Engelen, op het hoogste punt van de berg, waar je uitzicht hebt over vrijwel het hele zomerparadijs. Maar hij voelt zich ellendig klein te midden van dat alles. Een beetje zoals Erkki Johansson misschien, op zijn hurken in het bos. Waar is iedereen? Waarom is het zo stil, zo leeg?

Dit duurt allemaal maar een ogenblik. Dan wordt alles weer gewoon. Midden in de grote leegte komt er iemand uit de richting van het witte huis aangelopen. Neemt met een karakteristiek sukkeldrafje het heuveltje waar het perceel van de Johanssons begint, loopt dwars door de tuin naar het trapje van de Johanssons en gaat het huis in. Trekt de deur met een klap achter zich dicht. Het is niet eens zo'n harde klap, maar in de stilte worden alle geluiden groter en de klap schalt door het hele zomerparadijs heen. En opeens weet Thomas precies wat hij gezien heeft. Hij heeft Maj Johansson op het hóógtepunt van het feest zien vertrekken. En op de een of andere manier heeft die dichtslaande deur hem nog iets anders verteld: dat Maj Johansson zelf geen deel uitmaakte van dat hoogtepunt.

En het feest is natuurlijk niet opeens afgelopen enkel en alleen omdat Maj Johansson vertrokken is.

Iemand draait aan de volumeknop.

Stemmen in een vreemde taal buitelen de stilte in. Stemmen in een andere vreemde taal, stemmen in verschillende vreemde talen mengen zich met elkaar. Sterven weg. Ssst. Daar zijn ze weer. Ze gaan over in andere stemmen in andere vreemde talen.

Dan ziet Thomas pas echt wat hij al die tijd wel in zijn blikveld heeft gehad maar niet tot zich heeft kunnen laten doordringen omdat het zo misplaatst was, zo verkeerd.

Het verst van hem af, op het weitje achter het witte huis, staat de witte engel. De portieren bij de voorbank staan open zodat het haast wel vleugels lijken. En in de engel is iemand bezig de radio af te stemmen op wat lichte muziek op de middengolf. Een van de donkere stenen in het weitje komt in beweging. De steen loopt doelbewust op de auto af en gaat erin zitten. De portieren slaan dicht en het is weer stil. Het is natuurlijk geen steen. Of, als het wel een steen is, dan is het wel een bijzondere soort die IsabellaZeemeermin heet.

Thomas holt de berg af, door de tuin van de Johanssons heen naar het strand. Op de rots aangekomen doet hij vlug de badjas uit, de laarzen, Renées nachtpon, en dan waadt hij het water in, zwemt, wast zijn gezicht. Hij wrijft hard, spoelt een paar keer na. Even later gaat hij er weer uit, doet de badjas aan en wandelt door het laantje naar boven. Naar het witte huis, en deze keer kijkt hij helemaal niet om zich heen, hij loopt alleen maar. Hij gaat het witte huis binnen, zijn kamer in, trekt de gordijnen dicht en sluit de deuren, kruipt onder zijn dekbed en valt in slaap. Pas als hij al flink bezig is in slaap te vallen schiet hem te binnen dat hij helemaal niet hier hoort te zijn, maar in het huis op de berg bij Renée.

Het is vijf over halfzeven. Op het weitje komt Gabbes witte Chevrolet Chevelle in beweging.

Hij rijdt het Ruti-bos in, een brede voor achter zich trekkend. Broze boomstammetjes buigen en knappen met veel gekraak. De auto slaat af en rijdt het strandlaantje een eindje op. Draait dan weer linksaf, de tuin van de Johanssons in, hij strijkt langs Johanssons huis, zo dicht erlangs dat het metaal de huismuur bijna raakt. Maar er wordt niemand wakker; Maj en Pusu Johansson slapen allebei diep. Maj Johansson in haar bed achter dichtgetrokken gordijnen, Pusu Johansson op de bank in de grote kamer van het witte huis. Hij is het enige restant van het feest, Maj Johansson heeft namelijk keurig opgeruimd voordat ze het feest verliet. Het enorme lichaam van Pusu Johansson is het enige dat ze niet van zijn plaats heeft kunnen krijgen. Gabbes auto rijdt verder. Over Maj Johanssons gazonnetje, naar de sauna van de Johanssons. Daar mindert hij een ogenblik snelheid en blijft bijna stilstaan. Dan opeens komt de motor weer op gang en de auto rijdt pardoes het water in. Hij rolt nog een eindje door over het wateroppervlak, op eigen houtje lijkt het wel, alsof hij zo'n kunststuk zou kunnen volbrengen. Maar dat is natuurlijk gezichtsbedrog, Gabbes witte engel is maar een auto. Hij zinkt. Eerst langzaam. Dan razendsnel.

Bijna tegelijkertijd gaan de voorportieren open. Later zullen er vele versies zijn van wat Gabbe eigenlijk zei op het moment dat hij het portier aan zijn kant opensloeg nadat de auto het water in gereden was. Dit is er een, de beste: 'Kijk nou, hij drijft!' roept Gabbe.

Maar precies op datzelfde moment begint hij te zinken. In een oogwenk is er enkel nog maar een hoekje van het dak boven het wateroppervlak te zien. En ook dat hoekje wordt al gauw overspoeld als de auto dieper in de modder wegzakt.

Bella waadt aan land. Zij zegt niets leuks. Zelfs niet dat ze naar huis gaat. Maar ze gaat wel.

'We speelden verstoppertje', zegt Bella later tegen Thomas.

'Huhhuh', zegt Thomas chagrijnig.

'Niet zo chagrijnig doen, Thomas.'

'Huhhuh', zegt Thomas chagrijnig.

'Nou, dan maar chagrijnig.'

Bella haalt haar schouders op. Ze gaat naar Kajus in de serre. De rest van de zomer is ze daar.

Maar op de vloer van Thomas' kamer heeft een zeemeermin gestaan. Een zeemeermin in een natte gele jurk. Meer zeemeermin dan ooit. Overal moddervlekken, en wie een beetje fantasie heeft zou zich ook waterplanten kunnen voorstellen, groen en bladerrijk rond haar benen sliertend, de naakte donkere benen, en rond haar armen en lichaam en de tegen haar huid plakkende jurk. Maar niemand heeft haar op dat moment gezien, niemand is bij haar aanblik gaan doormijmeren en fantaseren.

Ze heeft helemaal alleen op die vloer gestaan en ze heeft het koud gehad, heeft gehuiverd in haar kletsnatte jurk. Ze heeft de jurk uitgetrokken en in elkaar gepropt en hem bijna in de vuilnisemmer gegooid maar zich bedacht. De vuilnisemmer was leeg, Maj Johansson heeft hem geleegd. Maj Johansson. Bella heeft om zich heen gekeken. Geen spoor meer te bekennen van het kreeftenfeest. Alles opgeruimd en schoon. Maj Johanssons vaas met bloemen op tafel, met een briefje eronder: 'De groeten van Maj Johansson'. Maj Johansson heeft het feest werkelijk keurig weggeruimd, helemaal op eigen houtje!

Het heeft haar nog draaieriger gemaakt, nog vermoeider, in de war. Het feest, waar is het gebleven? Er was toch feest hier. Ze zouden een feest vieren. Haar feest. Waar is iedereen? Wat doet zij hier, kletsnat, op de vloer van Thomas' kamer?

Opeens heeft ze niet het flauwste idee.

Een roze badjas op de grond. Rosa's badjas. Ze heeft hem opgeraapt en om zich heen geslagen. Plotseling is ze niet langer in de war, alleen maar moe, doodmoe en slaperig, en ze is dwars door de grote kamer langs Pusu Johansson heen gelopen die op de bank lag te slapen, haar eigen slaapkamer in, en daar is ze het bed in gedoken en in slaap gevallen.

Een tijdje later is Kajus binnengekomen. Ze zouden eigenlijk een spelletje doen. Hij en Rosa hebben op de bosweg gewandeld, ze zouden ergens heen gaan, verstoppertje spelen of zoiets. Na een poosje hebben ze doorgekregen dat niemand hen kwam zoeken. Zeker Gabbe niet, die 'hem was', zichzelf als zoeker had opgeworpen. Toen zijn ze maar omgedraaid en weer naar huis gegaan.

En Kajus heeft een deken over Bella heen gespreid, zich uitgekleed, zijn kleren netjes op een stoel gelegd. Heeft de gordijnen dichtgetrokken en is achter Bella gaan liggen, zijn lichaam schikkend naar het hare.

Dit was om zeven uur op een zonnige morgen in het zomerparadijs.

*

De middag na het kreeftenfeest komen de neven van de Johanssons met een tractor en een sleeplijn. Met veel moeite wordt de auto uit de modder getrokken. De rest van de zomer staat de engel op het gazonnetje van Maj Johansson bij de sauna van de Johanssons. 's Avonds wordt de motorkap opengeklapt en verzamelen de mannen zich eromheen. Zelfs Kajus en Johan Wikblad zijn nu en dan van de partij, staren naar motoronderdelen, prutsen, hebben meningen en theorieën, en dragen zware bakken met gereedschap aan terwijl Gabbe op het terras bij de sauna van de Johanssons in het instructieboek zit te lezen. Het leidt nergens toe, alle inspanningen zijn vergeefs. Ten slotte geeft Gabbe het op. Hij geeft een trap tegen de auto en zegt dat er genoeg nieuwe te koop zijn. Hij verlaat het strand met snelle, boze passen, zijn witte overhemd wappert in de wind. Ook de andere mannen druipen af. De duisternis valt, het wordt stil en vredig.

Maar wat Gabbe zegt klopt niet.

Huotari, op zijn eilandje, legt Thomas nog een keer uit hoe het zit met de bepalingen rond het belastingvrij importeren van nieuwe auto's uit het buitenland. Thomas en Huotari zitten op het trapje voor Huotari's huisje, ze hebben een saunabad genomen en handdoeken om hun buik gewikkeld en ze eten worstjes die ze in aluminiumfolie op de hete saunastenen hebben gebakken terwijl ze naar het gedoe van de mannen bij de motorkap op het strandje aan de overkant hebben zitten kijken.

Ze gaan Huotari's huisje binnen en blijven daar nog een poosje zitten kaarten en praten. Huotari dist weer eens een van de verhalen op die Thomas zo graag mag horen, al weet hij heel goed dat ze niet waar zijn. Huotari vertelt over dingen die zijn waargenomen aan de uiterste rand van de scherenkust, daar waar de eilandjes ophouden en de open zee begint, dingen gezien door zeevaarders, in herfststormen in nood geraakt en op een haar na verdronken en vergaan. De geredden hebben merkwaardige dingen te vertellen gehad over hun ervaringen van dat laatste moment, toen alle gevoelens zoals angst en paniek van hen waren afgegleden. Op dat moment zijn de zeemeerminnen gekomen. Ze zijn opgedoken, op hen af komen zwemmen, of ze hebben zich op een andere manier laten zien, en op beslissende wijze ingegrepen.

Glanzende vinnen, ginds waar de open zee begint. Thomas staart in de gele vlam van de petroleumlamp. Door zijn neusgaten snuift hij de geur van hout, roet, vis en worst op. Hij weet dat Huotari die leugenverhalen met opzet aan hem opdist omdat Thomas een kind is aan wie je zulk soort verhalen kunt vertellen. Maar toch. Zeemeerminnenstaarten, wonderen, de wereld op de bodem van de zee. Een ogenblik lang heeft dit alles voor hem geglansd. Dan staat hij op om weg te gaan. Hij moet naar huis, naar bed.

Hij duwt de roeiboot het water van Huotari's met riet begroeide inham in. Het is nagenoeg pikdonker, maar de sterren stralen. Er is enkel het geknars van de riemen in de dollen, de riembladen die het gladde wateroppervlak doorklieven. Maar plotseling vangt hij nog een ander geluid op. Hij houdt de riemen omhoog, luistert. Een zacht geklots. Vlakbij. En meteen begint de roeiboot te schommelen. Een paar handen komen boven het water uit, grijpen de achterkant van de boot beet, trekken zich op.

Boven de rand doemt een gezicht op.

'Tsjet.'

Het is Bella. Het donkere haar hoog opgestoken. Een paar lokken zijn uit het kapsel losgeraakt, plakken als donkere natte strepen in haar nek. Maar Thomas zegt niets. Hij staart alleen maar.

Wat doet Bella midden in de nacht midden op de baai? Bella, die niet kan zwemmen. Hoe is dat mogelijk?

'Je moet niet alles geloven wat je ziet, Thomas', zegt IsabellaZeemeermin.

'Zal ik je op sleeptouw nemen?'

'Huhhuh', zegt Thomas.

Maar het volgende moment heeft ze het achterste meertouw gepakt en zwemt richting land. Thomas, en de boot, glijden zachtjes achter haar aan.

'Huhhuh', zegt Thomas, maar aarzelender dan daarnet.

*

De tijd die van deze zomer nog rest brengt Thomas meestal met Erkki Johansson door of met Huotari of in zijn kamer in het witte huis. Hij ligt in zijn bed oude *Donald Ducks* te lezen, tekent onderzeeboten met krijt op wit papier, is bezig met zijn bouwpakketten. Hij maakt zijn verjaardagsskelet af, ziet door het raam Johan Wikblad over de bosweg langslopen en doopt het skelet Johan. Hij zet het op zijn tafel neer en daar staat het sindsdien 's nachts met een holle grijns naar hem te lachen. Dat heeft een goed effect.

Hij holt de tuin door met Kajus' camera en schiet een heel fotorolletje vol kiekjes van Helena Wikblad en de blauwe baby. Helena Wikblad poseert ietwat verbaasd en de baby poseert in zijn eentje terwijl Thomas alsmaar afdrukt, en Helena en Thomas generen zich allebei een beetje, maar als Thomas weer terug is in het witte huis voelt hij iets van triomf omdat hij zijn onbehaaglijke gevoel ten opzichte van de baby nu heeft overwonnen. Hij maakt de camera open en kijkt naar de film die erbinnenin zit en ja hoor, het is natuurlijk nog steeds die bedorven film; die is er al die tijd in blijven zitten sinds het spektakel met de duikplank waarbij Kajus alle zin in fotograferen is kwijtgeraakt.

Nog weer een tijdje later, het is nu bijna herfst, gaat Thomas naar het pretpark met Kajus en Huotari. Daar bokst Sonny Liston, De Stier Die Lezen Noch Schrijven Kan, met een boksbal onder muzikale begeleiding, Night Train. Night Train; ze zijn met velen, mannen met hoeden op en jongens van zijn leeftijd. Mannen met hoeden op als gangsters, gangsterkinderen. Thomas krijgt een handtekening.

'Dat is vast het enige dat hij kan schrijven', zegt Kajus droog, op de terugweg. 'Zijn handtekening.'

Alsof hij helemaal niet onder de indruk is. Night Train en het geluid van een harde vuist die op een boksbal slaat blijven nog lang in de hoofden van Thomas en Huotari doorklinken en brengen in de auto op weg naar huis een taaie, verbeten stemming tussen hen teweeg. Alleen Kajus is in staat te praten.

De laatste augustusdag breekt aan. Ze pakken in en vertrekken. Over de zitkussens in de rieten stoelen en over de bank in de grote kamer worden lakens uitgespreid. De zomerbibliotheek wordt zo veel mogelijk op alfabet in een bruine rugzak gepakt. Skelet, doosje met lepeltje, Triomf-spel, gele rubberen giraf met knoop in zijn nek, dat moet allemaal mee, evenals zonnepakje en badjassen, die in zakken worden gestopt om straks in de stad in de waskelder onder de flat te worden gewassen en daarna in gele kartonnen dozen waarop ZOMERSPULLEN staat te worden opgeborgen voor de winter. Muizengif wordt op schoteltjes gestrooid en in de provisiekast gezet. Ze vertrekken. Bij de grote weg waar de bussen rijden staan Johan en Helena Wikblad met de baby in een reiswieg en met volgestouwde rugzakken op de rug. Kajus toetert twee keer voordat hij de grote weg op draait en gas geeft. Dat is het laatste wat ze van de baby en Helena Wikblad zien. De zomer daarna is er een nieuw meisje in het rode huisje. Ze heet Ann-Christine en ze is groot en lawaaiig en ze heeft haar kandidaats filosofie en is in veel verschillende dingen geïnteresseerd, onder andere in noordse godensagen, boerenmeubelen en de Franse taal.

Na ongeveer een kilometer rijden op de grote weg wordt Kajus' rode Austin Mini ingehaald door een vrachtwagen. Loeiend raast hij voorbij. Op de achterbak zit Renée. Ze houdt een blauwe badtas tegen haar buik geklemd. Thomas steekt zijn hand in de lucht bij wijze van groet. Renée knikt. Thomas knikt terug.

Er volgt een winter waarin niets bijzonders voorvalt. Renée wordt zeven jaar en houdt op een avond in november een verjaardagspartijtje. Thomas is niet uitgenodigd, want er bestaan geen verbindingen tussen stadsleven en zomerleven en Gabbe en Rosa en Bella en Kajus wonen in tegenover elkaar gelegen uithoeken van de stad. Maar Tupsu en Robin zijn er wel, én Lars-Magnus Lindbergh vooral niet te vergeten, de jongste zoon van de Lindberghs, door Renée onofficieel ook wel 'die eikel' genoemd, het vriendje in de vorm van een stuk karton dat haar de afgelopen zomer een tijdlang werd opgedrongen als ze in Nina en Maggi's gezelschap was. Iets dat voor Renée een teer punt is geweest en waarmee Thomas haar verschillende keren de mond heeft weten te snoeren door de kwestie alleen maar even aan te roeren. Aan Lars-Magnus Lindbergh de eer het officiële verjaarscadeau van de familie Lindbergh te overhandigen. Het is een grammofoonplaat die de familie Lindbergh op vakantie in Amerika heeft gekocht en hij heet 'It's my party and I cry if I want to'. Hoewel president Kennedy nog niet dood is als het cadeau wordt overhandigd en de naam niet meer is dan de zoveelste nietszeggende titel van een nietszeggende meezinger, lijkt het toch een slecht voorteken.

'We houden geen feest', zegt Renée als alle gasten gearriveerd zijn. Ze gaat naar de badkamer en doet de deur achter zich op slot, en er mag maar een van de kleine verjaardagsgasten, een meisje dat Charlotta Pfalenqvist heet, met haar mee naar binnen. Als Renée en Charlotta een aantal uren later weer te voorschijn komen, is het volgende gebeurd: de verjaardagstaart is opgegeten, president Kennedy is neergeschoten in Dallas, Texas, en kort daarop overleden, chagrijnige kleine meisjes in roze jurkjes met strikken in het haar hebben in de vestibule met veel gewriemel hun kriebelende extra maillots voor buiten weer aangetrokken onder het gechoqueerde toeziend oog van moeders, van vaders. President Kennedy is dood, ze kijken door de ramen naar het novemberduister. Wat gaat er nu gebeuren, met alles, met de Toekomst?

Maar wat Renée en Charlotta in de badkamer precies uitvoeren terwijl Kennedy wordt neergeschoten en sterft, weet niemand. Het wasmiddel uit het glazen potje dat Nina Engel op het plankje onder de spiegel heeft neergezet met een etiket erop 'Vergeet niet na ieder gebruik de wastafel schoon te maken. Geldt ook voor Renée', hebben ze helemaal opgemaakt. En de wastafel is schoon. Renée en Charlotta hebben hem geschrobd. Met een tandenborstel.

Wat Thomas doet als president Kennedy wordt vermoord, daar heeft hij geen flauw idee van. Hij zal bij degenen horen die zich dat niet kunnen herinneren. Eind 1963, wat gebeurde er toen? November, november... nee. Het blijft leeg in zijn hoofd. Ja toch, één ding. Het was de herfst dat ze een televisie kochten. Over de moord hoorde of zag hij niets op de tv: ze keken toentertijd nog niet zo vaak tv en zeker niet naar het nieuws. Bella had de rust niet om stil in een leunstoel voor een tv-scherm te zitten. Wat ze wel zagen, het hele gezin, was Jayne Mansfield. Jayne Mansfield maakte een publiciteitstournee en ze zat met zwellende borsten en een diep decolleté in een studio, vanwege het formaat van die borsten en haar platinablonde haar een onvergetelijke gebeurtenis. Jayne Mansfield wilde namelijk bewijzen dat ze een serieus artieste was en niet het domme blondje dat ze leek te zijn, en dat ze haar successen in de artiestenwereld, waar alleen echt talent telt, heus niet te danken had aan haar blondheid en haar buste. Als onderdeel van haar bewijsvoering had Jayne Mansfield een viool meegebracht. Die viool plaatste ze tamelijk elegant onder haar kin, vlak bij haar diepe decolleté, en als je de muziek van Johann Sebastian Bach, die Jayne Mansfield had leren spelen op het conservatorium waar ze heus aan gestudeerd had, niet meer om aan te horen vond, kon je je zodoende uitstekend concentreren op het gleufje tussen haar borsten dat werkelijk donker en diep was. Ze hadden er een muzikale deskundige bij gehaald die een muzikaal oordeel over het spel van Jayne Mansfield moest vellen. Hij constateerde in alle objectiviteit dat de platinablonde artieste niet zo slecht speelde. Het was een pure leugen en iedereen hoorde dat, ook de deskundige, maar het hoorde bij de show dat hij dit moest zeggen, verklaarde Kajus. Mansfield speelde verschrikkelijk, het viel niet te ontkennen, ook niet door Kajus en Bella en Thomas die zich met z'n allen op de bank voor de tv lieten vermaken.

Het bood een Tragische Aanblik.

'Ze bezit geen integriteit', zei Kajus.

'Ze is tot alles bereid als ze maar in de schijnwerpers mag staan', zei Kajus.

'Ze verkoopt zichzelf.' En aan Kajus' stem was te horen dat jezelf verkopen het ergste was dat je kon doen in deze wereld. En Bella knikte en was het met hem eens.

Op het tv-scherm vroegen ze aan Jayne Mansfield wat haar hartenwens was.

'To be happy', antwoordde Jayne Mansfield en haar buste hupte op en neer. Happy: dat was ze op dat moment ook, zei ze. En dat zou ze nog honderd jaar lang blijven. Waarbij ze glimlachte. Ook dat was weer tragisch, al zei Kajus hier niets van; de tragiek zat als het ware besloten in heel dat gedoe met dat diepe decolleté, de viool en de muzikale deskundige met zijn objectieve oordelen. Iedereen zag immers dat die glimlach geen glimlach was van een gelukkige, evenwichtige vrouw. Alleen die kunstwimpers al waren daar te lang en te donker voor.

'De zoveelste leugen', constateerde Kajus terwijl hij de tv uitzette, in dit gezin hielden ze namelijk niet van domme blondjes en daarom zette Kajus maar een goede jazzplaat op.

Bella lachte weer en was het weer met Kajus eens, want Kajus had immers gelijk.

En hij zou nog meer gelijk krijgen. Jayne Mansfield zou namelijk helemaal niet honderd jaar lang iets zijn. Ze zou doodgaan, net als president Kennedy, alleen zou zij niet worden vermoord maar met een snelheid van aardig wat kilometers per uur in een auto tegen een bergwand knallen, een paar jaar later al, toen het tijdperk van de bustekoninginnen voorgoed voorbij was en niemand meer enig belang stelde in imitaties van Monroe. Twee maanden voor haar dood zou ze nog een dolle tournee door Europa maken, wild en bandeloos. Als een levend bewijs dat Kajus met zijn opmerkingen de spijker op de kop had geslagen. De zoveelste leugen voordat Jayne Mansfield zomaar Pats Boem of hoe het ook mag klinken als er een auto tegen een bergwand knalt, van het toneel verdwenen is, niet alleen uit dit verhaal, maar uit de hele geschiedenis.

Maar die herfst 1963 wordt Thomas door een opstandig gevoel overmand. Hij heeft naar Jayne Mansfields vioolspel geluisterd en naar haar gekeken, niet alleen naar haar viool maar ook naar het gleufje tussen haar borsten, hij heeft nagedacht en is tot de volgende weloverwogen conclusie gekomen, die hij op zachte toon uitspreekt: 'Wat mankéért er eigenlijk aan blondjes?'

Kajus en Bella kijken hem verbluft aan. Dan schieten ze in de lach. Kajus zegt: 'Nou Thomas, jij steelt hier bepaald de show.'

'Soms,' zegt Bella met een onderzoekende blik op Thomas, 'soms kun jij toch van die ongelooflijke dingen zeggen, Thomas.'

Maar 's winters is er niet veel meer over van de zomer. Stadsleven en zomerleven zijn twee verschillende dingen. Bella krijgt met Kerstmis een sjaaltje van Thomas cadeau. Het is rood-wit-blauw. Pas als Bella het onder haar kin vastknoopt beseft Thomas dat hij een Tupsu Lindberghsjaaltje gekocht heeft, alleen in een veel simpeler uitvoering. Iedereen ziet het, maar niemand zegt iets. Bella kruipt met sjaaltje en al in de kerstcadeautent.

Juist: een tent. Dat is het hoofdcadeau van het hele gezin voor het hele gezin, hij wordt opgezet op de vloer van de zitkamer naast de kerstboom. Hij is oranjekleurig, een koepelmodel, gezinsformaat. Inpakken en wegwezen. Even flitst het misschien door hen heen. Iets van de zomer. Een gevoel, een stemming die meteen weer weg is. Thomas en Bella kruipen de tent in en spelen woeste spelletjes tot de buren aan de deur komen klagen dat ze in hun flat beneden bij het Kerstmis vieren zo'n last hebben van harde bonkende geluiden. Bella en Thomas liggen doodstil in de tent, terwijl Kajus met de buren praat. Als Kajus terugkomt staat zijn gezicht verschrikkelijk ernstig. Maar net wanneer zijn ernst op Thomas en Bella overslaat, breekt zijn gezicht open in een brede lach. Kajus kruipt ook bij hen in de tent en daar vallen ze alledrie in slaap, om pas uren later weer wakker te worden.

Alle dagen van de zomer, 1964

Mei 1964 doen Johan Wikblad en Ann-Christine allerlei vondsten op veilingen. Ze richten het rode huisje opnieuw in, dragen een lange eettafel en banken naar binnen en koperen potten voor heide- en andere takjes. Aan de wanden hangen ze boerenkastjes en een wandkleed met een landschap.

In het witte huis vinden geen grote veranderingen plaats, en ook niet in het huis van Gabbe en Rosa op de berg. Wel laat Gabbe onder aan de berg een flinke garage bouwen en ook vervoert hij een televisietoestel de berg op in een kruiwagen die halverwege kantelt, zodat het toestel kapot valt.

Bij Lindbergh hebben ze een nieuwe motorboot, in nog glanzender mahonie, met een kajuitje in het vooronder en met nog meer pk's. In de maand augustus vaart Klas, of is het Peter Lindbergh, twee weken op de baai rond met een meisje dat op het voordek ligt te zonnebaden. Het meisje heeft lang, steil donker haar en als de boot vlak langs de roeiboot van het witte huis scheert of langs Huotari's motorbootje of de strandjes van het zomerparadijs, dan kunnen ze haar duidelijk zien. 'Helemaal niet gek', constateert Gabbe langs zijn neus weg, nog voordat hij de kans gekregen heeft zichzelf aan haar voor te stellen. Maar wat overal te horen is als de motor afgezet is en de glanzende mahoniekleurige boot van de Lindberghs kalmpjes in de zon drijft, dat is de transistorradio op het dek. Vooral één liedje schalt over de baai:

My Boy LollyPop
You Make My Heart So SkiddiUp
You Make My Life So Dandy
You're My Sugar Candy –

Zo gaat het ongeveer. Maar kenmerkend voor het liedje, en het doet er niet toe of je de woorden nu wel of niet kent, is dat het niet meer ophoudt als het eenmaal in je hoofd zit. Toch wel vreemd, zegt Maj Johansson terwijl ze op het uiterste puntje van de gemeenschappelijke ponton van Gabbe en Rosa en de Johanssons staat, dat je zelfs in je zomerhuis geen rust meer hebt.

De muziek zwijgt niet na deze woorden van Maj Johansson. Huotari zegt: 'Een knappe vrouw, hoor.' Thomas zegt niets. Die winter heeft Cassius Clay Sonny Liston in een legendarische wedstrijd op zijn sodemieter gegeven. Daags na de wedstrijd heeft Cassius Clay een nieuwe naam aangenomen, Muhammed Ali. 'Een megalomane persoonlijkheid, die Clay', zegt Huotari. Thomas en Huotari waren allebei voor Liston, omdat ze die in het pretpark hadden gezien. Thomas zegt niets. Hij durft niet te vragen wat megalomaan betekent.

Midden juli slaan Huotari en Thomas op de baai een paling aan de haak. Dat is iets geweldigs. 'Nog nooit heeft iemand in die modderpoel hier een paling gevangen', zegt Huotari met triomf in zijn stem. De rest van de zomer en de hele daaropvolgende zomer, die Thomas' laatste zomer in het zomerparadijs zal zijn, praat Huotari over nagenoeg niets anders dan die paling. Hoe het voelde om hem vast te houden (smerig), om hem dood te maken (smerig, hij ging namelijk niet dood maar hij bleef maar spartelen, hoe je hem ook op zijn kop sloeg), hoe hij smaakte (smerig, smerig, smerig) en vooral hoe je te werk dient te gaan om nog zo'n paling te vangen. De gedachte aan paling neemt Huotari zoetjesaan zo in bezit dat hij zijn belangstelling voor boksen verliest. Thomas op zijn beurt haakt af wat het vissen betreft.

Renée heeft een Beatles-trui die Gabbe heeft gekocht toen hij een keer zaken deed met de Engelsen. Hij is oranje en heeft zwarte hoofden op de voorkant. Ze draagt hem een dag of wat. Dan ruilt ze hem weer om voor haar oude trui.

Thomas en Kajus drijven in een roeiboot op de baai. Kajus leest een detective. Thomas staart naar de blauwe hemel of naar het panische blondje op de omslag van de detective, frunnikt aan Johan-het-Skelet dat hij heeft meegenomen de baai op, zodat het ook kan genieten van het idee van de verwezenlijking van de totale vrijheid.

Down by the river, verder niets.

Thomas buigt zich over de rand, laat Johan-het-Skelet in het water los. Johan-het-Skelet blijft niet drijven. Terwijl Johan-het-Skelet met een vaartje naar de bodem zinkt, probeert Thomas te doen of het hem niets kan schelen. Maar spijt heeft hij ongetwijfeld toch. Hoewel, er wachten hem nieuwe sensaties. Als hij op 4 juli negen jaar wordt, krijgt hij van Gabbe en Rosa en Nina en Renée een vlieger voor zijn verjaardag. Net zo'n vlieger als Renée heeft. Gabbe heeft die winter op de Chinese muur gelopen. 'Een historisch moment, alle Chinezen zien er hetzelfde uit,' heeft Gabbe geconstateerd, 'maar er ligt een grote markt.' Ze hebben het voor zich gezien: miljarden Chinezen met miljarden gele bandrecorders. Aan de vliegers hangen koordjes met strikjes die ronddraaien als de vliegers naar de boomtoppen opstijgen, maar aan het einde van de zomer zijn allebei de vliegers kapot. Die van Thomas is in een boom blijven hangen en die van Renée is in het water terechtgekomen, hij is wel weer droog geworden maar heeft sindsdien toch nooit meer zo goed gevlogen. Renée is het ding beu geworden en heeft hem aan Erkki Johansson gegeven, wat neerkomt op smeken om de genadeklap. En ja hoor. Na een uurtje heeft Erkki Johansson de vlieger zo doeltreffend onder handen genomen dat het geen vlieger meer is.

ZOEF – de glanzende mahoniekleurige speedboot van de Lindberghs vaart op de gemeenschappelijke ponton van Gabbe en Rosa en de familie Johanssons af. Klas of Robin Lindbergh staat aan het stuur, Tupsu Lindbergh zit op de rode leren bank achterin. Rosa springt aan boord om met Tupsu naar haar vriendinnen in de villa's aan de rand van de scherenkust te gaan. Rosa roept Renée.

'Renée! Kom nou.' In de boot zit ook de eikel, Lars-Magnus Lindbergh. Het is de bedoeling dat Renée deze zomer ook met hem speelt. Maar natuurlijk laat Renée het afweten als je haar roept en de eikel in de boot zit. Thomas ziet haar vanuit het water. Ze is een stip in het riet.

'Renée! We wachten niet, hoor!'

Rosa gaat aan boord. De glanzende mahoniekleurige speedboot van de Lindberghs vaart weg, de baai over en via de smalle doorgang de open zee op.

'We gaan aan wal', zegt Thomas tegen Kajus.

'Hoezo?'

'Het is hier saai. Er gebeurt hier niks.'

Thomas roeit naar de wal. Kajus gaat naar huis. Thomas wandelt naar het andere strandje. Ze komt. Ze lopen samen naar het bos.

Een nieuw jaar, nieuwe songs. 'The Girl from Ipanema'. Bella staat voor het raam in de duisternis van de grote kamer. Ze loopt de kamer door.

She looks straight ahead

But not at me

Kajus vangt haar. Ze dansen.

Bella en Kajus dansen met elkaar. Als ze niet dansen, zitten ze in rieten stoelen te roken. Ze zeggen niet veel. Ze roken alleen maar. Zodoende is het een stille zomer, ondanks de drenzende deuntjes op de baai. Soms hoort Thomas niet hoe ze opstaan en naar bed gaan. Hij komt overeind, abrupt, alsof een geluid van buiten hem plotseling klaarwakker heeft gemaakt. Hij gluurt naar het donker in de grote kamer en constateert dat Kajus en Bella daar niet meer zijn. Eerst is alles heel rustig.

Maar later, tegen het eind van de zomer, wordt de stilte nerveus, vol kleine onbelangrijke geluidjes die ontstaan als je niet stil kunt zitten.

Daarna wordt het weer stiller. Op een nieuwe manier. Alleen maar stil.

Soms, tegen het eind van de zomer, als Kajus en Bella in de grote kamer zijn, doet Bella de plafondlamp aan, gaat in de leeshoek zitten en zegt dat ze iets moet doen waarbij ze licht nodig heeft.

'Wat dan?' vraagt Kajus zich met een glimlach af. 'Kousen stoppen?'

'Kousen stoppen', antwoordt Bella. Maar ze blijft in de leeshoek zitten, in het schelle licht. Soms, als ze door de kamer loopt, komt ze midden onder 'The Girl from Ipanema' langs het lichtknopje. Ze doet de lamp aan. Uit. Aan. Ze lacht. Uit. Ze speelt met het knopje tot Kajus komt en haar half met geweld vangt in een dans. Thomas heeft zijn gezicht naar de muur gekeerd. Hij slaapt.

Midden in de zomer verlaat Kajus zijn serre om met Gabbe een zeiljolletje te bouwen. Kajus en Gabbe rijden in Gabbes nieuwe auto naar de stad. Het is geen bijzondere auto behalve dan dat het merk, PLYMOUTH, moeilijk uit te spreken is. Als ze terugkomen hebben ze witte plastic letters bij zich en ze denken dat het voor Thomas en Renée het toppunt van lol zal zijn om die letters vast te schroeven op de spiegel van de boot, die meer weg heeft van een lucifersdoosje dan van iets zeewaardigs. De naam van de boot staat al vast: GOOFY. 'GOOFI' schroeft Thomas met een schroevendraaier vast, terwijl Renée tot taak krijgt iets te zoeken waarmee ze van de I een Y kunnen maken, want er waren in de winkel geen Y's te krijgen. Ze komt terug met een stukje plastic dat ze vastlijmen met ezellijm die ze van Johan Wikblad hebben geleend en die volgens de verpakking zo ontzettend goed houdt dat je er de staart van een ezel, mocht die zijn afgevallen, met blijvend resultaat mee op die ezel zou kunnen terugplakken.

Hup, het water in.

Thomas en Renée zijn in Thomas' kamer, ze zitten aan Thomas' tafel te tekenen, ze tekenen mokken met oren en ogen en monden die via tekstballonnetjes met elkaar communiceren als Gabbe en Kajus door de tuin komen aanlopen met zwemvesten, touwen en ander gerief, een woord dat Thomas en Renée leren van het scheepskoeterwaals waarvan Gabbe en Kajus zich bedienen zonder door enige kennis van scheepstermen te worden gehinderd. Niemand heeft zo weinig verstand van boten en zeilen als Kajus en Gabbe met zijn tweeën. Niet dat Thomas daar bewijzen voor heeft. Deze zomer nog niet, nee, maar hij heeft zo zijn vermoedens.

'Kom op, kinders, de frisse lucht in. We gaan zeilen.'

Zeilen: dat betekent dat Thomas een oranje zwemvest aan krijgt en dat Gabbe de boot vanaf het trailertje het water in duwt en langs de steiger leidt, terwijl Kajus de mast met het zeil erom pakt en de mastvoet door een gat in het bankje voorin steekt, het zeil uitrolt, het roer aan de spiegel hangt en Thomas het bootje in werkt dat onstabiel op het water ligt – daarmee Thomas' eerste indruk bevestigend dat het geval beslist niet zeewaardig is –, het midzwaard in de spaarpotgleuf in het midden vastzet, 'de schoot aanhalen en sturen' zegt en Thomas een zet geeft, waarna Thomas met schoot en helmstok in de handen zit zonder aan te halen of te sturen. Desondanks bevindt hij zich een ogenblik later midden op de baai, honderd meter van de steiger verwijderd waar Kajus en Gabbe om het hardst door elkaar staan te schreeuwen. En als er op het water dingen beginnen te gebeuren rennen Kajus en Gabbe roepend en schreeuwend heen en weer tussen de gemeenschappelijke ponton van Gabbe en Rosa en de Johanssons en de steiger van het witte huis. De giek zwenkt met een klap naar de andere kant van de boot, de boot helt over, Thomas houdt de schoot vast, de giek klapt weer terug maar zwaait nogmaals naar de andere kant, totdat Thomas' hoofd in de weg zit en hij sterretjes ziet. Gabbe roept dat Thomas het zwaard moet ophalen en dat hij voor de wind moet wegzeilen. Kajus roept dat het zwaard omlaag moet en dat Thomas moet oploeven – een term die hij heeft geleerd uit een boek in zijn zomerbibliotheek in de serre dat *Overstag* heet – en laveren. Voor Thomas maakt het niets uit wat ze roepen, hij probeert niet eens meer te luisteren. Hij heeft het bloed opgemerkt, het stroomt over zijn zwemvest, het zit op het zeil, in zijn mond, op zijn gezicht. En hij beseft één ding: dit zal hij niet op eigen houtje kunnen klaren. Hij móét worden gered. Maar door wie? Kajus en Gabbe staan alleen maar om het hardst te schreeuwen, Thomas kijkt om zich heen. Eén moment van huiveringwekkende paniek. Er is niemand.

Maar plotseling wordt hij de lucht in geslingerd. Als hij weer bij bewustzijn komt ligt hij op het dek van een boot met zijn hoofd vlak bij een transistorradio die in zijn oren staat te tetteren. Welk dek, welke boot, is onmiddellijk duidelijk.

'Pas op voor de lak!' Klas of Peter Lindbergh kijkt over de voorruit op Thomas neer. Thomas ziet zijn eigen bebloede, miezerige persoontje in tweevoud weerspiegeld, want Klas of Peter Lindbergh heeft een pilotenbril op. Een pilotenbril is zo'n bril met spiegels als brillenglazen. Wat ook onmiddellijk duidelijk is, is dat niet Klas of Peter Lindbergh Thomas heeft gered. Dat heeft dat meisje met het lange bruine haar gedaan, dat een beetje op een indiaanse lijkt. Ze is in het zeilbootje gesprongen en heeft het binnen een mum van tijd onder controle. Ze haalt de schoot aan en zeilt ermee naar de wal.

Thomas wordt in het glanzende geval van de Lindberghs naar de steiger gebracht. Kajus' en Gabbes monden staan niet stil. Thomas zegt geen woord, trekt het bebloede zwemvest uit en gaat er zonder ook maar een blik achterom te werpen vandoor. Even daarna bereikt het meisje in het zeilbootje de steiger, Gabbe verwelkomt haar. Hij bedankt haar omstandig en ziet nu zijn kans om zichzelf voor te stellen: 'Gabriel Engel. In de muziekbranche.'

Zij, het indianenmeisje, zegt dat ze Viviann heet.

'Je hebt mijn streepje van de Y kwijtgemaakt', zegt Renée 's middags tegen Thomas.

's Middags is het haar beurt. Ze laveert, loeft op en zeilt voor de wind weg, stelt het zwaard bij, haalt de schoot aan en laat hem vieren en gaat overstag alsof ze haar leven lang nooit iets anders heeft gedaan, alsof ze geboren is om te zeilen, alsof haar obstinate lichaam op niets anders heeft gewacht dan op het moment dat het in een zeilbootje met de naam GOOFI mocht stappen. Ze zeilt voor de steigers van het zomerparadijs heen en weer maar heeft daar al gauw genoeg van en zeilt dan verder weg, steeds verder, tot ze achter de eilandjes midden in de baai uit het gezicht verdwijnt. Een kwestie van instinct, zegt Gabbe.

Thomas gaat naar de sauna van de Johanssons en voert daar een show op met Nina en Maggi van wie niemand op het idee kwam om ze in een zeilboot te zetten; hij is conferencier en playbackt bij een liedje dat ze afspelen op Nina's bandrecorder.

O, wat een nacht voor een show
Wat fijn toch om hier te zijn
Buiten waait koud de wind
Maar hier is het licht en warm
Een mooi meisje, mooie muziek
Een man die van 't leven geniet
O, wat een nacht voor een show
En wat een heerlijk oud lied

Gelukkig is de zomer juist afgelopen.

Bella spreidt lakens uit over de meubels in het witte huis. Kajus pakt zijn boeken zo veel mogelijk op alfabetische volgorde in tassen. Thomas stopt het lepeltje in zijn doosje en zijn boeken in de rode badtas die hij van Kajus en Bella voor zijn verjaardag heeft gekregen. Rosa en Gabbe hebben een vrachtwagen gehuurd voor al hun spullen. De vrachtwagen passeert hen op de bosweg. Renée zit op de laadbak, haar armen om haar lichtblauwe badtas heen, ze kijkt met een grimmige blik om zich heen. Thomas knikt. Ze knikt terug.

Maar Bella en Rosa dan, de Strandvrouwen, wat doen die, waar zijn ze? O, ja. Ze zijn er heus wel. Op het strand, soms ook 's middags in de zitkamer bij Rosa, maar meestal in het witte huis, in de serre, in de grote kamer, een paar uurtjes, overdag. Rosa drinkt koffie en praat. Ze praat over een nieuw concept dat zij samen met Tupsu Lindbergh in het land gaat introduceren. Hun droom van het moderne ideale huishouden: Tupperware. Voor het moderne ideale huishouden, lacht Rosa Engel, maar niet met zo'n lachje dat eigenlijk precies het tegenovergestelde van een lach in zich bergt, zo'n lachje van het moment vlak voordat je je bovenstukje in het prieeltje neergooit, niet om je naakte borsten aan iemand te laten zien maar zomaar, zo'n lachje voordat je de stekker van een airconditioningapparaat uit het stopcontact trekt en zegt dat je maar wat zit te kletsen en over iets anders begint, iets heel anders dan het liefdesleven van Elizabeth Taylor waarvan iedereen zo zeker weet dat je dat zit te bespreken.

Nee, een gewoon lachje. Een luchtig lachje. Zo'n lachje waardoor je gaat geloven, waardoor je wel moet geloven dat Rosa Engel precies bedoelt wat ze zegt.

Ze werpt een steelse blik op het schitterende barmeubel met ingebouwde koelkast, dat na het kreeftenfeest vorige zomer in het witte huis is blijven staan, nagenoeg het enige dat nog echt aan de vorige zomer herinnert. 'Daar staat-ie nu, onze kast', constateert Rosa, maar ze maakt niet de indruk er iets aan te willen doen, bijvoorbeeld Gabbe vragen de kast met de auto te komen ophalen. 'Ik ben van de blauwe knoop dit jaar', zegt Rosa, gekleed in roze, alsof dat iets zou verklaren. En het barmeubel blijft in het witte huis staan, voorgoed.

Maar och, het ding is al gauw uit de tijd, de ontwikkelingen gaan supersnel, een jaar later al schaffen ze een echte koelkast aan voor in hun zomerhuis. En televisie en een stereo-installatie. Zo ongeveer het enige dat in de hiernavolgende jaren niet wordt vervangen in het huis op de berg, dat is het fornuis, zo groot en zwaar dat het geen millimeter van zijn plaats te krijgen is. Het airconditioningapparaat is op de grond naast de open haard gezet. Nog één keer wordt het op een avond weer op tafel geïnstalleerd en aangezet. Dat is in september 1964 als alle zomergasten vertrokken zijn. Dan komt er plotseling een auto over de bosweg aanrijden, het donkere zomerparadijs in, waar tot nu toe altijd alleen maar zomergasten zijn geweest. Er stappen twee personen uit de auto, die de berg op lopen en het huis binnengaan. Een meisje drukt op een knop en stapt Rosa's zitkamer binnen en danst bij het eentonige geflabber van het airconditioningapparaat. Het meisje heeft lang bruin haar en ziet eruit als een indiaanse. Vanuit de vleermuisstoel volgt Gabbe haar bewegingen met een intense blik.

'En, Viviann,' vraagt hij in het Engels, 'wat kan ik voor je doen?'

'Ik wil stewardess worden', antwoordt ze, in het Engels.

Dat zal niet al te veel moeite kosten, is Gabbes antwoord.

'Ik ben van de blauwe knoop', zegt Rosa Engel dus die zomer 1964, in het roze gekleed, terwijl ze met Bella zit te lachen en te praten. Maar vroeg of laat staat ze altijd op met de woorden dat ze ervandoor moet, omdat Tupsu Lindbergh haar straks bij de aanlegsteiger komt ophalen in de glanzende mahoniekleurige speedboot van de Lindberghs.

'We gaan een eindje varen op zee. Daar waait het zo lekker.'

'Misschien kun je wel een keertje mee', voegt ze er soms aan toe, maar het is duidelijk dat dat maar een beleefdheidsfrase is, meer niet. Bella knikt en weet dat er niets van komt, van dat keertje. Rosa verlaat het witte huis en loopt de tuin uit. Bella blijft achter in de grote kamer, die hele zomer steeds weer, bij de mozaïekspiegel die haar gezicht altijd weer in stukjes weerspiegelt.

Maar Rosa dan, waar denkt ze aan als ze met snelle passen de tuin uit loopt naar het huis op de berg om zich om te kleden voor de boot en om haar lippen in een roze tint te verven, en als ze een wit lint om haar haar knoopt zodat het straks op zee niet in haar gezicht waait? Is het zoals het lijkt? Denkt ze aan de Tupperware die Tupsu en zij hier te lande zullen gaan introduceren, voor het moderne ideale huishouden, zoals ze daarnet tegen Bella in het witte huis heeft verklaard? Denkt ze aan het moderne ideale huishouden? Aan de diepe vriendschap met Tupsu Lindbergh die zoveel voor haar betekent, zoals ze daarnet ook heeft verklaard? Aan al die andere dingen waaraan ze best zou kunnen denken? Aan de stewardessen van Gabbe bijvoorbeeld, die deze jaren in beeld beginnen te komen en die wat Rosa betreft vooral dienen om haar eraan te herinneren dat zij een grond- is en geen lucht-, wat toch wel een gróót verschil maakt? Aan de houding die ze in deze zal aannemen? Aan welke gedragslijn ze zal kiezen uit de weinige geaccepteerde gedragslijnen die er zijn maar die haar geen van beide interesseren: het dappere lijden van de martelares, of de gekwetste trots? Nee, nee, nee. Rosa Engel interesseert zich daar absoluut niet voor. Zij denkt helemaal niet.

Dat is Rosa's geheim. Die zomer. De zon schijnt, de zee brengt verkoeling. Dat is alles. Rosa Engels hoofdje geeft geen krimp.

Niettemin: één ding heeft ze zich voorgenomen. Dat ze niet zal nadenken.

Ze heeft dit jaar geen camera. De foto's van de vorige zomer, Thomas heeft helemaal gelijk gekregen, die zijn in de herfst niet in een album geplakt. Die camera was eigenlijk alleen maar een camouflagemiddel.

Alleen, dat wist zijzelf ook pas toen het alweer herfst was. Toen wist ze opeens niet wat ze met die foto's aan moest. Ze had ze voor zich op tafel neergelegd.

Al die kiekjes, al die *memories*, opeens een totaal onbekend patroon.

Ze was naar één foto blijven staren; de foto van de Strandvrouwen natuurlijk.

En die had op de een of andere manier gemaakt dat ze onmogelijk verder kon gaan met inplakken of met het formuleren van leuke onderschriften.

Geen krimp dus; maar dat wel heel bewust.

Tupperware voor het moderne ideale huishouden, in dat idee gelooft ze heus niet, en zij en Tupsu Lindbergh zullen heus dat concept hier te lande niet gaan introduceren, nooit van z'n leven!, ze gaat nog liever dood. Maar ze heeft het idee nodig als façade voor iets in zichzelf, een façade voor dingen die ze niet – ja, hoe moet je dat in godsnaam omschrijven?

Het is namelijk zo, dat er achter die façade iets of iemand in Rosa zachtjes loopt te neuriën: Bella-Rosa, Bella-Rosa, met een onnozel glimlachje.

Niettemin, het is geen spelletje.

Dat besefte ze al in de eerste dagen van die zomer.

Vorige zomer was het zo simpel, je zat gewoon in je blote borsten met een glas Shangri-la erbij in je prieeltje over een ander leven te kletsen en te fantaseren.

Dat was toch een spelletje.

'Vlucht naar de vrijheid op vleugels van hartstocht'.

Wat betekent dat nu? In deze context? Op de keper beschouwd?

Geen idee. Iets dat er niet is. Waar geen enkele afbeelding van bestaat. Alsof je de ruimte in valt.

Maar toch, dat liedje in haar hoofd wil maar niet ophouden. Bella-Rosa.

Bella-Rosa: op de keper beschouwd is het alsof je de ruimte in valt.

Zo zit het dus met de hartstocht die in Rosa Engel broeit.

Daar gaat Rosa over het bospad naar het strand, sportief gekleed voor op de boot. En sportief opgemaakt voor een tochtje op zee loopt ze gedachteloos dwars door de pasgewassen lakens van Maj Johansson heen met alle sierlijk gekrulde familiemonogrammen erop.

Smak: Rosa Engel kust ze.

Lippenstiftvlekken op schone lakens. Roze en kleverig.

Rosa kijkt ernaar en lacht.

Lippenstiftvlekken op lakens, het strand, Tupsu Lindbergh in de boot en wind die straks in haar gezicht zal waaien. Dat alles is hier. En Nu.

Na het kreeftenfeest vorig jaar had iedereen het erover: hoe Gabbe de witte engel in de prut had gereden. En dat Bella erbij was. Wat een ongehoorde vertoning was dat geweest.

Maar Rosa herinnert zich iets anders. De auto was immers niet vanzelf op dat veldje terechtgekomen. Hij was al in een eerdere fase gestart, bij de tuin van het witte huis. Vervolgens was hij weggereden. Hij was door de tuin omlaaggehobbeld naar het veldje, om ten slotte naast het aardappelakkertje tot stilstand te komen. En er hadden twee anderen in gezeten.

'Zeg, hier gingen we toch niet heen', waren Rosa's woorden geweest toen de auto stilstond. Bella had naar haar gekeken, was boos geweest. Zo boos had Rosa haar nog nooit gezien.

'Rosa', had Bella van achter het stuur geroepen. 'Je luistert niet. Je bent iets vergeten. Ik kan niet autorijden. Ik heb geen rijbewijs.'

Was dat allemaal gebeurd? Moeilijk te zeggen, want niemand praat er meer over. Zelfs niet vlak nadat het gebeurd was. Soms twijfelt Rosa er zelf aan.

Maar gebeurd of niet, Rosa heeft in ieder geval gewild dat het zou gebeuren. En dat het anders zou zijn afgelopen. Hoe dan? Juist, ja. Zo denken, dat is alsof je de ruimte in valt.

En Bella dan? Die zit nog steeds in de grote kamer in het witte huis, bij de spiegel, met haar tijdschriften, haar sigaretten, haar verschillende kleuren lippenstift. Nu zit ze in de leeshoek, bij de petroleumlamp, steekt hem aan dooft hem steekt hem aan met haar aansteker. En wat denkt ze? Niets. Ze is niet bepaald filosofisch aangelegd.

Dat er iets moet gebeuren.

In de winter neemt ze een baan aan bij de drogist in het winkelcentrum. Ze neemt weer ontslag. Kan zich niet aan de werktijden houden. Probeert naar muziek te luisteren. De muziek zegt haar niets meer.

Winter 1964-1965; dat is de winter dat Bella ophoudt naar muziek te luisteren. In de maand december staan Thomas en Bella op het balkon van de flat in de stad.

'Zullen we kijken of deze plaat vleugels heeft, Thomas?'

'Goed', zegt Thomas. Zo neutraal mogelijk. Natuurlijk heeft die plaat geen vleugels, dat weten ze allebei. Maar ze willen allebei kijken. Hoe de plaat over het plein zeilt en in de sneeuwhopen bij het kloprek belandt. Bella haalt de plaat bijna plechtig uit zijn hoes, weegt hem een paar seconden op haar hand. Dan werpt ze hem weg zoals je een boemerang werpt, en de plaat suist weg. Ze kunnen hem niet zo goed zien vliegen, want het is donker. Maar het gesuis weerklinkt tussen de muren van het flatgebouw rondom het vierkante binnenplein. Hup, de sneeuw in.

'Chet Baker Sings. Pacific Records 1956'.

Hij is niet meer te zien. Het wordt zoetjesaan te koud om zonder jas aan op het balkon te staan. Thomas en Bella gaan weer naar binnen. Maar als Chet Baker even later vanuit een andere flat door het gebouw weerklinkt kijkt Kajus met een vragende, misschien wat treurige blik naar Bella. Net alsof hij weet wat er is gebeurd. Toch was hij er niet bij.

'Een mens moet zich ontwikkelen', zegt Bella. 'Ik heb behoefte aan nieuwe uitdagingen.'

Ze heeft geen parfum opgedaan. Kajus zwijgt en Bella zwijgt en daar blijft het bij. Er komen geen nieuwe uitdagingen. Bella doet niet meer aan muziek maar Thomas is de enige die daar echt wat van merkt, want als Kajus thuiskomt zet hij gewoon zijn muziek op als altijd, en dan zit Bella erbij, kousen te stoppen of sigaretten te roken. Maar luisteren doet ze niet. Overdag, als Kajus niet thuis is, heeft ze niet eens de radio aan. Thomas is de enige die dat weet, want hij is overdag na schooltijd thuis als Kajus nog niet terug is van zijn werk.

'Daar zitten we dan, Thomas, naar de stilte te luisteren', zegt Bella.

'Saaie bedoening natuurlijk', constateert ze even later zelf. 'Stomvervelend.' En als ze niet weet wat ze moet doen pakt ze een tijdschrift van de tafel en begint er hardop een verhaal uit voor te lezen.

'Moet je horen, Thomas.'

'Hè nee', zegt Thomas, gaat naar zijn kamer en zet zijn stoommachine aan. Hij is negen jaar oud, die tijdschriften zeggen hem niets meer, er staat van alles en nog wat in dat met zijn leven niets te maken heeft. Zijn leven, dat wil zeggen stoommachines, bouwdozen, andere hobby's. En Bella blijft achter in de andere kamer, met haar vertelsels en verhalen. Een poosje later staat zij ook op, gaat naar de keuken en begint eten klaar te maken.

'Er gebeurt nooit iets leuks', roept ze naar Thomas. Thomas schudt zijn hoofd. Hij staart naar zijn stoommachine.

Alle dagen van de zomer, 1965

Zomer 1965; die zomer zijn ze aan het waterskiën. Ze glijden achter de glanzende mahoniekleurige speedboot van de Lindberghs, en vanaf midzomer achter het motorbootje van Gabbe, een Evinrude die hij van Robin Lindbergh heeft overgenomen. Nu is het Bella's en Rosa's beurt om te skiën: Tupsu Lindberghs hele gezicht zit vol sproeten als je haar van dichtbij bekijkt en dat flatteert haar bepaald niet, haar blonde haar is met waterstofperoxide gebleekt en ze is zo mager als een skelet, en dat ze niet meer aan watersport doet is natuurlijk omdat ze lelijk en mager is en niet omdat ze verkouden is zoals ze zelf zegt. Ze heeft iets zenuwachtigs, Tupsu Lindbergh. Op Bella's feestje aan het begin van de zomer zit Tupsu Lindbergh in de serre van het witte huis, op een kampeerstoel in de tuin van het witte huis, op het strandje van het witte huis, terwijl Bella en Rosa aan het waterskiën zijn en het over Tupperware hebben. Niet dat het de hele tijd over Tupperware gaat, maar de naam Tupperware dekt wel de inhoud van hun gesprekken.

Nu verklaart Rosa tegenover Bella dat Tupsu Lindbergh het ideale Tupperware-type is. De ideale droomhuisvrouw.

'De ideale droomhuisvrouw', zegt Rosa. Het is een van de eerste dingen die ze deze zomer zegt. 'Tupperware, Bella. Daar is een grote markt voor. Maar *who cares*, Bella? Het is zo vervelend allemaal. Boring. Boring. Boring.' En ze draait zich op haar buik en soest weg in de zon. En als ze een paar minuten later opnieuw wakker wordt en Bella weer ontdekt alsof ze haar voor de eerste keer ziet, lacht ze als ze haar herkent en zegt luid en duidelijk: 'Ik wil iets anders, Bella,' zegt Rosa Engel terwijl de bomen ruisen, 'ik wil een ander leven.'

Rosa is dus terug. Maar ze komt je niet ophalen om lekker naar buiten te gaan, zoals twee jaar geleden. Ze staat niet met een verwachtingsvolle glimlach in de deuropening als je aan je eeuwige ontbijt zit. Nee, je moet zelf je fil naar binnen lepelen en daarna op eigen houtje naar het strand gaan om haar daar op te halen. Ze ligt op de strandrots in een witte badjas en een roze bikini en met een zonnebril op. Wat er van haar lichaam zichtbaar is, is gespannen, gebronsde, donkere huid, vooral aan het begin van de zomer, want het is grotendeels het bruin van het voorgaande jaar dat er nog steeds zit. En dit jaar zal haar huid bleker worden, want het zal gaan regenen. En het zal blijven regenen. Het zal regenen, regenen en nog eens regenen, een groot deel van de maanden juni, juli en augustus. En hun bruingebrande huid, Bella's huid, Rosa's huid, zal langzaam opbleken in plaats van dieper bruin worden.

Rosa ligt dus in de zon te slapen als je bij het strandje aankomt, en wat meteen opvalt is de manier waarop ze ligt. Op haar zij, gewoon op de rots, zonder deken onder zich. Ze heeft haar badjas maar zo'n beetje om zich heen gewikkeld en ligt met haar knieën opgetrokken, min of meer in astronautenhouding zoals je dat twee jaar geleden noemde toen je nog klein was en raketje speelde. Alleen is deze astronaut gekanteld, omgerold eigenlijk. Heel vroeg in de maand juli heeft astronaut Edward White in de ruimte gewandeld. Waar dacht Ed White aan toen hij vrij door de ruimte zeilde – voordat zijn geestdrift zo overweldigend werd dat hij helemaal niet meer dacht? Als Rosa een astronaut in de ruimte was en niet een Strandvrouw, vastgenageld aan de rots, dan zou Thomas op de vraag waar ze aan dacht kunnen antwoorden: Waar is het ruimteschip? Is het zonder mij vertrokken?

En hoewel Rosa toch een badpak en een badjas aan heeft, lijkt het op de een of andere manier alsof ze naakt is.

Maar ben je eenmaal op het strandje, dan wordt Rosa na verloop van tijd altijd wakker en komt slaapdronken overeind zitten. Kijkt om zich heen, met warrige haren, ziet Thomas en begint Engels te praten.

'Rosa's back again', zegt ze en ze lacht. Ze gaat liggen, languit op de rots, en slaapt weer in.

Met hulp van Thomas schuift Bella behoedzaam een stukje van haar stranddeken onder Rosa. Rosa beweegt in haar slaap en haar hoofd ligt plotseling in de armen van Bella, die ook op de rots is komen zitten met al haar strandspullen. En in die houding blijven ze liggen, de Strandvrouwen, Bella en Rosa, totdat een paar minuten later die wonderlijke gebeurtenis plaatsvindt. De glanzende mahoniekleurige speedboot van de Lindberghs komt aanzoeven over de baai. Maar hij koerst niet naar de gemeenschappelijke ponton van de Johanssons en van Gabbe en Rosa, en ook draait hij niet plotseling om en zet koers naar zee om daar te verdwijnen. Nee, hij vaart recht op Bella, op de rots op het strandje van het witte huis, op de korte aanlegsteiger van het witte huis af, waar hij nog nooit eerder is gestopt. Bella is de enige die het ziet, ze wordt een beetje zenuwachtig, wat moet ze zeggen, wat moet ze doen? Ze probeert Rosa wakker te krijgen. Maar Rosa slaapt diep en hoort niets. Dus moet Bella zelf op een holletje naar de steiger gaan en helemaal op eigen houtje een praatje maken met Robin en Tupsu Lindbergh om te voorkomen dat ze zien dat Mevrouw Engel totaal wezenloos op het rotsblok ligt. Maar als de Lindberghs weer vertrokken zijn, geeft Bella Rosa een klap op haar wang om haar wakker te krijgen en zegt dat het zaterdag feest is in het witte huis en dat de Lindberghs ook uitgenodigd zijn omdat ze toevallig langskwamen terwijl Rosa sliep.

'Ik wil pret maken', zegt Bella. 'Ik wil dat er nú iets gebeurt.'

En dat is strikt genomen een van de eerste dingen die Bella tegen Rosa zegt deze zomer.

Maar Rosa kijkt Bella met opengesperde ogen aan. Plotseling is het alsof haar iets anders te binnen schiet, alles wat haar de zomer ervoor zo onwerkelijk toescheen, waar ze op een bepaalde manier bang voor was, zo bang dat ze iedere dag blauwwitte kleding voor de boot moest aantrekken en het zomerparadijs moest verlaten en met Tupsu Lindbergh de verkoelende zee op moest.

Ja. Nu is ze in de ruimte.

Maar in de ruimte zijn is ook, bij vlagen, een wonderbaarlijk gewichtloos gevoel.

En ze holt het water in, zwemt een heel eind de baai in en dompelt een paar keer haar hoofd onder water.

'Ik wil een helder hoofd krijgen', roept ze naar Bella die op het strand is gebleven. 'Ik wil wakkerder zijn dan ooit. Heb je koffie in die thermosfles?'

Maar daar trekt een wolk voor de zon, het begint te regenen en Rosa en Bella moeten hun koffie binnen gaan drinken, in Bella's atelier boven. Ze stoppen hun spullen bij elkaar in manden en tassen en hollen door het laantje naar het witte huis, de zoldertrap op, en doen de deur achter zich dicht. In Bella's atelier belanden ze, Bella en Rosa. En daar blijven ze, dagen, weken, uren en minuten. Achter een gesloten deur waarvan het weliswaar niet verboden is hem open te doen, maar die op een bepaalde manier toch een grens is, onoverkomelijk.

Thomas weet niet of hij dit een goede of een slechte zaak vindt. Hijzelf zit op zolder achter de muur, in de alkoof. Sommige dagen, niet altijd. Soms als hij in de alkoof zit en opkijkt, ontdekt hij dat er iemand binnengekomen is zonder dat hij voetstappen heeft gehoord. Soms is het Erkki Johansson, soms iemand anders. Iemand die er niet is maar die wel een naam krijgt; Viviann. Soms Renée. Maar meestal niet.

Daar, in Bella's atelier boven, ontstaat het liedje dat deze zomer overal is. Een melodie, haast zonder woorden, om steeds te neuriën. Die door het hele zomerparadijs heen vloeit.

Bella-Rosa, Bella-Rosa, gaat die melodie.

'I'm Bond, James Bond!' roept Gabbe dit jaar tegen iedereen. Alle vrouwen die zijn pad kruisen zijn lekkere wijven voor deze James Bond. 'Wie is dat mooie meisje daar?' roept Gabbe vanaf het hoogste punt van de berg als hij Maj Johansson ziet, die in een blauwgeruite monokini tot aan haar navel de sauna van de Johanssons uit komt en de steiger op loopt.

Een monokini; dat is niets tegenwoordig. Iedereen zwemt in een monokini. In de krant heeft zelfs gestaan dat een Duitse wetenschapper, die zich baseert op eigen onderzoek op een proefbadstrand in Baden-Baden, beweert dat vrouwen alleen al op medische gronden naakt dienen te zonnebaden.

Bella en Rosa kleden zich niet meer uit. Juist nu iedereen zich uitkleedt houden zij hun rok en hun bovenstukje aan. Of ze dragen héle badpakken.

'Bella-Rosa, Bella-Rosa', trommelt Gabbe op zijn stoelleuning boven op zijn berg, op het hoogste punt waar je het hele zomerparadijs kunt overzien. Daar heeft hij zijn eigen linnen armstoel heen gebracht, de James Bondstoel zoals hij wordt genoemd, aangezien Gabbe dit jaar James Bond is.

'Bella-Rosa, Bella-Rosa', neuriet Gabbe. 'De een is een mals stuk vlees met een beste rode wijn, Thomas. Mals vlees. Mét rode wijn.'

'De ander fladdert als een vlinder.'

'Ik heb een heleboel zwakheden, Thomas.'

'Een van mijn zwakheden is lekker eten.'

'Een rood stuk biefstuk en een krachtig smakende wijn. Die hoeft niet van een speciaal jaar te zijn.'

'Maar ik hou ook van vlinders, Thomas. Vlinders in mijn buik. Net als in de achtbaan. Het pretpark, Thomas. Je vindt de achtbaan toch wel leuk?'

Thomas knikt. Hij moet toegeven dat hij, net als ieder ander kind, niets tegen een ritje in de achtbaan heeft.

Renée doet mee aan wedstrijden van de zeilvereniging. Eerst wordt ze 'die eendagsvlieg' genoemd omdat ze zo'n meisje is dat uit het niets opduikt, vervolgens wint en zich aan de top van haar jolklasse weet te plaatsen, waarbij men haar successen graag als toevalstreffers beschouwt, te verklaren uit bepaalde eigenschappen van de romp van de boot of uit het feit dat er in het begin van die zomer steeds zo weinig wind staat. Maar als er later een keer een hevige wind opsteekt en veel boten de wedstrijd afbreken of kapseizen of averij oplopen, wint zij evengoed toch. En dat met een gemak en een nonchalance waaraan haar concurrenten zich doodergeren.

Goofi wordt steeds meer Renées boot. Het kan Thomas niet schelen, al wijst Kajus hem er meermalen op dat hij meer initiatief moet nemen en zijn rechten moet laten gelden. Tja, rechten; Thomas' houding ten opzichte van het zeilen is een heel andere. Maar het is onnodig zelfs maar te proberen dat aan Kajus of Gabbe of zelfs Bella uit te leggen, die zouden het niet begrijpen. Bella is zelfs nog nooit op zee geweest, Gabbe en Kajus praten alleen maar of ze lezen boeken om vervolgens in vage bewoordingen allerlei adviezen uit te gaan delen.

Thomas weet nu, deze zomer voor het eerst op goede gronden, dat het mogelijk is een heel andere houding ten opzichte van iets te hebben. Gedurende de herfst en winter is Thomas actief lid geweest van de padvindersgroep BaloeBaloe, al zou hij liever bij de andere groep willen horen die ShereKhan heet, want dat is een mooiere naam. Hij is in de herfst op zeilkamp geweest en heeft de eerste nacht samen met groepsleider Buster Kronlund de hondenwacht gelopen en hij heeft bijna een halfuur het roer mogen vasthouden en mogen sturen, en Buster Kronlund was heel tevreden, 'perfecte koers' heeft hij gezegd. De daaropvolgende nacht heeft hij met vier andere welpen onderdeks gezeten terwijl Dennis Kronlund, Busters broer en patrouilleleider van ShereKhan, de hondenwacht had, en toen deze een navigatiefout maakte en recht op een vuurbaken afkoerste waren ze al minutenlang in de gure herfstlucht bezig met duwen en wrikken voordat het tot Thomas doordrong dat het zijn schuld niet was.

Thomas gaat niet mee naar het zeilpaviljoen om Renée vanaf het strand of vanaf een volgboot aan te vuren. Hij doet alsof hij, en in zekere zin klopt dat ook wel, absoluut geen belang stelt in Renées wedstrijdsuccessen. Hij zet zijn duikbril op, doet zijn zwemvliezen aan, steekt zijn snorkel in zijn mond, gaat het water in en verdwijnt in de stille wereld. Zo nu en dan hebben ze deze zomer een duikclub, hun eigen vereniging voor onderwateronderzoek; Erkki Johansson, Thomas en Renée. Ze hebben alledrie een alter ego. Erkki mag Jacques Cousteau zijn, de schrijver van het boek dat Thomas heeft gelezen, Renée heet Tailliez, maar omdat dat zo'n moeilijke naam is om uit te spreken zeggen ze gewoon Renée, en Thomas zelf is Frédéric Dumas, Didi – de persoon die het best en het volledigst het motto van de vereniging belichaamt: zich geheel en al in dienst te stellen van het onderzoek van het leven in de stille wereld. Dat houdt onder andere in dat men geen aardse banden mag hebben die sterker zijn dan de band met de stille wereld. Dat is dus een verschil met bijvoorbeeld Jacques Cousteau, die het nodig vindt af en toe zijn hele familie mee onder water te nemen ('De schrijver met vrouw en kind op zijn zondagse uitstapje onder water bij zijn huis in Sanary-sur-Mer' : op de foto, die met een onderwatercamera genomen is, zijn drie bleke, geleiachtige wezens te zien; twee grote en een kleinere in het midden, en ze houden elkaar bij de handen vast terwijl ze zich in de groene diepte omlaag laten zakken).

'Dumas vangt een stekelrog op 36 meter diepte voor de kust van het eiland Porquerolles.'

'Tailliez probeert met zijn mes een zeebaars te vangen. De vis steekt bij wijze van verdediging zijn rugvinnen op.'

'Hier ontdekt Frédéric Dumas dat een zeebaars zo krachtig

kan gapen dat de opening van zijn bek tweemaal zo groot wordt als de omtrek van zijn lichaam.'

'Een verstoorde inktvis die niet met Dumas wil dansen gaat ervandoor met achterlating van een wolk inkt.'

'Dumas kietelt een Pei-qua, de grondel van de Middellandse Zee, in zijn buik.'

'Op een afgelegen strand in Frans West-Afrika treffen Dumas en Tailliez een kolonie monniksrobben aan. Tot nu toe dacht men dat deze robbensoort rond 1690 was uitgeroeid. Hier kruipen Dumas en Tailliez het strand op om met de robben kennis te maken.'

Thomas probeert bezeten te zijn van het leven in de stille wereld. Hij duikt onder het wateroppervlak. Zonder duikbril ziet hij modder, met duikbril iets duidelijker modderformaties alsmede zeewier op de bodem. Het is mooi en ook fascinerend. Maar hij kan er niets aan doen, hij krijgt het het eerst koud van allemaal. Erkki Johansson kan het langst in het water blijven. Zolang als hij maar wil, om precies te zijn.

Zomer 1965, wat nog meer?

Thomas vindt een mes in het Ruti-bos. Plotseling ligt het voor hem te glanzen onder een paar varens. Een lang lemmet, helemaal niet roestig. Wie kan het daar hebben laten vallen? Wie loopt er met een mes door het Ruti-bos? Later blijkt er voor de aanwezigheid van het mes in het bos een heel gewone verklaring te zijn. Johan Wikblad is verse takken wezen snijden om in een stalen pot te zetten die Ann-Christine op een veiling heeft opgeduikeld. Thomas verbergt het mes onder zijn trui. Hij neemt het mee naar de alkoof op zolder, stopt het onder een plank in de vloer. Hij zegt niets als Johan Wikblad een poosje later komt informeren of iemand zijn kostbare nieuwe *puukko*-mes heeft gevonden. Hij weet niet waarom. Het mes blijft gewoon in de alkoof liggen. Tot het een tijd later verdwijnt. Wie heeft het weggenomen? Het is niet moeilijk dat te raden.

En de familie Johansson gaat op stap.

'Nu zijn wij het eens een keer die een reisje gaan maken,' zegt Maj Johansson, 'nu gaan wij eens een poosje in de wereld rondkijken.'

'Je denkt toch niet dat ik met die stomme ouwelui meega', zegt Maggi in het Fins tegen Nina in de sauna van de Johanssons. Maggi en Nina spreken deze zomer Fins met elkaar in plaats van Zweeds.*

En Kajus' radio gaat kapot. Houdt er zomaar ineens mee op. Midden in het weerbericht.

Maar Isabella in de zon, vlak voordat de lucht betrekt. Op een ochtend, er is een feestje in het witte huis. Ze staat boven aan het trapje van de serre, in haar gele jurk, lachend met haar roze zomerlippenstift, geurend naar zonnebrandolie en parfum, Blue Grass, ze heeft weliswaar allang een ander merk, maar voor Kajus is Blue Grass de verzamelnaam voor alle merken parfum die Bella opdoet, 'typisch Isabella, Thomas, de omgekeerde wereld, want het gras is groen en niet blauw, maar als Isabella zegt dat het gras blauw is, dan is het blauw', en iedereen kijkt natuurlijk naar haar. Het is ook de bedoeling dat ze naar haar kijken, iedereen in de tuin moet opkijken terwijl ze daar staat met een dienblad vol regenboogdrankjes in haar handen en langzaam, met bijna gemaakt onvaste stapjes het trapje afkomt zodat het dienblad wiebelt, en als iemand nu een filmcamera had gehad om de filmster mee te filmen terwijl ze in de zonneschijn het trapje afkomt, dan zou haar lachende gezicht steeds dichterbij komen en op het laatst zo dichtbij zijn dat het zijn contouren zou verliezen en in de lens zou oplossen. Maar niemand heeft een camera, dit is geen film, dit is werkelijkheid.

---

* Zie noot op p. 351

De laatste zomer in het witte huis, 1965, de tweede zomer met Rosa, en zij is echt IsabellaZeemeermin, Thomas' moeder, Rosa's vriendin, een mals stuk vlees met rode wijn, mals vlees mét rode wijn, JazzKajus' droom, die de resterende tijd, de tijd die begint na deze zomer, opgesloten zal zitten in een kast in een gewone stadsflat in een buitenwijk aan de oostkant van de stad, en nog veel meer, van alles en nog wat, Thomas! Kijk, ze is in de tuin aangekomen, ze loopt tussen haar gasten, lacht, ze is heel echt, je kunt haar aanraken, ze strekt het dienblad uit, zegt '*almost heaven*', en presenteert haar drankjes.

De wereld in, 1965

Waarom zijn waterskiënde vrouwen mooi? Onweerstaanbaar? Onontkoombaar? In hun gele en witte badpakken, zelfs terwijl een van de twee een oranje zwemvest aan heeft?

Filosofische vragen. Thomas is negen jaar, net tien geworden. Hij heeft geen neiging tot filosoferen. Ook later niet, trouwens. Hij is net als zijn moeder iemand die géén filosofische aanleg heeft en die ook nooit zal krijgen.

Concrete situaties. Voor hem is alles concreet.

Hij is in het zomerparadijs en probeert zich met van alles en nog wat bezig te houden. Met spioneren en saboteren en in het bos zijn, zich voor nieuwe dingen interesseren en nieuwe mensen ontmoeten. Maar het is zinloos. Hij belandt altijd weer op dezelfde plek. Op het strand dus. Waar de Strandvrouwen op de baai zijn. Op waterski's achter de glanzende mahoniekleurige speedboot van de Lindberghs. De ene en de andere, ieder op haar beurt.

En wat dan nog. Hij is niet de enige. Alle anderen, de meesten tenminste, zijn na verloop van tijd ook op het strand. Ze worden erheen gezogen. Zelfs het feest verplaatst zich naar het strand, en dat nog voordat alle regenboogdrankjes die Bella volgens eigen recept heeft klaargemaakt (niets bijzonders trouwens, er gaan ongeveer dezelfde ingrediënten in als in Shangrila, alleen vormen de verschillende dranken verschillend gekleurde laagjes in het glas doordat je er gelatine in doet, maar toch was Thomas onder de indruk en even trots als Bella toen ze die ochtend het feest aan het voorbereiden waren) zijn opgedronken aan de kampeertafel waar Tupsu Lindbergh maar een blik op hoeft te werpen of hij is al omgedoopt tot 'dat wrakkige barbecuetafeltje in de *garden* van het witte huis', zoals de tuin heet naar de party die er gaande is. De Strandvrouwen hebben hun feestjurken allang uitgedaan. Hun badpakken aangetrokken. De waterski's van de Lindberghs aangebonden. Ze zijn het water in gelopen. De lijn spant zich. De motor loeit. Daar gaan ze. Fieuuuwww, wat gaat het lekker. Verrukkelijk, zo'n tempo. En iedereen klapt in de handen. Nee hoor, niet iedereen. Tupsu en Kajus zitten op de berg en zijn zogenaamd diep in gesprek over heel andere dingen. En Thomas ligt op zijn buik op de ponton van de Johanssons en staart tussen de planken door het water in, verdiept in een poging zich een beeld te vormen van een skelet op de bodem van de zee, dat wil zeggen druk doende met iets dat voor personen van zijn leeftijd legitiem is, met kinderlijke fantasieën namelijk.

Je hebt immers wel wat anders aan je hoofd dan waterskiën als je een jongen bent in de leeftijdscategorie die in vrije tijd met bouwdozen speelt en zomaar voor de lol stoommachines aanzet.

Maar iedereen is op het strand ja, dat wel. Uiteindelijk zijn ze daar allemaal terechtgekomen.

Het begin van een middag dus, een of andere zaterdag ergens in het begin van de zomer: Thomas loopt rond in zijn zomerparadijs. Hij loopt het pad af dat achter het houthok en het privaat van het witte huis begint. Hij komt bij de tuin van het rode huisje uit. Daar is Ann-Christine bezig oude verf af te krabben van een wastobbe. Die gaat ze opnieuw verven, zegt ze, om er daarna planten in te zetten. Ze noemt een heleboel soorten op. Thomas luistert wel maar hoort geen enkele bekende naam.

'Ik ben vast allergisch voor al die planten', zegt Thomas. Ann-Christine maakt zijn haar in de war en zegt: 'Wat ben je toch een charmant jongetje.' Thomas bloost, maar niet zo erg. Ann-Christine kan de dingen zo zeggen dat ze acceptabel klinken. Thomas heeft charme. Dat zei Ann-Christine al meteen aan het begin van de zomer. Voor een kind is Thomas beslist charmant. Johan Wikblad was erbij en vulde het aan: 'Een charmeur.' Dat klonk heel vervelend. Thomas heeft zowel tegen Ann-Christine als tegen Johan Wikblad gezegd dat ze hun mond moesten houden.

Ann-Christine is iemand die altijd met verschillende dingen bezig is. Een van de eerste dagen van de zomer, toen Thomas en Ann-Christine met elkaar kennis maakten, was Ann-Christine bezig sinaasappels te schillen om eigen sinaasappelwijn te maken voor op midzomeravond. Thomas hielp haar want het was in de tijd dat Rosa zich niet liet zien en Renée op het strand zo halsstarrig aan de mast van Goofi bleef schaven, dat Thomas een heleboel tijd overhield om nieuwe dingen te doen en met nieuwe mensen kennis te maken. Het vat waarin het spul zat dat sinaasappelwijn moest worden, werd in de kruipruimte onder het huis weggezet. Om zelf iets te drinken te hebben op midzomeravond hebben Nina en Maggi er iets uitgehaald, een Cinzano-fles vol. Thomas weet het, maar heeft het tegen niemand gezegd. Renée weet het ook. Nog steeds bestaat er geen geheim in het zomerparadijs waar Thomas en Renée niet van weten. Dat is althans het streven.

Thomas at van de sinaasappels, een paar partjes maar. De nacht daarop werd hij ziek. Hij kreeg uitslag en koorts. Hoge koorts. Bella en Kajus hadden medelijden met hem, hun medelijden met hem bracht hen bij elkaar aan Thomas' bed in Thomas' kamer achter dichte gordijnen. 'Wat een lot toch voor zo'n jongen', zei Kajus terwijl Bella de koortsthermometer afsloeg die nog net geen oude recordhoogten oversteeg. Maar een lot? Het was geen kwestie van lot. Thomas zelf had een aanzienlijk nuchterder benadering. Hij bekeek het fenomeen vanuit een wetenschappelijk oogpunt. Sinaasappel, dat was gewoon een nieuwe ontdekking, weer iets om aan de schier eindeloze lijst der Allergieën van de Allergicus toe te voegen. Die Allergicus liet zich niet beteugelen, werkelijk een interessant verschijnsel. Dankzij zijn wetenschappelijke kijk op de zaak kon Thomas zichzelf los zien van de Allergicus en observaties doen op de voor de objectieve wetenschapsbeoefening ideale manier: met diepe verwondering en kinderlijke nieuwsgierigheid. In bed lag hij zijn symptomen te analyseren. Hij analyseerde maar door, tot de symptomen al te zeer bleven aanhouden en hij alsnog zijn controle over de situatie kwijtraakte en als een klein kind ging liggen jammeren. Eenmaal weer beter kon hij zijn gejammer alleen maar als een nederlaag beschouwen. En beter werd hij. Dat had hijzelf en dat hadden alle anderen al die tijd ook wel geweten. Hij zou heus niet doodgaan. En toch lag hij daar te janken.

Thomas gaat naast Johan Wikblad op het trapje voor de deur van het rode huisje zitten. Johan Wikblad is bezig met zijn tekeningen van huizen. Hij heeft een rekenliniaal in zijn hand, schuift eraan en leest af, schrijft cijfers in de marge van het millimeterpapier waarop de tekening staat. Johan Wikblad heeft het huis zelf ontworpen, het heeft vier kamers, een keuken en een zonneterras. Er staat echt 'zonneterras' op de tekeningen. Daar hebben Thomas en Ann-Christine een beetje om moeten lachen, want Ann-Christine heeft het niet kunnen laten erop te wijzen dat, wil je zo'n protserig bouwsel als zich op het millimeterpapier van Johan Wikblad aftekent neerzetten op het lapje grond waar het rode huisje staat, er niets anders op zit dan zo te bouwen dat het zogenaamde zonneterras precies op de dichte sparrenrand van het grote bos uitkijkt. Johan Wikblad heeft er helemaal niet om kunnen lachen. Hij heeft een bekommerd gezicht gezet en gezegd dat er een andere oplossing mogelijk moet zijn.

Thomas bestudeert de tekeningen, net als hij al eerder heeft gedaan. Hij stelt vragen. Dezelfde vragen als hij al zo vaak heeft gesteld deze eerste zomerweken.

'Waar ga je het laten bouwen?' vraagt Thomas.

'Hier', antwoordt Johan Wikblad. Luid en duidelijk, zodat Ann-Christine het kan horen. 'Precies op de plek waar wij ons nu bevinden.'

'Wordt het rode huisje dan gesloopt?' vraagt Thomas.

'Het rode huisje wordt gesloopt', zegt Johan Wikblad even luid en duidelijk.

'Over mijn lijk', roept Ann-Christine vanuit de tuin. Schilfertjes verf dwarrelen in de wind om haar heen. Thomas lacht. Dit is de reden dat hij die vragen stelt. Hij wil horen hoe het klinkt als Ann-Christine 'over mijn lijk' zegt. Het klinkt op een bepaalde manier grappig. En bovendien: je kunt het je voorstellen, op de gedachte voortborduren en verder fantaseren. Ann-Christines lichaam. Dat is best groot.

'Eerst koop ik het', stelt Johan Wikblad vast. 'En dan sloop ik het.'

'Over mijn lijk', roept Ann-Christine in de wind. Ze lacht, Johan Wikblad lacht ook.

Thomas loopt door de tuin van de Johanssons en langs het huis van de Johanssons. De familie Johansson is niet thuis. Maj en Pusu en Erkki zijn naar hun neven om naar het jacht te kijken dat de neven hebben gekocht en dat de familie Johansson later in de zomer, als het mooier weer wordt, misschien gaat lenen om er een reisje mee te maken en eens rond te kijken in de wereld. Thomas loopt over het strandheuveltje van Maj Johansson, steekt het gazon van Maj Johansson over, waar Goofi altijd ondersteboven op houten schragen staat als er tenminste geen regatta is bij het zeilpaviljoen of bij een andere zeilvereniging. Thomas gaat de sauna van de Johanssons binnen.

In de kleedruimte staan twee bedden langs de wanden. Op het ene bed ligt Nina, op het andere Maggi Johansson. De vloer tussen de bedden in ligt vol met allerhande spullen: vooral tijdschriften en een radio die hard aanstaat, hoewel er alleen maar nieuwsberichten zijn. Maggi ligt op haar rug met een halsketting te spelen die ze rond haar vingers heeft gewonden. Ze maakt figuren. De Eiffeltoren. Het spinnenweb, dat is het moeilijkst. Ze rukt nogal aan de ketting, het is een lange ketting die uit heel veel kleine kraaltjes bestaat. Het zou een mooi gezicht zijn als Maggi iets te hard zou trekken zodat de ketting zou breken, denkt Thomas zomaar opeens. Alle kraaltjes zouden met een luid geratel over de vloer kletteren. Dat zou een mooi effect geven.

Maggi rukt aan de halsketting. Hij breekt niet.

'*Kato Tuumas*, hé Thomas. Wat kom je doen, Thomas?' Thomas staat al een hele poos bij de deur als Nina opkijkt uit haar tijdschrift en hem ontdekt. Zo gaat het deze zomer altijd als je naar de sauna van de Johanssons gaat. Je moet wachten tot 'de dames audiëntie houden', zoals Rosa een keer met een glimlach zegt. Thomas knikt, al weet hij niet wat audiëntie betekent.

Thomas haalt zijn schouders op.

'Renée is weg, naar een wedstrijd.'

'Ja', antwoordt Thomas, ook in het Fins. 'Dat weet ik.'

'Dat nieuws hangt me de keel uit', zegt Maggi en ze gaat overeind zitten. Ze geeft de radio op de grond een trap. Maar hoewel ze boos is, is die trap toch eigenlijk een ongelukje, een gevolg van haar heftige beweging, de ketting zit nog steeds rond haar vingers, maar daar gebeurt niets mee. De radio valt echter om.

'Pas een beetje op zeg, Maggi.' Nina komt ook overeind. Ze werpt een blik door het raam naar buiten. Een beetje sloom, haast toevallig.

'Moet je kijken. Bella is op één ski aan het skiën. Wás, moet ik zeggen.'

En ook Thomas ziet het; jazeker. Bella is aan het waterskiën op de baai, ze zakt achterover, laat de lijn los en ligt het volgende moment met haar oranje zwemvest aan in het water.

'Zo, daar ligt je moeder in de baai. En ze blijft maar doorkleppen. Houdt ze ook weleens haar mond, Thomas?'

Thomas haalt zijn schouders op. Nina stelt vragen op een manier dat je weet dat het niet de bedoeling is dat je antwoord geeft.

'Hé Maggi', zegt Nina dan. 'Laten we nog een sigaret nemen. Ik snak naar een peuk. Kom je, Thomas?'

'Kom je, Thomas? Ik laat er wel een paar voor je over, als je wilt.'

Maggi windt de ketting een paar keer rond haar nek. Nina en Maggi gaan weg.

Thomas geeft geen antwoord. Hij is al buiten, op de steiger van de Johanssons en van Rosa en Gabbe. Weer bij het strand, bij de Strandvrouwen. Bella is een oranje stip in het water. Misschien een meter of vijftien van de steiger af.

'Nee. Nee, ze zwemt niet. Ze kan niet zwemmen.'

Heeft hij gedacht. Maar hij heeft niets gezegd.

Het is dan ook niet waar. O, nu ja, waar. Hoe het nu echt zit weet hij niet. Een paar jaar geleden konden die dingen hem nog erg bezighouden. Nu denkt hij er niet zo vaak meer aan. Een paar jaar geleden was hij namelijk nog een kind dat je verhaaltjes kon vertellen, zoals men dat doet met kinderen. Niets dramatisch dus, al zou later nog zo objectief en onomstotelijk blijken dat ze heus wel kon zwemmen of dat hij echt niet de enige was die wist dat ze haar blonde haar donker geverfd had; zo erg zou dat niet zijn, hij zou zich heus niet teleurgesteld of vreselijk bedrogen voelen. Hij heeft geaccepteerd dat hij vroeger een kind was dat je verhaaltjes kon vertellen – het soort verhaaltjes dat zich niet helemaal aan de objectieve waarheid houdt. Maar dat hij dit besefte, dat hij er niet meer in geloofde, was evenmin iets dramatisch. Het was zoiets als niet meer in de kerstman geloven – een noodzakelijke fase waar je in je ontwikkeling sowieso een keer doorheen moest.

En bovendien, er zijn nog wel andere redenen om je niet aan de waarheid te houden dan dat je wilt liegen, dat je iemand iets op de mouw wil spelden, iemand wil bedriegen. Aan het begin van de zomer vertelt Thomas een keer aan Rosa van die ene avond in augustus een paar jaar geleden, toen Bella nog heel laat in de baai zwom. Hij weet niet waarom hij dat aan Rosa vertelt. In elk geval niet omdat het iets is waaraan hij de hele tijd loopt te denken. Maar de sfeer is er een beetje naar, die is prettig. Het is de eerste keer die zomer dat Rosa hen bij het witte huis komt ophalen om naar het strand te gaan, die zomer dus die een beetje moeizaam op gang is gekomen, niet alleen vanwege Thomas' allergische reactie of Renée die aldoor de mast aan het bijschaven is, maar ook vanwege het feit dat een zekere Rosa Engel puntje puntje puntje op de rots bij het strand lag, zoals Maj Johansson het uitdrukte toen ze zich op het strandje ernaast bevond om haar eeuwige lakens aan de waslijn te hangen, en maar bezig bleef met die lakens, en met haar gegluur. Maar nu is Rosa weer de oude, ze lopen door het laantje. Thomas blijft een paar passen achter, want hij vindt het leuk om de ruggen van Bella en Rosa voor zich te zien. Plotseling gaat Rosa langzamer lopen, ze blijft ook wat achter, ze treuzelt zo dat ze na een poosje gelijk oploopt met Thomas. Bella loopt alleen voor hen uit zonder iets te merken, geel en vrolijk op deze mooie zomerdag. Blootsvoets, op harde voetzolen. Zo hard dat ze zich over ieder willekeurig terrein kunnen voortbewegen.

En Thomas krijgt opeens zin Rosa iets te vertellen. Over Bella, een eigen privé-verhaaltje. En hij doet het.

'...grappig eigenlijk, want ze had altijd gezegd dat ze niet kon zwemmen.'

Rosa luistert, maar lijkt niet verbaasd te zijn. Alsof het de natuurlijkste zaak van de wereld is, zegt ze: 'Mensen hebben recht op hun geheimpjes, Thomas. Als ze willen. Het is niet zo belangrijk of iets waar is of niet.'

'Snap je?'

'Nee', zegt Thomas. Maar natuurlijk begrijpt hij het wel. Rosa heeft bovendien een goede manier om het te zeggen.

De glanzende mahoniekleurige speedboot van de Lindberghs sputtert naast Bella die nog in het water ligt. Rosa gooit de tweede ski, die ze ergens op de baai heeft opgevist, overboord. Bella moet direct vanuit het water starten. Rosa probeert de waterskilijn met het handvat aan het uiteinde naar haar toe te slingeren. Rosa zit in roze zonnepakje en wit vest op haar knieën op het achterdek en laat de lijn als een lasso boven haar hoofd cirkelen. Daar gaat hij. Mis. Ze gooit hem opnieuw uit. Weer mis, en nog eens mis. Dat ze de hele tijd misgooit komt doordat ze zich niet concentreert. Ze heeft het te druk met lachen en gek doen. En Bella ook.

Ze roepen en gillen en lachen zo dat je, als je met hen mee zou doen en helemaal in hun gedoe zou opgaan, vast niet zou merken dat de zon al een hele poos geleden achter wolken is verdwenen en dat het ieder moment kan gaan regenen.

'Ik verdrink!' roept Bella vanuit het water.

'Ik lach me dood', roept Rosa, en ze werpt de lijn uit en mist.

Robin Lindbergh staat in de boot aan het stuurrad. Hij staat loom tegen de voorruit geleund, precies als op de reclamefoto's. Maar één ding laat zich niet verhelen. Hij is het spuugzat. Uit zijn houding maakt Thomas voorts objectief op dat Robin Lindbergh Bella net zo lief in het water zou laten liggen. Met of zonder zwemvest. Of ze nu kan zwemmen of niet. Het kan Robin Lindbergh geen moer schelen. Het interesseert hem absoluut niet wat het voor een soort zeemeermin is die daar vlak voor zijn blikken in het water ligt te spartelen.

Robin Lindbergh denkt aan andere dingen.

Straks, als Bella weer op de ski's staat en een paar rondjes over de baai heeft gedraaid, de waterskilijn heeft losgelaten en naar het strandje is gezoefd terwijl de eerste regendruppels onbarmhartig ook op haar neervallen, dan zal Robin over de baai richting zee snorren. Hij zal de smalle doorgang naar zee inslaan en verdwijnen. En Rosa zal bij hem zijn.

'Ik probeerde nog te zeggen dat hij terug moest gaan', zegt Rosa naderhand tegen Bella, in het atelier. 'Maar hij hoorde niets. Hij voer gewoon door.'

En midden op zee is Robin Lindbergh boos geworden op Rosa. Ze moet niet zo ordinair doen, heeft hij gezegd. Zij en die 'demi-mondaine'. Je weet toch wel wat dat betekent, heeft Robin Lindbergh gezegd, je hebt toch Frans gestudeerd. En Rosa en Robin Lindbergh hebben woorden gekregen en zijn midden op zee in de boot van de Lindberghs aan het ruziën geslagen.

Onder het bekvechten is het hun te binnen geschoten dat ze toch eigenlijk huisvrienden van elkaar zijn. Ze hebben geprobeerd zich uit de pijnlijke situatie te redden door naar het paviljoen te varen om te kijken hoe het ervoor stond met Renées wedstrijden en met Gabbe die, zeilouder zijnde, het feest in het zomerparadijs is misgelopen, althans het eerste gedeelte. Goed, zo bleek. Renée is bij het eerste onderdeel die dag tweede geworden en bij het tweede onderdeel heeft ze zojuist zonder opgaaf van redenen de wedstrijd afgebroken.

'Wat zei Tupsu?'

'Die had migraine.' Bella en Rosa zullen in het atelier om Tupsu Lindbergh lachen. En soms zou je, om met Kajus te spreken, niet geloven dat het 'twee volwassen vrouwen met man en kinderen' zijn daar in het atelier. Er zijn situaties waarbij er maar weinig verschil is tussen Bella en Rosa en 'de dames' in het kleedhok van de sauna van de Johanssons.

De Strandvrouwen skiën op het water, Tupsu Lindbergh heeft op het strandje van het witte huis haar donkerblauwe zeiljack aangetrokken, Kajus serveert koffie in koffiekoppen. Tupsu en Kajus drinken koffie, er komt rook uit de koppen. Ze praten, doen alsof ze verdiept zijn in een levendig gesprek.

Thomas ligt op zijn buik op de steiger en staart tussen de planken door het water in.

'Valt er nog wat te vangen?' Ze beginnen vanaf het andere strandje naar hem te roepen. Het is de stem van Tupsu Lindbergh. Thomas geeft geen antwoord. Iedereen kan toch zien dat hij niet aan het vissen is.

'Kom even een praatje met ons maken', vult Kajus aan.

'Kom Thomas, vertel eens,' dit is Tupsu Lindbergh weer, 'wat doe je meestal op zulke lange bewolkte dagen als vandaag? Heb je geen speelkameraadjes?'

Thomas gelooft zijn oren niet.

Hij is echt druk aan het fantaseren. Hij fantaseert het volgende: als er een dood mens onder hem zou liggen, dan zouden hij en dat skelet ieder aan zijn eigen kant naar elkaar kunnen liggen grijnzen. Thomas spert zijn ogen wijd open en doet zijn mond open, hij beeldt zich in dat hij zwarte oogkassen en klapperende kaken in de stille wereld onder zich ziet. Maar hij weet dat dat een wetenschappelijke ongerijmdheid is. Mensenskeletten verweren onder water supersnel. Dat komt door de consistentie van het gebeente. Dat is iets waarover Didi en Tailliez en Cousteau zich vaak hebben verbaasd als ze onderzoek deden op wrakken van vergane schepen op de bodem van de zee. Dat het zo léég was. Hele schepen konden nog intact zijn. Met ingewanden en al: spullen, meubels, complete kajuituitrustingen. Alleen van mensen nergens een spoor. Op een keer doken Didi en Cousteau een luxe kapiteinssuite binnen die nog helemaal in de oorspronkelijke staat was. Er stond daar een badkuip. Didi, een type dat wel van een grapje hield, stapte in die badkuip, greep de badborstel en deed net alsof hij zich zat te schrobben, onderwijl in de duikerhelm een deuntje zingend zoals sommige mensen onder de douche plegen te doen, en zo zat hij vijftig meter onder water tussen de schuimbelletjes. Cousteau, die er met een onderwatercamera een foto van nam, moest zo lachen dat hij bijna verstrikt raakte in de slangen van zijn aqualong.

'Thomas! Als iemand je iets vraagt is het wel de bedoeling

dat je antwoord geeft.' Kajus is boos, Thomas stelt het objectief vast.

'Hmm', zegt hij. Het is waarschijnlijk op het andere strandje niet te horen. Bella staat nu weer op de ski's, iedereen kan het zien. Ze roept en lacht weer en de motor van de Lindberghs loeit. Als Thomas geen antwoord geeft, beginnen Kajus en Tupsu in de derde persoon over hem te praten.

'Lars-Magnus is ook best eenzaam', zegt Tupsu Lindbergh. 'Misschien wil Thomas weleens een dagje met Lars-Magnus komen spelen. Tussen Lars-Magnus en zijn broers zit een groot leeftijdsverschil.'

'En we zien ook niet iedere dag kans om hem helemaal naar zijn vriendjes op de verste eilanden te brengen.'

'Zeker nu de zeilboot er nog niet is.'

'Dat is geen enkel probleem', stelt Kajus vast. 'We zetten hem gewoon een keer in de roeiboot. Dan roeit hij zelf naar jullie toe.'

Zélf roeien. Thomas staart het water in. Zijn fantasieën zijn verjaagd. Wat een rotzak is die Kajus!

De volgende dag zal Thomas Kajus alles over die eikel vertellen. Over wat voor een eikel het is. En dat iedereen weet wat er zal gebeuren als de speciaal voor die eikel in een buitenlandse fabriek vervaardigde zeiljol arriveert zodat die eikel eindelijk met de zeilwedstrijden bij het paviljoen kan meedoen. Dan eindigt die eikel als één na laatste, als twee na laatste, maar hoe dan ook altijd als laatste. Die eikel zal kapseizen en averij oplopen en als je eenmaal in zo'n toestand op zee zit helpt het geen zier dat je romp van polyester is. Snap je wel, Kajus?

Thomas heeft natuurlijk geen enkel middel tot zijn beschikking om zijn beweringen te staven, want al die dingen zijn nog helemaal niet gebeurd (ze zullen echter wel gebeuren, met verbazingwekkende exactheid, alleen zal het pas de volgende zomer zover komen en dan zal Thomas zelf niet meer ter plekke zijn om te zien hoe zijn voorspellingen uitkomen, de ene na de andere). Daar pakt Kajus hem op.

'Heeft Renée dat soms gezegd?' Thomas is overrompeld.

'Hoezo?' is het enige dat hij weet uit te brengen. Hij begrijpt het niet. Wat heeft Renée ermee te maken?

'Ik dacht gewoon dat het wel goed voor jou zou zijn om ook met jongens van je eigen leeftijd om te gaan', zegt Kajus op een vriendelijker, wat zakelijke toon.

Thomas zegt niets meer en gaat weg, naar zijn tent in de tuin.

'Maar goed, als je niet wilt, dan niet.' Kajus' stem achtervolgt hem door het huis. Een stem die er geen twijfel over laat bestaan dat Kajus van mening is dat Thomas een lui, verwend jongetje is dat het vanzelfsprekend vindt dat hij altijd mag doen waar hij zin in heeft, terwijl Kajus zelf in zijn jeugd nota bene heel wat langere afstanden heeft geroeid dan dat stukje over de baai en weer terug.

Thomas kruipt de tent in. Hij kijkt naar de natuur die zich in oranjekleurige schaduwplekken op het tentdoek aftekent. Even later komt Kajus het huis uit. Hij steekt zijn hoofd door de opening van de tent en zegt op verzoenlijke toon, rustig: 'Woon je tegenwoordig hier?' Thomas knikt. Het is waar. Hij woont hier.

'Thóómas!!' Maar alles wat later komt: de tuin, de tent, ruzie met Kajus, dat is nog niet aan de orde. Nú is Bella nog op de baai aan het waterskiën. Ze maakt brede lussen, surft heen en weer over de golven in het kielzog van de boot van de Lindberghs. Haar lichaam in een perfecte houding achteroverhellend. Haar benen kaarsrecht. Haar donkere haar wappert wild rond haar hoofd.

'Thóómas!' roept Bella. 'Pieieuw!'

Ze skiet langs de ponton van Rosa en Gabbe en de Johanssons. Vlak langs de punt van de steiger, ze kan hem bijna aanraken. Een paar meter verderop laat ze de waterskilijn los en glijdt recht tegenover Kajus en Tupsu Lindbergh richting strand. Ze heeft zo'n vaart dat ze met ski's en al aan wal glijdt. Ze springt uit de ski's, gooit het zwemvest van zich af. Schudt lachend haar hoofd, vangt haar natte haar met haar handen, wringt het uit. Zegt dat ze nog nooit zo'n lol heeft gehad. Huppelt op één voet rond om water uit haar oor te krijgen. Ze wrijft energiek haar haren droog met een badhanddoek, wikkelt de handdoek als een tulband rond haar hoofd, slaat haar badjas om zich heen. Graaft in haar zak naar een sigaret, doet hem in haar mond en steekt hem aan. Kijkt om zich heen. Merkt dan pas wat alle anderen voor haar al veel eerder hebben gemerkt.

Dat de boot van de Lindberghs niet meer op de baai is. Hij is richting zee gevaren en achter de smalle doorgang verdwenen. Het geluid van de motor is nog te horen maar sterft weg, het is weer stil, één en al rust. Het laatste wat ze van Rosa hebben gezien is hoe ze op het achterdek zat. Haar voeten in de boot, een donkere zonnebril op, een wit vest. Schitterend wit tegen de blauwe, hier en daar violette hemel.

'Waar zijn Robin en Rosa?' Het begint te regenen.

Eén moment is Bella van haar stuk gebracht. Haar gezicht krijgt een vlakke uitdrukking, alle grimassen worden gladgestreken. Haar blik gaat zoekend rond en blijft bij Tupsu en Kajus steken.

'Waar zijn ze heen?' vraagt ze. Bijna boos, alsof het Tupsu's en Kajus' schuld is.

Tupsu Lindbergh staat op en slaat haar armen om zich heen. Ze huivert, zegt dat ze het koud heeft. Kajus pakt de thermosfles en de koffiekoppen en doet ze in de mand.

Bella's blik valt op Thomas die nog op de ponton van de Johanssons en Gabbe en Rosa ligt. Dan klaart ze op.

'Komen jullie allemaal', roept ze alsof er een hele schoolklas op het strand zit. 'Laten we even wat gaan eten. Het water maakt hongerig.'

'Jij ook, Thomas.' Ze wuift naar Thomas. Het begint te regenen. Thomas kan moeilijk anders doen dan slapjes terugwuiven.

En in de regen loopt hij door het Ruti-bos naar het witte huis. Daar vindt hij het mes, dat mes van Johan Wikblad, zoals later zal blijken. Hij raapt het op, verbergt het onder een plank in de alkoof op zolder. Daar blijft het liggen.

Thomas zit in de alkoof op zolder. De regen klettert op het zinken dak. Het gekletter van de regen vermengt zich met Bella's stem die van beneden klinkt. De enige stem beneden die aan een stuk door blijft praten, ondanks de regen, ondanks het slechte weer. Het is weer feest: met nog meer regenboogdrankjes. 'Houdt ze ook weleens haar mond, Thomas?' Plotseling herinnert hij zich Nina's woorden. Nee. Hij glimlacht bij zichzelf. Haar mond houden? Waarom zou ze haar mond houden?

Op de achtergrond zegt Tupsu Lindbergh dat ze een hoofdpijnpoeder wil. Kajus zet de radio aan. Het is tijd voor het weerbericht. Er wordt krachtige noordenwind voorspeld, windkracht vijf. De radio valt stil. Hij is kapotgegaan. Kajus draait aan verschillende knoppen, maar zonder resultaat. Het ding komt niet meer aan de praat.

Het gaat harder regenen.

Thomas kijkt uit het raam. Nu is Kajus in de tuin. Hij klapt de kampeertafel en de vier kampeerstoelen in die ze 's morgens bij de *gardenparty* hebben gebruikt. Als de stoelen ingeklapt zijn passen ze in de tafel, die op zijn beurt weer kan worden opgevouwen tot een koffertje met een handvat. Dat was ook een kerstcadeau. Van het hele gezin voor het hele gezin. Maar aangezien Thomas het kind is en degene die het meest om cadeautjes geeft, stond zijn naam op het pak, net als bij de tent.

Kajus gaat naar het houthok, doet de deur open. Plotseling valt de regen bij bakken tegelijk uit de hemel. Een paar seconden lang verdwijnen Kajus, het houthok, de hele tuin van het witte huis achter een dicht, lichtgrijs regengordijn.

Als het weer opklaart speelt zich een nieuw tafereel af. Twee lichte figuren komen het laantje op rennen, de handen boven de hoofden om zich tegen de regen te beschermen, hoewel ze allebei al doorweekt zijn. Even later vult het witte huis zich met andere stemmen. De stem van Rosa, af en toe ook die van Robin.

Maar van de andere kant naderen twee donkere gestalten. Ze sloffen op hoge zwarte laarzen door de tuin van de Johanssons. Een kleine figuur en een wat grotere, allebei met zwarte oliepakken aan. Broeken, jassen. De capuchons van de jassen omhooggeslagen, de handen opgetrokken in de mouwen, de armen een stukje van het lijf af zodat de regen langs de mouwen op de grond druipt.

En algauw schalt er nog maar één stem door het witte huis.

'Ze voer midden onder de wedstrijd naar de wal! Ik dacht dat ze averij had. Maar nee hoor. Er was níéts aan de hand. Na de eerste start stond ze tweede. TWEEDE. Wat moet je nou met zo'n kind?'

Het is Gabbe natuurlijk die dat roept. Maar ook al doet hij alsof hij zich opwindt, hij kan niet verhelen dat zijn stem gezwollen klinkt van trots.

'WoeahWoeahWoeah', vervolgt hij een seconde later. 'Waar is het feest? Als ik ergens behoefte aan heb op een dag als vandaag, dan is het een behoorlijk feest.'

'Wat was dat, Gabbe?'

'Wat?'

'Die yell van daarnet.'

'Dat is een nieuwe dans die ik net heb geleerd. Terwijl de muziek speelt moet je opeens op de grond gaan liggen gillen als een stel indianen. Zullen we 't uitproberen?'

Natuurlijk moeten ze het uitproberen. En zo komt het feest weer op gang.

'Ik had er gewoon zin in. Heb jij dat nooit?'
Ze staat bij de alkoof. Druipend, in haar donkere oliepak.
'Wilde je niet zeilen?'
'O, idioot. Daar gaat het niet om. Kom mee.'
'Waarnaartoe?'
'Kom nou.'
'Het regent.'
Ze is al halverwege de zoldertrap. Thomas trekt zijn regenjack aan en loopt via de serre achter haar aan naar buiten.

Thomas zet een tent op in de tuin. Bijna anderhalve week slaapt hij in de tent, tot aan midzomer. Hij verbeeldt zich dat hij een indiaan is, een pionier, een woudloper, een tententester. Of gewoon iemand die eenzaam de nachten doorbrengt, iemand die op een schuimrubberen matrasje ligt en schaduwen van bewegende bomen bestudeert, van vliegende vlinders en vogels, van insecten en van van alles en nog wat dat over het tentdoek kruipt. Soms wordt het heel donker.

'Ugh.' Dat is Maj Johanssons stem buiten. 'Mij bleekgezicht. Wat een prachtige wigwam.'

'Het is geen wigwam.' Thomas komt de tent uit. 'Het is een koepelmodel voor vier personen. Een gezinstent.'

'Jaja', zegt Maj Johansson die zoals gewoonlijk niet zo goed luistert naar wat anderen zeggen, vooral niet wanneer het, zoals het in Maj Johanssons vocabulaire luidt, 'uit een kindermond afkomstig is'.

'Hier is Erkki. Ga maar lief samen spelen.'

Erkki Johansson draagt de verentooi van een medicijnman. Hij heeft een speelgoedtomahawk in zijn hand.

'Ik ben een cowboy', is Thomas' groet.

'Ik ben ook een cowboy.' Erkki aarzelt niet, al is van meters afstand te zien dat hij een roodhuid moet voorstellen.

'Je lijkt anders precies een indiaan', constateert Thomas. Erkki doet alsof hij het niet hoort.

Daar is Renée. Ze komt de bosweg afgeslenterd. Zo te zien zonder een bepaald doel voor ogen. Maar ze is beslist op weg naar hen toe. Haar mond beweegt, kennelijk loopt ze een soort liedje te neuriën. Zoals ze meestal loopt te neuriën: het lijkt nog het meest alsof ze hardop in zichzelf praat. Ze heeft geen zangstem. Misschien, denkt Thomas, heeft ze zo'n hoofd waar alleen maar eentonige melodieën in zitten die niemand kent, en die neuriet ze dan als ze in een goeie bui is.

Haar haren zitten als een grote, warrige struik om haar hoofd.

Thomas krijgt een idee. 'Zullen we haar scalperen?'

'Idioot', zegt Erkki Johansson zonder aarzelen. 'Bleekgezichten scalperen niet, dat doen indianen.'

'Huhhuh', zegt Thomas. Eigenlijk kan hij zijn oren niet geloven. Het is absoluut niets voor Erkki Johansson om een mening te uiten die lijnrecht tegenover die van Thomas staat. Erkki Johansson is zo'n type dat het altijd met je eens is.

Maar zijn vermetelheid is van korte duur. Het volgende moment is Erkki Johansson zichzelf alweer.

'We kunnen het toch wel doen', zegt hij rustig.

'Ik ben een cowboy', verzekert Thomas als Renée binnen gehoorsafstand is.

'Ik ben een cowboy', antwoordt Renée.

Meer woorden zijn niet nodig. Ze zijn alledrie cowboys. Gaan naar de saloon in de keuken van Maj Johansson, trekken hun pistolen en rennen schietend rond. Als ze niets meer weten te bedenken, organiseren ze een rodeo. Thomas is het wilde dier. Iedereen is verbaasd. Het wilde dier zijn en aan de grote berk in de tuin van het witte huis worden vastgebonden is normaalgesproken een taak die geknipt is voor Erkki Johansson. Zit het wilde dier eenmaal vastgebonden, dan kunnen Thomas en Renée er tenminste stiekem tussenuit knijpen, naar het bos of ergens anders heen. Zelfs Erkki Johansson lijkt in verwarring gebracht. Erkki en Renée lopen weg over de bosweg. Ze komen algauw weer terug. Ze hebben geen flauw idee van wat ze met zijn tweeën moeten gaan doen. Thomas gaat in het gras onder de boom zitten. Hij heeft willen uitproberen hoe het voelde. En inderdaad, net wat hij dacht: het was niets bijzonders.

'Woon je tegenwoordig hier?' Kajus komt naar Thomas' tent.

'Mag ik binnenkomen?'

Thomas maakt plaats op het luchtbed. Kajus kruipt de tent in en trekt het muggennet weer dicht.

'Ik speel', zegt Thomas.

'Wat speel je?'

'Van alles en nog wat.'

Ja, wat. Indiaan. Pionier. Woudloper.

Tententester. Iemand die tot taak heeft empirisch te onderzoeken hoe een koepelmodel voor vier personen fungeert. Ruimte, levensduur en gebruiksvriendelijkheid.

Kajus voelt aan het tentdoek.

'Mooie tent. Die zou eigenlijk niet hier in de tuin moeten staan wegrotten. Er zou mee gekampeerd moeten worden.'

'Ik weet het niet, hoor', zegt Thomas zakelijk. 'Hij is best wel klein. Als je bedenkt dat er een heel gezin in moet.'

Kajus lacht.

'Wat ben je toch grappig, Thomas.'

Grappig. Het klinkt een beetje als Ann-Christine wanneer ze zegt dat hij charme heeft. Thomas voelt zich opgelaten, maar niet zo erg. Op dit moment weet Kajus dingen plotseling zo te zeggen dat ze acceptabel klinken. Daarnet in het witte huis hadden ze nog ruzie. Thomas is blij dat Kajus de ruzie niet door de tuin heen naar de tent heeft meegebracht.

Ze zitten stil bij elkaar. Ze kijken naar het tentdoek, luisteren naar de zomergeluiden buiten.

'Weet je wat ik denk?' zegt Kajus na een tijdje.

'Nee.'

'Wij kunnen misschien ook wel ergens heen gaan. Als ik straks vakantie heb. Soms is het weleens goed om er een poosje tussenuit te zijn.'

'Waarnaartoe?'

'Maakt niet uit. Naar Zweden in ieder geval. Zou je daar zin in hebben?'

'Ja', zegt Thomas zacht en zakelijk.

Ja, JA. Zijn hand omklemt het kussen van zijn slaapzak. Wat

een vraag. Natuurlijk zou hij daar zin in hebben.

'Nou, Thomas, wat zeg je ervan. Zullen we IsabellaZeemeermin eens verrassen met een tripje, de wijde wereld in?'

'Bella', corrigeert Thomas zakelijk. Kajus is de enige die nog steeds die andere naam gebruikt. Niet dat dat verkeerd is. Maar het hoort bij een andere tijd. Een tijd toen hij kleiner was en andere spelletjes speelde. Toen ze hem nog verhaaltjes vertelden. Verhaaltjes waarin hij geloofde, net als in de kerstman en dat soort dingen.

JA. Ja, ja.

'Bella', zegt Kajus met een lachje, alsof het niet uitmaakt wat voor naam hij gebruikt. 'Maar die tent dan. Die laten we maar thuis. Ten eerste is hij veel te klein.'

'Die tent is goed', zegt Thomas zakelijk. 'Hier in de tuin tenminste. In deze omgeving.'

'We nemen een hotel', zegt Kajus.

'Is dat niet duur?'

'Natuurlijk is dat duur, Thomas. Maar in 't ergste geval moeten we maar een bank beroven, als het niet anders kan.'

'Kom je nu binnen slapen?' vraagt Kajus als hij weggaat.

'Nee.'

'Kom dan later naar binnen, als het te koud wordt. Of als je geen zin meer hebt in spelen.'

'Ik speel niet.'

'Ha, Thomas. Nu heb ik je. Daarnet zei je nog dat je speelde.'

Kajus maakt Thomas' haar in de war, Thomas lacht.

Hij kruipt in zijn slaapzak en valt in slaap. Natuurlijk gaat hij niet naar binnen. In juni wordt het 's nachts immers niet koud.

Indiaan, tententester, pionier, woudloper...

Zeker, Kajus en Thomas weten allebei ook andere dingen. De grote stilte in het witte huis. 's Avonds, 's nachts. Die valt niet te camoufleren, die krijgt nog meer nadruk door de radio die zomaar ineens kapotgaat. Een stilte die van een flat in de stad is meegenomen naar het zomerparadijs. Wie weet verbaasde het hen zelf ook wel. Alleen toen Thomas hoge koorts kreeg na het eten van sinaasappels werden Kajus en Bella aan zijn bed weer één in hun gemeenschappelijke medelijden met hem. Maar daarna, toen hij weer beter werd, kwam ook de stilte weer terug. Later kwam Rosa en waren de dagen weer vol geluiden. Maar 's avonds, 's nachts, duurde de stilte voort.

Wanneer is het begonnen? Thomas zou het niet weten. Misschien de vorige zomer al, die laatste weken van augustus toen Bella de hele tijd het licht aan- en uitdeed in plaats van rustig in het donker naar jazzmuziek te luisteren, of er zelfs op te dansen. Misschien later. In de winter, toen de stilte definitief inzette.

'sAvonds, heel vroeg, gaat Bella naar haar atelier. Ze zegt dat ze moe is. Ze wil slapen, morgen is er weer een dag. Ze is niet boos, wel vastbesloten en vrolijk. En tja, het is natuurlijk mogelijk dat ze echt moe is en slaap nodig heeft. Overdag is het zo druk, met Bella-Rosa, Rosa-Bella, strandleven onder wisselende bewolking voordat het begint te regenen, gesprekken in Bella's atelier, kannen vol koffie erbij. We hebben nooit meer tijd voor onszelf, zegt Kajus een paar keer. Maar als hij dat zegt is ze al weg. Voetstappen op de trap, de deur van Bella's atelier gaat dicht. Meestal zegt Kajus niets. Blijft tot laat op de avond in de serre zijn detectives zitten lezen.

Maar overdag is alles gewoon. Dan lijkt de stilte iets onwerkelijks. Iets dat je je de hele tijd inbeeldt, met al die levendige fantasie waarmee je gezegend bent.

Zo nu en dan zit Thomas in de alkoof op zolder. Hij luistert naar Bella en Rosa die achter de wand met elkaar praten. Nu ja, luistert, hij vangt maar zo nu en dan een woord op.

Rosa praat het meest, zoals gewoonlijk. Bella zegt tussendoor af en toe 'hmmm', 'ja', 'hmmm', lacht, beaamt. Maar soms praat Bella ook.

Op een keer begint Bella plotseling een verhaal te vertellen.

'Zal ik eens een verhaal vertellen', zegt Bella. 'Ik heb een keer midden in de zomer op het punt gestaan hier weg te gaan. Een jaar of wat geleden. Het zat me allemaal tot hier. Ik was het zo ontzettend beu. Of nee, dat weet ik niet eens. Ik had opeens het gevoel dat ik niet wist wat ik hier deed. Dat ik ergens anders had moeten zijn. Weet je wat ik gedaan heb? Ik heb m'n tas gepakt en ben weggegaan. De bosweg over, hup naar de grote weg waar de bussen rijden. Het goot van de regen, dat weet ik nog. Maar opeens, opeens besefte ik wat ik eigenlijk aan het doen was. Was ik gek geworden? Waar moest ik naartoe? Ik had geen flauw idee. Toen heb ik me omgedraaid en ben teruggegaan. Heb jij ooit zoiets meegemaakt?'

'Nee', zegt Rosa na een poosje, peinzend. 'Ik niet. Ik zou nooit alles achter kunnen laten, Bella. Ik wil álles meenemen.'

Rosa heeft erom moeten lachen en Bella en Rosa zijn over iets anders begonnen.

Thomas heeft een raar gevoel gekregen zonder precies te weten waardoor. Ja, toch wel. Door twee dingen. Ze heeft het met geen enkel woord over hem gehad. Over dat hij haar op de weg had ontdekt en haar achternagerend was. En het belangrijkste: dat het een spel was. Het spelletje dat ze langgeleden speelden. Het zullen-we-ergens-heen-gaan-spel. Naar de zeemeerminnen, het lieve leventje, al die dingen.

Maar hij heeft er niet verder over willen nadenken. Hij gaat weer naar buiten, de zomer in. Kruipt in zijn tent in de tuin. Daar is hij, daar fantaseert hij over van alles en nog wat.

Ook dat is een oorzaak, heus waar. Indiaan, tententester, pionier, woudloper, eenzame overnachter, proefpersoon. Een oorzaak die evenzeer telt als alle andere. Niet meer, maar ook niet minder. Hij vindt het werkelijk leuk om in zijn eentje in een tent in de tuin te slapen.

Als Gabbe op de dag voor midzomer uit de stad komt, zitten er een paar waterski's op de imperiaal van zijn auto gebonden.

'WoeahWoeahWoeahWoeah', roept Gabbe vanuit zijn James Bondstoel naar het zomerparadijs. Zijn vakantie begint nu. Maar pas op midzomerdag komt het moment dat ze gaan skiën.

De avond voor midzomer gaan Gabbe en Rosa naar een feest ergens op een eilandje aan de rand van de open zee. Ze worden met een boot opgehaald. Niet de boot van de Lindberghs maar een nieuwe boot, een die ze nog niet eerder hebben gezien. Een met twee verdiepingen, zo hoog dat hij maar ternauwernood de baai in kan, want onder de brug over de smalle doorgang naar zee is de doorvaarhoogte maar 2,7 meter.

Rosa zou het liefst met Bella in het zomerparadijs blijven, zegt ze tegen Bella. Maar Gunilla Pfalenqvist heeft gebeld. Gunilla's man, Ralf Pfalenqvist ofwel 'Raffen', en Gabbe hebben samen zaken gedaan. 'Dus het is voor representatieve doeleinden', zegt Rosa Engel, en ze holt naar de boot die bij de gemeenschappelijke ponton van Gabbe en Rosa en de Johanssons op hen ligt te wachten.

Bij de Johanssons hebben ze ook een feestje, maar de gasten moeten zelf hun proviand meebrengen. Bella staat voor de buffetspiegel in het witte huis haar lippen te stiften.

'Toch is het vreemd dat de kinderen hier in het zomerparadijs niet allemaal gewoon lief met elkaar kunnen spelen.' Maj Johansson komt binnen met een huilende, maar uiterst weerspannige Erkki Johansson op sleeptouw.

'En wat kan ik daaraan doen?' Bella draait zich om. Haar lippen zijn felrood en haar stem is niet vriendelijk.

En als Kajus niet met een grapje tussenbeide was gekomen zou er een regelrechte ruzie tussen Bella en Maj Johansson zijn uitgebroken. Ondertussen sluipen Thomas en Renée stilletjes de alkoof op zolder uit, ze verlaten het huis via de serre en lopen de bosweg af naar het veld om een midzomerboeketje te plukken voor onder hun hoofdkussen, zodat ze over hun toekomstig liefje kunnen dromen.

Dat Bella en Maj Johansson een aanvaring nog maar net hebben kunnen ontwijken is geen goede start voor een feest. Bij de Johanssons is de stemming bedrukt en het feest wil de hele midzomeravond maar niet op gang komen. Bella en Kajus stappen al vroeg op. Als ze door de tuin van het witte huis lopen, kijken ze even in de tent. Daar liggen Thomas en Renée te slapen. Ze zien er lief en onschuldig uit. Haast twee engeltjes.

Thomas en Renée liggen in hun slaapzakken op luchtbedden over hun toekomstige liefjes te dromen. Ze hebben zeven verschillende bloemen, want zo hoort het, onder het hoofdeinde van de luchtbedden gelegd. De eerste keer dat Thomas wakker wordt is het nog heel vroeg. Een uur of zes, misschien. Buiten is het bewolkt. Renée is ook wakker. Ze heeft zich aangekleed en is bezig haar slaapzak op te rollen.

'Sneeuw', zegt ze terwijl ze de riem om de slaapzakrol aantrekt. 'Net een tv-scherm.' Thomas lacht. Terwijl hij lacht, vergeet hij zijn eigen droom.

'Nou, ik ga. Dag.' Renée gaat de tent uit. Thomas valt weer in slaap en als hij weer wakker wordt is het veel later, het is allang ochtend en op het oranje tentdoek is een donkere schaduw zichtbaar. Buiten roept de schelle stem van Erkki Johansson: 'THOMAS, IK WIL MEEDOEN!'

Het is een verzoek dat niet kan worden genegeerd. Thomas steekt zijn hoofd naar buiten, knijpt zijn ogen dicht voor de felle zon.

'Haal je uitrusting, Jack. De omstandigheden zijn ideaal

vandaag. Vandaag gaan we op de bodem van de zee naar wrakken duiken.'

'Ja', zegt Erkki Johansson eerbiedig. Hij rent weer naar huis. En wel zó dat hij, als hij een hond was, met zijn staart zou kwispelen.

Wat er gebeurd is: de dag voor midzomer heeft Erkki Johansson bij het veld in een sloot gestaan, met zijn voeten in de modder. Tot ver over zijn enkels, waar zijn gymschoenen ophouden en zijn broekspijpen beginnen. Op weg naar beneden. Steeds dieper wegzakkend. Tenminste, daar leek het wel op. Helemaal alleen.

Door het hoge gras is Maj Johansson over het veld komen aanlopen. Ze is bloemen wezen plukken om een vaas mee te vullen in het huis van de Johanssons, waar 's avonds het feestje zal plaatsgrijpen waarvoor de gasten hun eigen proviand moeten meebrengen. Ze heeft verdachte geluiden opgevangen. En inderdaad, ze heeft het goed gehoord. Ze heeft in de sloot gekeken. En ja hoor, daar stond Erkki, in die sloot, stilletjes te snikken.

Het zit namelijk zo: Erkki Johansson weet natuurlijk wel dat hij een buitengewoon nuttig dienaar van de wetenschap is, maar geheel los daarvan is hij er plotsklaps helemaal niet zo zeker meer van dat hij niet steeds dieper wegzakt om uiteindelijk door de aarde te worden opgeslokt. Bij nader inzien – en Erkki Johansson heeft deze keer volop gelegenheid om iets nader in te zien terwijl hij in de modder vastgeschroefd staat, Erkki Johansson ziet meer in dan alle andere keren dat hij zich geestdriftig als vrijwillig proefpersoon heeft opgeworpen bij elkaar – is het dat nu juist waar het hele experiment om draait. *Namelijk te onderzoeken of men in een bepaald soort modder aan deze kant van de aardbol kan wegzinken, net zoals men aan de andere kant van de aarde ontzettend diep kan wegzinken in drijfzand.* En inderdaad, het ziet ernaar uit dat dat kan. Erkki Johansson zou de leiders van het experiment heel wat interessante waarnemingen kunnen meedelen. Maar de leiders van het experiment zijn niet meer ter plekke aanwezig. Ze zijn weggegaan. Zoals gewoonlijk. En Erkki Johansson heeft zoals al zo vaak moeten inzien dat hij zich hier op eigen houtje uit moet zien te redden. Hij is gaan worstelen om uit de modder los te komen. Op zichzelf was dat misschien niet zo heel moeilijk. Maar de sloot was helaas nogal breed en er was geen enkel houvast. Iedere beweging was moeilijk, eigenlijk zo goed als onmogelijk. Bovendien heeft Erkki Johansson moeten constateren dat hij te korte benen heeft. Hij is zo verdraaid kléín. Daar heeft hij stilletjes over staan vloeken, vlak voordat zijn wanhoop en misère de overhand kregen en hij begon te huilen. Dat stomme gehuil van hem, dat hij nog steeds niet de baas kan terwijl hij daar toch wel de leeftijd voor heeft. Dat gehuil dat bovendien volkomen onnodig is. Al bij zijn eerste snik weet hij dat hij heus niet in de aarde zal wegzakken en tot stof zal vergaan. Toen is Maj Johanssons gezicht opgedoken bij de rand van de sloot. Met een uitdrukking erop die de situatie nog erger heeft gemaakt dan hij al was.

'We spelen niet', heeft Erkki Johansson nog gepoogd uit te leggen, maar zijn stem heeft het begeven. En nog geen seconde later is het hem ontsnapt. Wat diep geheim had moeten blijven. Dat hij Proefpersoon is. Próéfpersoon. Dat hij dat is.

Maj Johansson is natuurlijk boos geworden. Witheet, zoals ze later steeds opnieuw heeft verklaard. Wat haar in het bijzonder witheet heeft gemaakt is het volgende: slechts vijf minuten voordat ze Erkki Johansson in de greppel ontdekt is ze Renée en Thomas op de bosweg tegengekomen. Ze hebben haar vrolijk en onbevangen gegroet. Achteraf beseft Maj Johansson dat dat haar argwaan had moeten wekken, want Thomas, anders altijd zo'n aardige jongen, wordt in het bijzijn van dat rare kind ook altijd nors en nukkig. Dat kind dat altijd zo nukkig en chagrijnig is. Maar kinderen zijn kinderen en midzomer is midzomer en Maj Johansson is goedgemutst, ze heeft immers geen flauw idee van wat haar in die sloot achter in het veld te wachten staat. Opgemonterd door haar eigen goede humeur is Maj Johansson Thomas en Renée gaan vertellen wat de kinderen vroeger in haar jeugd altijd deden als het midzomer werd. Ze gingen buiten in het veld zeven verschillende soorten bloemen plukken en legden die onder het hoofdkussen van hun bed, en als ze dan gingen slapen, droomden ze van hun toekomstige liefje.

'Jongens kunnen dat ook, hoor.' Maj Johansson heeft Thomas een knipoog gegeven en is verder gelopen in de richting van het veld.

Maar de volgende dag, midzomerdag, is iedereen weer bij het water. Kajus en Bella, Gabbe en Rosa, Ann-Christine en Johan Wikblad, Maj en Pusu Johansson. Gewoon zo'n dag als alle andere dagen aan het begin van deze zomer. Eerst zon, maar tegen de middag betrekt de lucht en gaat het regenen.

Rosa heeft haar witte badpak aan. Ze heeft waterski's aangedaan en is het water in gewaad. Ze is gaan liggen met de punten van haar ski's voor zich uit want ze durft niet meteen van de steiger af te starten, ze is bang dat ze valt en zich bezeert aan de planken van de steiger als de motor te plotseling op gang komt. Gabbes motorboot, de oude Evinrude van de Lindberghs, ligt in volle glorie in het ondiepe water voor haar te sputteren. Gabbe werpt de waterskilijn uit, Bella vangt hem op in de lucht en geeft het uiteinde met het handvat aan Rosa. Bella loopt achter Rosa in het water en ondersteunt haar van achteren. De lijn trekt strak. Gabbe stuift in volle vaart weg. Rosa komt het water uit, met gebogen knieën, haar lichaam diep voorovergebogen.

'Strekken je lijf!' roept Bella. Maar het is te laat. Rosa valt halsoverkop tussen de ski's door het water in. Rosa en Bella moeten er alleen maar om lachen. Een nieuwe poging.

En de tweede keer gaat het beter. Rosa weet de eerste moeilijke meters op de ski's te blijven, slaagt erin haar lichaam rechtop te krijgen, haar benen te strekken en enigszins achterover te leunen, in volmaakt evenwicht. Ze suist over de baai achter Gabbes boot aan. Gabbe maakt haarspeldbochten, nu eens linksom, dan weer rechtsom. Maar Rosa volgt hem met het grootste gemak. Met elegante bewegingen surft ze over de golven.

Maj Johansson drinkt een regenboogdrankje uit Bella's strandmand.

'CinCin', zegt ze. 'Doen jullie met me mee?' Ze ziet er een beetje moe uit. En ja, je kunt van Maj Johansson denken wat je wilt, maar zuiver objectief bekeken heeft Maj Johansson een kloterige midzomer gehad. Dat komt niet alleen door Erkki of het mislukte feestje. Hét gespreksonderwerp van die ochtend is het feit dat Nina en Maggi gisteravond, op midzomeravond, in het bos sinaasappelwijn hebben zitten drinken. Vervolgens zijn ze langs de grote weg op zoek gegaan naar andere jongelui, in een bosje bij de brandweerkazerne, ongeveer waar Maj Johanssons neven wonen. Maj Johansson wist natuurlijk nergens van. Maar tegen de ochtend was Maggi Johansson nog niet thuis en toen is Maj Johansson ongerust geworden, ze heeft haar fiets gepakt en heeft Maggi en Nina langs de kant van de weg aangetroffen.

Op midzomerdag hebben Maggi en Nina huisarrest. Als Ann-Christine op de strandparty komt zegt ze: 'Geen wonder dat ze misselijk zijn. De wijn was mislukt. Ik heb het vat vanochtend leeggegooid.'

Maj Johansson heeft geen zin meer gehad in nog een twistgesprek, ze heeft gewoon nergens meer zin in. Het wordt tijd dat zij eens een beetje plezier gaat maken, denkt ze. En ze heeft haar best gedaan om haar hoofd te vullen met waterski's en een strandbal, haar best gedaan om aardig te doen. Ann-Christine heeft een breiwerk bij zich. Het moet een visserstrui worden voor Johan Wikblad. Maj Johansson heeft vriendelijk en belangstellend gevraagd of ze het breipatroon mocht zien. De cijfers en lettertjes van de steken hebben voor haar ogen gedanst, want ze heeft de afgelopen nacht niet veel geslapen. Opeens heeft ze bijna opstandig gedacht dat die breibeschrijving haar geen zier kan schelen, net zomin als al het andere, en ze heeft naar Bella's mand gereikt en zichzelf een grote mok regenboogdrank zonder gelatine ingeschonken.

'CinCin.' Ann-Christine heeft de schaduw opgezocht. 'Dat is "proost" in het Italiaans.'

'CinCin', heeft Maj Johansson nog eens gezegd. 'Doen jullie met me mee?'

Op de een of andere manier komt ze altijd bij dezelfde vraag uit, verder is ze nooit gekomen. De Strandvrouwen zijn aan het waterskiën. Pusu Johansson neemt tersluiks slokjes uit zijn zakflesje brandewijn, al ziet iedereen het. Johan Wikblad haalt een spel kaarten te voorschijn en Pusu en Johan beginnen te pokeren. Ann-Christine zoekt de schaduw op. Maj Johansson blijft achter op de rots met haar regenboogdrankje.

Maar eindelijk reageert er dan toch iemand.

'CinCin.' Kajus doet met haar mee. Eventjes tenminste. Tot hij Bella weer ziet. Dan staat hij op en gaat naar haar toe, naar Bella die met haar rug naar hem toe in het water staat.

Rosa is weggeskied. Bella staat nog in het water. Ze kijkt uit over de baai. Rosa en Gabbe zijn ver weg, twee stipjes tussen de eilandjes in het midden. De zon is achter de wolken verdwenen, het is middag. Bella's lange haar is op haar rug losjes bijeengebonden met een zwart fluwelen lint. Het haar kronkelt in plakkerige slierten langs haar ruggengraat.

Wat verderop in het ondiepe water langs het strand zijn Renée en Erkki Johansson aan het duiken met snorkels en duikbrillen. Bella vraagt wat ze aan het doen zijn. Erkki mompelt iets onverstaanbaars ten antwoord. Ze kunnen niets zeggen. De duikclub is geheim. Dat moet, anders heb je er niets aan.

Thomas zit op de klip op het andere strandje te rillen in zijn handdoek. Zijn tanden klapperen. Hij heeft het al een hele tijd koud en moest zoals gewoonlijk als eerste het water uit.

Bella draait zich om naar de volwassenen op het strand. Maj Johansson heft haar mok omhoog, maar krijgt niet de tijd om 'CinCin' te zeggen want Bella kijkt meteen weer de andere kant op, spettert een beetje met water, laat haar handen onder water wapperen als een propeller, wil net iets naar Thomas roepen als Kajus van zijn plaats naast Maj Johansson op de rots opstaat, zijn badjas neergooit en door het water naar Bella toe waadt. Hij heeft een rode zwembroek aan. De rode kleur steekt fel af tegen zijn witte huid. Kajus is bij Bella aangekomen, legt een arm om haar schouder. Behoedzaam glijdt ze onder zijn greep uit, hij legt zijn arm weer op haar schouder, pakt het donkere haar beet en trekt eraan. Niet hard, maar toch, hij trekt. Bella lacht. Kajus pakt Bella in haar nekvel en voert haar verder het water in. Ze lacht.

Thomas wendt zijn blik af. Plotseling begrijpt hij iets. Ze lacht helemaal niet. Het lijkt maar zo. Wat er gebeurt, dat is iets anders.

Maar daar komt Gabbes boot in volle vaart op het strand af. Als hij vlakbij is, maakt hij een scherpe bocht en vaart weer weg. Rosa laat de waterskilijn los en glijdt richting land. Ze heeft geen vaart genoeg om het hele stuk op de ski's te kunnen blijven staan. Vlak voor Bella en Kajus staat ze stil en begint te zinken.

'Ik ziíínk!'

'Wacht!' Bella rukt zich los uit Kajus' greep en waadt naar Rosa toe. 'Ik kom je redden!'

Belachelijk gewoon. Het is beslist niet meer dan een meter diep waar Rosa met haar ski's ligt.

Thomas kijkt om zich heen. Plotseling merkt hij Maj Johanssons blik op vanaf de rots op het andere strandje.

Maj Johansson heft haar mok omhoog en zegt: 'CinCin.'

Thomas is de enige die het hoort en ziet. Pusu Johansson en

Johan Wikblad zitten te kaarten, Ann-Christine zit te breien, ze is een paar meter van de anderen vandaan gaan zitten.

'In de schaduw', heeft Ann-Christine gezegd. Maar dat was toen de zon nog scheen. Nu is er overal schaduw. Dadelijk gaat het regenen, het is enkel nog een kwestie van tijd.

Thomas lacht vriendelijk naar Maj Johansson.

Plotseling heeft hij medelijden met haar. Ze ziet er eenzaam uit. Bella en Rosa roepen en lachen in het water. Maar niemand heeft Maj Johansson gevraagd of ze soms ook wil waterskiën.

Op dit ogenblik, de stemmen van Bella en Rosa op de achtergrond, het geloei van de motor, de golven van de boot die het strand op spoelen, heeft Thomas begrip voor Maj Johansson. Hij zou zich zelfs kunnen voorstellen dat hij naar haar zou luisteren, haar ernstig zou nemen, al haar versies van het verhaal. Alleen nu. Niet later.

Maar helaas zal Maj Johanssons mond zich pas later roeren.

In augustus, als de Johanssons van hun lange reis terugkeren naar het zomerparadijs en als datgene wat Maj Johansson 'de Catastrofe' noemt al een voldongen feit is. Maj Johansson zal in de tuin van het witte huis staan om haar mening ten beste te geven. Thomas zal zo effectief als hij maar kan zijn oren proberen te sluiten. Als hij niet juist bezig was spullen op het dak van de auto vast te binden, zou hij weggaan. Zijn handen vol touw, Kajus aan de andere kant van de auto.

'Ik heb haar nooit een strobreed in de weg gelegd.' Maj Johansson zal de nadruk leggen op 'ik'. En dan zal ze een redevoering houden die Thomas weer zal vergeten zodra hij hem gehoord heeft.

Dit is Maj Johanssons redevoering: Maj Johansson zegt dat ze altijd bereid is geweest om Isabella's partij te kiezen. Bijvoorbeeld in het geval van de neven, die Isabella niet als een gewoon iemand beschouwden, zoals Maj Johansson. De neven noemden Isabella 'die filmster'. Bij onderhandelingen met de neven heeft Maj Johansson herhaaldelijk een goed woordje voor Kajus en Bella en Thomas gedaan, zegt ze. Neem nu bijvoorbeeld die kwestie van het huurcontract. Het huurcontract voor het witte huis werd op jaarbasis opgemaakt. Ieder jaar, aan het eind van de zomer, als het tijd was om het contract te vernieuwen voor het volgende seizoen, kwamen de neven naar het witte huis om zich door Isabella lief te laten aankijken. En als Isabella ze dan lief had aangekeken, tekenden ze een contract voor weer een jaar. Altijd voor één jaar tegelijk. Zo wilden de neven het. Voor hen was het vaste prik dat ze ieder jaar een keer naar het witte huis kwamen om zich door de filmster lief te laten aankijken, het was net zoiets als dat ze zich op het jaarfeest van de brandweer, elk jaar weer op dezelfde zaterdag in augustus, aan een dansje waagden. En toegegeven, de neven waren niet krenterig. Dat hield onder andere in dat het witte huis vanzelfsprekend meeprofiteerde toen Gabbes plannen voor het elektrificeren van het zomerparadijs in het voorjaar van 1963 werden gerealiseerd. Het rode huisje bijvoorbeeld, dat ook eigendom was van de neven, had nog steeds geen stroom.

'Natuurlijk moet de filmster licht hebben, want...' hadden de neven gezegd. Ze hadden even moeten nadenken, want ze konden niet meteen verzinnen waar een filmster licht voor nodig had. Na een poosje waren ze het echter eens: '...want ze moet toch *Het Filmjournaal* kunnen lezen en zichzelf in de spiegel kunnen zien.' Dat was niet ver bezijden de waarheid, want Isabella vond het ontegenzeglijk leuk zichzelf in de spiegel te bekijken en weekbladen las ze ook – weliswaar niet *Het Filmjournaal*, dat zijn bloeitijd tussen de Eerste en de Tweede Wereldoorlog had gekend, maar wel andere. En nu zegt Maj Johansson dat ze die dingen altijd zo vervelend heeft gevonden voor Isabella. En ter wille van Isabella had ze er altijd voor gepleit dat er een huurcontract voor vijf jaar zou worden opgesteld in plaats van voor één jaar. Maj Johansson had geprobeerd de neven uit te leggen dat Isabella in wezen toch een heel gewone, aardige vrouw was, en vooral dat ze de moeder was van een aardig jongetje van ongeveer de leeftijd van Erkki Johansson, en de vrouw van een keurig nette vent, een ingenieur. Met de film had ze beslist niets te maken. Maar de neven hadden daar helemaal geen oren naar gehad. Ze verkozen hun eigen leugenachtige fantasieën boven de waarheid van Maj Johanssons versie.

In Maj Johanssons versie zal dat wat later die zomer zal gebeuren en wat zij de Catastrofe noemt, zodoende zijn oorzaak vinden in het feit dat Bella, in wezen toch een gewone, aardige vrouw, iets miste in de trant van familietradities, familiegebruiken, het soort dingen dat anderen wel hadden, en dat ze daardoor gemakkelijker te beïnvloeden was, ze stond niet met beide benen op de grond zoals Maj Johansson en haar familieleden in de vrouwelijke lijn al generaties lang deden. Daar moest je begrip voor hebben. Maj Johansson had geprobeerd daar begrip voor op te brengen, ze had ervoor opengestaan en van haar kant haar kennis van en opvattingen over de dingen willen delen.

En Maj Johanssons voorhoofd krijgt rimpels als ze zich een gelegenheid in herinnering roept, langgeleden, nog voor ze die mensen kende die naar het zomerparadijs kwamen en boven op de berg een houten huis bouwden en het nogal hoog in hun bol hadden. Maj Johansson en Bella waren bij het water bezig geweest lakens te wassen, in Maj Johanssons familie deden ze in de zomer vanouds een grote lakenwas. Terwijl ze daarmee bezig waren was zij – dat mens – met een sigaret in haar hand de berg af komen drentelen. Ze was langs de plek gekomen waar zij zaten te wassen en had de monogrammen op Maj Johanssons lakens opgemerkt. Ze vond ze wel mooi maar 'jeetje, ik moet er niet aan denken om die dingen te moeten borduren', had ze gezegd, en ook nog dat ze een lui type was en een hekel had aan handwerken. In hun zomerhuis gebruikte ze weggooilakens, want dat was het meest praktisch.

'Die gooi je na gebruik gewoon weg. Met dat mooie zomerweer ga je toch zeker geen lakens wassen.'

Thomas kan zich die gelegenheid ook nog herinneren, maar dan een beetje anders. Monogrammen en lakens hebben geen sporen in hem achtergelaten. Maar wel iets anders. Hoe Rosa haar pakje sigaretten uitstak en er Bella een aanbood. Hoe Bella een sigaret nam en die met Rosa's aansteker aanstak. Een goudkleurige Benson & Hedges die ze zelf vasthield om het aansteken in de nogal straffe wind te vergemakkelijken. De aansteker bleef in Bella's hand achter. De boot van de Lindberghs arriveerde en Rosa was haastig naar de steiger gelopen. Dat was het eerste dat Rosa aan Bella had gegeven, zelfs nog voor het maatbekertje met Mickey Mouse erop. Een aansteker, Benson & Hedges. Bella had hem bewaard. Ze had hem tussen al haar andere spullen in het laatje van haar toilettafel gelegd.

Maar goed. Pfff. Pas als Kajus en Thomas al in de auto zitten zal Maj Johansson eindelijk uit zichzelf haar mond houden. Pfff. Zo klinkt het ongeveer wanneer een auto, een Austin Mini, een zomerparadijs voor de rest van de tijd verlaat. En laat Maj Johansson tot-in-de-eeuwigheid haar mond niet meer opendoen.

Maj Johansson heeft haar mok leeggedronken en is op de rots gaan liggen. Ze doezelt weg. Het is Bella's beurt om te skiën. Ze start vanaf de steiger en maakt zoveel drukte dat je haast zou denken dat het een buitengewoon vermetele onderneming is. Ze trekt het oranje zwemvest aan, gaat op de punt van de steiger zitten, doet de ski's aan haar voeten. Gabbe ligt met zijn motorbootje naast haar te sputteren, reikt haar het touw aan. Bella geeft een seintje dat ze klaar is, de lijn trekt strak, Gabbe vaart weg. Recht de baai over, zonder onnodige slingers. Bella staat in een wip op de ski's. En het laatste dat ze van Bella zien voordat ze tussen de eilandjes in de baai verdwijnt, is haar donkere haar in een lange dikke vlecht, die zich scherp aftekent tegen het oranje zwemvest. Het geluid van de motor sterft weg. Het is stil. Het begint een beetje te regenen.

Renée gaat het water uit. Ze laat haar duikbril liggen voor Erkki Johansson.

'Ik heb een interessante vondst gedaan!' roept Erkki Johansson. Hij gespt de duikbril vast, steekt de snorkel in zijn mond en duikt. Renée vist haar handdoek op van de rots naast Thomas, slaat hem om zich heen en gaat op een steen in het hoge gras vlak achter hem zitten. Thomas weet dat niemand anders dan Renée in prikkerig, kleverig gras kan zitten als het nat is.

Maj Johansson slaapt op de rots. Rosa en Kajus delen de laatste druppels regenboogdrank uit Bella's thermosfles. Rosa gaat languit op haar rug liggen, haar hoofd tegen Kajus' buik. Kajus zit half overeind, zijn bovenlichaam steunt op zijn armen. Pusu Johansson neemt openlijk een slok brandewijn uit zijn zakflesje, Maj Johansson slaapt immers. Hij houdt Rosa's voet vast. Kajus, Rosa, Pusu: ze bieden een aardig schouwspel met zijn drieën.

'Nou,' zegt Ann-Christine terwijl ze haar breiwerk, bolletje wol en breipatroon in haar breimandje opbergt, 'jullie vormen een leuk stilleven zo.'

Johan Wikblad moet een beetje lachen. Ann-Christine kan alles altijd zo grappig laten klinken. Het spelletje poker is afgelopen. Het rugpand is klaar. Nu gaan Ann-Christine en Johan naar het rode huisje waar ze de rest van de dag allerlei dingen te doen hebben. Thomas weet niet wat stilleven betekent. Maar eigenlijk interesseert het hem ook niet zo. Hij ligt op zijn buik op de rots. Hij denkt aan andere dingen.

Hij luistert naar de regen die net begint te vallen. Hij vindt het vreemd dat hij daar nog ligt terwijl het al regent. Hij snuift de regen op. Het geeft een speciale geur als de warme rots nat wordt. Branderig, schimmelig.

Het gaat harder regenen.

Als het harder gaat regenen, kun je niet blijven liggen en doen alsof het niet regent. Je moet opstaan en je spullen pakken en naar binnen gaan. Er is sprake geweest van een gezamenlijke lunch, met haring en aardappels. Iedereen lijkt opeens vergeten te zijn bij wie en waarom. Thomas gaat op de bank in de grote kamer met een stapel *Donald Ducks* onder een deken liggen. Kajus gaat de keuken in om de aardappels op te zetten. Vervolgens gaat hij in de leeshoek zitten patiencen. Alleen de regen ruist. Thomas trekt de deken dichter om zich heen.

'Heb je het koud?' vraagt Kajus.

'Een beetje. Ik word wel weer warm.'

Hij doet zijn ogen dicht.

Hij is nog op het strand. Hij is weer terug. Niets aan te doen. Je moet erheen. Je moet nog even blijven. Al wil je niet, al wil je er zo snel mogelijk vandaan. Weg van het strand. Maar je krijgt het niet uit je bewustzijn.

Die minuten voordat de regen echt op gang komt. Thomas ligt de lucht van regen op te snuiven. Er komt iets op zijn hoofd neer. Een handdoek. Renées handdoek. Thomas gaat overeind zitten. Hij is niet verbaasd. Hij lag al een hele tijd te wachten tot ze van haar aanwezigheid blijk zou geven vanaf het plekje achter hem, waar ze in het gras zat. Hij wil juist iets roepen als hij ziet dat ze niet meer op de rotsen is. Aan het andere eind van het strandje zit Maj Johansson rechtovereind op de klip.

'Erkki', zegt ze. 'Waar is Erkki?'

Ze kijkt met wijd opengesperde ogen om zich heen. Slaapdronken. Alsof ze een nachtmerrie heeft gehad en plotsklaps wakker geschrokken is, alleen om erachter te komen dat ze in een nieuwe nachtmerrie terechtgekomen is.

Renée is al in het water. Een moment later zijn ook Kajus en Pusu Johansson daar, allebei met hun lange broek nog aan. Achteraf valt het niet te beschrijven. Het is allemaal zo gewoon. Precies zoals je had gedacht. Thomas en Rosa staan naast elkaar in het zand bij het water, te staren. Kajus draagt Erkki Johansson het water uit. Erkki Johanssons lichaam, slap, als levenloos in zijn armen. Precies zoals je je voorstelt hoe het is als er iets vreselijks gebeurt, als er iemand verdrinkt. Erkki Johansson wordt op de rots neergelegd, zijn duikbril is afgegleden. Pusu Johansson en Kajus buigen zich over hem heen, proberen leven in hem te krijgen, passen kunstmatige ademhaling toe, al dat soort dingen. Rosa legt haar arm om Thomas heen. Ze probeert iets te zeggen. Er komen alleen maar een paar piepjes. Die piepjes, dat is het enige dat er te horen is, ondanks de luide opgewonden stemmen van Pusu en Kajus.

Een seconde later is alles weer gewoon. Erkki Johansson komt bij. Hij is even bewusteloos geweest. Heeft wat water binnengekregen. Hij hoest, spuugt, geeft een beetje over. Maar hij overleeft het. Hij mankeert niets.

Maj Johansson komt aangerend met handdoeken. Ze is boos. De schrik is voorbij maar de schok zit er nog. Maj Johansson is zo boos als niemand haar ooit gezien heeft. Ze droogt Erkki Johansson af. Ze wrijft hem wel erg hard, ze schudt hem bijna door elkaar. Hoe kon hij zoiets stoms uithalen? Wat dacht hij wel? Nee, ze schreeuwt niet. Ze wil al die dingen wel uitschreeuwen, maar kan het niet. Maj Johansson is stil, net als Rosa daarnet, ze kan geen woord uitbrengen, alleen maar wat gepiep, en Erkki Johansson begint te huilen.

Renée waadt het water uit. Ze heeft Erkki Johanssons snorkel in haar hand. Maj Johanssons blik valt op haar. Dan gebeurt het vreemde. Maj Johansson laat Erkki Johansson los. Ze reikt naar Renée. Je zou verwachten dat ze Renée op haar schouder zal kloppen of zoiets, dat ze haar zal bedanken voor haar belangrijke inzet in de reddingsoperatie. Maj Johansson grijpt Renée beet. Ze schudt haar door elkaar. Hard. Net zo hard als ze Erkki daarnet door elkaar heeft geschud. Misschien nog wel harder. Ja, zeker. En ze roept van alles en nog wat. Plotseling komen er weer woorden uit haar mond. Ongelooflijke dingen. Is Renée ziek? Gek geworden? Een soort beest?

Dan pas begrijpt Thomas dat Maj Johansson denkt dat het allemaal Renées schuld is. Dat is onbegrijpelijk, want de situatie was totaal omgekeerd. Renée was de eerste die merkte wat er gebeurd was en die het water in rende om Erkki Johansson te redden. Hij loopt op hen af om de vergissing te herstellen. Nee, dat doet hij niet. Hij blijft stokstijf staan, verstard, net als de anderen. Zegt niets. Net als de anderen. Het is een kwestie van seconden, maar het zijn seconden die een eeuwigheid duren.

Tot Renée zich uit Maj Johanssons greep losrukt. Ze holt weg over de rots, het Ruti-bos in, met niets anders aan dan haar badpak. Rosa kijkt naar Maj Johansson. Ze doet een paar stappen in haar richting, alsof ze van plan is haar aan te vliegen. Maar dan draait ze zich abrupt om, pakt haar badjas en Renées handdoek en rent ook het Ruti-bos in, achter Renée aan.

'Nog een geluk dat er geen erger dingen gebeurd zijn.' Kajus bladert door zijn kaarten in de leeshoek. 'Het had heel goed verkeerd af kunnen lopen.'

Dan breekt er plotseling iets in Thomas, hij kan weer woorden uitbrengen.

'Het was toch haar schuld niet!' roept hij. Bijna snikkend onder zijn deken tussen zijn *Donald Ducks.*

Kajus blijft even zwijgen.

'Dat weet ik', zegt hij even later, zacht en ernstig. 'Thomas. Dat weten we allemaal.'

Dan zwijgt hij weer.

Hij steekt de petroleumlamp aan. Schudt de kaarten. Legt ze opnieuw uit. Het gaat harder regenen. De regen komt in golven. Het gaat harder regenen, het houdt op, begint weer, gaat weer harder regenen. Thomas probeert zich in zijn *Donald Ducks* te verdiepen, zich erdoor te laten meeslepen. Het lukt niet. Eén ding.

Eén ding bonst in hem.

Als ze het allemaal weten. Waarom doen ze dan niets?

Als ze het allemaal wisten. Waarom deden ze dan niets?

Kajus gaat naar de keuken om naar de aardappels te kijken. Hij komt terug en gaat in de leeshoek zitten. Thomas moet toch zijn ingedommeld, want als hij zijn ogen weer opendoet staat er een zeemeermin in de grote kamer.

In een nat, besmeurd badpak en badjas. Op blote voeten, met losse haren in verwarde pieken. Het gezicht vlekkerig van de mascara. Zeemeermin, het is langgeleden, maar ze is meer zeemeermin dan ooit. Je ziet bijna hoe warrige slierten zeewier zich rond haar natte benen en armen strengelen.

'Waar is iedereen gebleven?' Isabella's stem is dof en schor.

'We hadden motorpech. We hadden wel hulp kunnen gebruiken.'

Ze huilt bijna. Kajus staat op.

'Het spijt me, Isabella. De aardappels koken.' Hij loopt in haar richting, maar langs haar heen. Door Thomas' kamer, de keuken in.

'Waar zijn alle mensen?'

Isabella staat er nog. Thomas durft niet op te kijken.

'Waar is iedereen?'

Thomas staart in zijn *Donald Duck*.

Maar toch. Hij wil naar haar toe.

'Waar is iedereen?' zegt ze. Meer boos dan desolaat nu. Ze draait zich om, gaat Kajus achterna de keuken in.

'We zouden toch met z'n allen eten!' roept ze. 'Het is toch een feestdag! Het is midzomer!'

Er klinkt gekletter van pannen. Isabella roept iets. Kajus roept iets. Weer gekletter, weer geroep. De deur naar het trapportaal. Snelle voetstappen op de trap. Een deur slaat met een klap dicht. Dan is het stil. Doodstil.

Kajus en Thomas eten haring en aardappels.

Kajus speelt een spelletje patience. Thomas leest *Donald Ducks*.

'Thomas', begint Kajus een keer.

Maar Thomas zwijgt. Hij heeft zijn gezicht naar de muur gedraaid.

Kajus haalt een detectiveroman en gaat zitten lezen. Als hij een poosje zit, staat Thomas op en sluipt naar het trapportaal. De zolderdeur is dicht. Hij loopt de trap op tot hij bij de deur is, probeert hem open te doen. Hij zit op slot. Hij drukt zijn oor tegen de deur. Stilte. Niets. Thomas ziet zichzelf op de deur bonzen. Thomas de DeurBonzer. Met gebalde vuisten hamerend op de zolderdeur.

Hij staat daar alleen maar, volkomen roerloos.

'Thomas!'

Kajus komt uit de grote kamer het trapportaal in.

'Zullen we samen iets leuks gaan doen, wij met z'n tweeën? Zullen we naar Zweden gaan?'

Hij praat maar door. Alsof hij niet weet dat Thomas bij de zolderdeur staat die, dat weten ze allebei, op slot zit.

'Over een poosje', gaat Kajus verder. 'Als het wat beter weer wordt.'

'Ik wil ook naar Zweden!' Eén moment weet Thomas bijna zeker dat ze er is. Dat ze door middel van toverkunsten de gesloten deur open heeft weten te krijgen, gele zomerkleren heeft aangetrokken, haar doorgelopen make-up heeft weggewassen en een kam door haar haren heeft gehaald. Nu gaan wíj ergens naartoe! Ach, dat gebeurt heus niet. De zolderdeur blijft gesloten. Kajus gaat naar de grote kamer terug, trekt de deur achter zich dicht.

'Kom nu, Thomas.'

Thomas pakt zijn regenjack van het haakje in het trapportaal en gaat via de serre naar buiten. Hij loopt het laantje door naar het strand. Bij de gemeenschappelijke ponton van Gabbe en Rosa en de Johanssons ligt Gabbes boot gewoon afgemeerd aan zijn eigen paaltje aan de linkerkant van de steiger. De waterski's liggen op het bankje voorin, SUN RACING staat erop. De waterskilijn in een slordige hoop op de bodem van de boot. En iets zwarts, Isabella's haarlint. Doorweekt. Thomas pakt het, wringt het uit en steekt het in de zak van zijn regenjas.

Hij haalt Pusu Johanssons werphengel van het terras bij de sauna van de Johanssons. Zijn eigen hengel is in het witte huis. Hij gaat naar het andere strandje, loopt de steiger van het witte huis op. Hij werpt uit en haalt weer in, een paar keer achter elkaar, in snel tempo. Krijgt zelfs geen zeewier aan de haak, daar haalt hij de lijn veel te snel voor in. Met regelmatige tussenpozen stopt hij even. Kijkt om zich heen. Overal leeg. Achter de ramen bij de Johanssons brandt licht.

Hij legt de werphengel onder de spar op het strand van het witte huis.

'Volg mij.' Hij praat luid en duidelijk. Hij loopt naar het bos. Blijft lopen. Als hij een poosje gelopen heeft draait hij zich om. Belachelijk natuurlijk. Er is niemand. Dat wist hij bovendien de hele tijd al.

Waar is ze?

Voor het eerst moet Thomas zeggen dat hij het niet weet.

Dat hij niet het flauwste vermoeden heeft.

Hij gaat naar huis. De tuin door, langs het houthok waar de tent staat. Druipnat en donker van de regen. Dat spel is afgelopen. Thomas verhuist weer terug naar het huis.

De volgende dag: Bella komt het atelier uit, naar beneden. In gele kleren; shorts en een zomerblouse. Ze pakt een schaaltje fil uit het rekje met de filschaaltjes en gaat naast Thomas aan de ontbijttafel zitten.

'Zullen we popcorn maken?' is het eerste wat ze zegt. 'Zullen we een popcornfeest houden?'

Kajus' Austin Mini is over de bosweg weggereden. Kajus heeft nog geen vakantie en de dag na midzomer is weer een gewone werkdag.

'Ik bedoel,' Bella haalt de fil hoog de lucht in met haar lepel, 'zo dadelijk hebben we een verjaardag te vieren.'

De fil stroomt in een lange, expressieve straal van haar lepel af naar haar bordje. Thomas steekt zijn lepel in zijn fil en doet haar na. Bella lacht, strijkt hem door zijn haar, geeft hem een roversknuffel van het soort dat ze elkaar weleens geven op ochtenden dat ze rovers in een roversbende zijn. Dan pas durft Thomas goed naar haar te kijken. Precies zoals anders. Geen spoor meer van gisteren.

En dan breekt er weer iets in hem, hij kan het niet meer voor zich houden.

'We gaan naar Zweden', barst hij uit, popelend van opwinding.

Dan staat Rosa daar. Ze doet de keukendeur open, staat in de keuken. In een donkerblauwe lange broek en een blauw-wit gestreepte trui, met lippenstift op haar lippen, een zonnebril op en een wit lint in het haar. Het is koud buiten, zegt ze. Slaat met haar armen om te demonstreren hoe koud wel niet.

Verder is ze precies zoals anders.

'Gabbe is weg', zegt ze, zo'n beetje langs haar neus weg. Ze doet haar zonnebril af. Gaat tegenover Thomas en Bella aan tafel zitten. Richt haar blik strak op Bella, glimlacht. Een beetje onzeker misschien, ja, maar dat komt dan vooral doordat ze niet dadelijk kan peilen in wat voor humeur Bella vandaag is.

'Waarnaartoe?' vraagt Bella met een heel gewone stem, ze schuift het schaaltje fil weg.

'Ja, jee zeg, Bella.' Rosa schiet in de lach. 'Hij weet niet waar hij aan begint. Hij heeft de dames bij zich. Nina. En Maggi Johansson.'

'Hij moest en zou weg. Meteen. Wij wilden allemaal niet. Hij kan koppig zijn, Bella. Als hij eenmaal die onrust in zijn kop heeft moet hij weg. Hij bleef maar zeuren. Maar ik bleef weigeren.'

'Ik heb nog nooit eerder geweigerd, Bella.'

'Ik ben zelfs midden in de nacht bij de Johanssons wezen vragen of Maggi mee mocht. Dat was Nina's voorwaarde. Zij was de enige met wie er überhaupt nog te praten viel.'

'Renée was onvermurwbaar.'

'En ik ook.'

'We willen een popcornfeest houden', zegt Bella dan, glimlachend. 'We hebben dadelijk een verjaardag te vieren.'

'We gaan met Renée naar de winkelboot', zegt Rosa en ze beantwoordt Bella's glimlach met een nog bredere glimlach. 'Daar kwam ik eigenlijk voor. Ik wou vragen of jullie mee willen. Willen jullie mee?'

En natuurlijk willen ze mee. Bella moet alleen even wat warmere kleren aantrekken. Thomas rent alvast naar het strand.

Renée zit in het kleine motorbootje. Hij ziet haar al van verre. Een oranje vlek in het grauwe landschap, geel riet als achtergrond. Ze prutst aan de motor. Heeft de motorkap er afgehaald, schroeft onderdelen los. De onderdelen heeft ze netjes op een rijtje op de bank voor zich uitgestald. Ze is waarschijnlijk al een tijdje bezig, want het zijn er heel wat.

'De bougie', zegt ze nog voordat hij de kans heeft gekregen om iets te vragen.

'Die zit daar niet', zegt Thomas heel beslist. Eerlijk gezegd heeft hij geen flauw idee van de plek waar de bougie van een buitenboordmotor hoort te zitten.

Maar zij ook niet. En dat weet hij.

'De fout zit aan de ónderkant.' Ze gluurt naar hem van onder haar pony. 'Idioot.'

Een woedende blik, zoals al die andere keren.

'We gaan naar Zweden', zegt Thomas dan, gelukkig, luid en duidelijk.

'Hoezo?'

Ze doet wel alsof ze niet luistert. Maar bij iemand zoals zij is dat een heel normaal gedragspatroon. Ze moeten roeien naar de winkelboot. De motor krijgt ze niet meer in elkaar zoals het hoort.

Aan de grote motorboot zit een hangslot. Gabbe is de enige die daar de sleutel van heeft.

'Waar zijn ze naartoe?' vraagt Bella langs haar neus weg, als ze in de roeiboot zitten.

'Ik heb geen idee, Bella', zegt Rosa. 'Maar als ik Nina en Maggi goed ken, dan zijn ze niet ver gekomen. Eerlijk gezegd, Bella. Het kan me geen lor schelen. Het laat me volkomen koud.'

'Je denkt misschien dat ik het niet begrijp, maar ik begrijp het heus wel, Bella. Ik heb het al eerder meegemaakt.'

'Wat?'

'Gabbe.'

'We hadden motorpech.'

'Ik zei je toch, Bella. Dat ik hier wil zijn. Met jou. In het zomerparadijs. Dat is het enige dat telt.'

'En weet je, Bella, deze ene keer meen ik nu eens echt wat ik zeg.'

's Avonds loopt Thomas over de bosweg. Hij verlaat de weg, gaat het bos in en stapt in snel tempo over stronken en stenen door een stuk waar helemaal geen paden zijn. Als hij een tijdje gelopen heeft, mindert hij vaart. Geluid achter hem.

'Ik ga naar het bos.' Erkki Johansson komt naast hem lopen. 'Ik ga een wetenschappelijk experiment uitvoeren.'

'Het is geheim', voegt hij eraan toe.

'Liegbeest', zegt Thomas.

Ze wandelen een poosje zwijgend voort.

'Ik ben verdronken, Thomas', zegt Erkki dan. 'Wil je weten hoe dat voelt?'

'Zal ik het vertellen?'

'Ga naar huis.' Thomas heeft de woorden op zijn tong, maar Erkki Johansson stapt uit zichzelf op een ander gespreksonderwerp over.

'We zijn naar de stad geweest, Thomas. Ik heb een verjaardagscadeautje voor je gekocht. Van mijn eigen geld. Raad eens wat het is?'

'Zal ik zeggen wat het is?'

'Nee', zegt Thomas. Maar Erkki Johansson is niet te houden.

'Wil je het raden? Zal ik je een tip geven?'

'Zullen we om iets wedden, Thomas?'

'Zullen we wedden dat je van mij de meeste cadeautjes krijgt?'

'Nog meer zelfs dan van je vader en moeder.'

'Raad eens hoeveel cadeautjes je van mij krijgt?'

'Raad eens HOEVEEL, Thomas?'

En dan kan Erkki Johansson zich niet langer bedwingen.

'Het zijn er achtenveertig, de vlooien meegerekend.'

Alles is dus gewoon zoals anders. Alleen Kajus is onvermurwbaar.

'Wanneer gaan we?'

's Avonds is Thomas de serre ingegaan.

'Waarnaartoe?' Kajus heeft uit zijn detective opgekeken alsof hij niet begreep waar Thomas het over had.

'Naar Zweden.'

'Later.'

Kajus heeft zijn boek dichtgedaan, het op het tafeltje gelegd. Verder heeft hij niets meer gezegd, alleen maar met een mismoedig gezicht naar Thomas gekeken.

'Ik wil ook naar Zweden.' Plotseling heeft Bella achter Thomas gestaan. En deze keer was het echt, geen inbeelding. 'Zijn jullie van plan mij hier achter te laten?' Maar terwijl ze toch 'jullie' zei, heeft ze zich maar tot een van hen gericht. Tot Kajus. Net alsof ze het antwoord al van tevoren wist. Ze heeft gelachen, een ietwat opstandig, als het ware bevestigend, lachje.

Het is doodstil geworden in de serre.

En Thomas is weggegaan. Hij is met grote snelheid de bosweg afgelopen.

Plotseling heeft hij iets begrepen. Dat het juiste antwoord op Bella's vraag luidde: 'Ja, dat zijn we inderdaad van plan.' Haar hier achter te laten. Dat was inderdaad de bedoeling geweest van de vraag die Kajus een dag eerder in het trapportaal had gesteld. Dat zíj er niet meer aan te pas kwam, dat zij niet mee zou mogen.

Dat van daarvoor, de gesprekken, de plannetjes in de tent, de ideeën, dat waren alleen maar dromen.

En dromen of niet: na gisteren hoe dan ook niet te realiseren.

Vanwege de besmeurde zeemeermin in de grote kamer. Of enkel vanwege de herinnering aan haar.

Welnee zeg. Volslagen onmogelijk is het heus niet, niet voor eeuwig en altijd onuitvoerbaar. Ze moeten gewoon eventjes tot rust komen, ieder voor zich. De toestand overdenken. Vooral Bella moet nadenken en tot de conclusie komen dat de besmeurde zeemeermin in de grote kamer iets ongerijmds was, de consequenties daarvan aanvaarden en dan weer de oude worden.

En in de tussentijd trekken Thomas en Kajus de wereld in om samen dingen te beleven, vader en zoon.

Die rotzak van een Kajus. Thomas heeft zich echt belazerd gevoeld.

'Je had het beloofd.' Nog weer later, 's nachts bijna, is Thomas weer naar Kajus toe gegaan. Maar het heeft niet geholpen.

'We hadden iets afgesproken', heeft Kajus gezegd, plompverloren. Alsof Thomas degene is die de afspraak niet is nagekomen.

Op de foto, genomen aan boord van het ms. Forsholm III, heeft de vrouw in het mantelpakje haar arm om de schouders van de jongen gelegd. De vrouw zakt een beetje door haar knieën, zodat ze bijna op dezelfde hoogte komt als de jongen. De vrouw en de jongen staan op het dek. Het is het klassieke plaatje: Gezellig Uit Varen met het Gezin, moeder en zoon met wind in de haren, zon in de ogen, open monden die lachen. De vrouw heeft donkere schoenen met een halfhoog hakje en een donkere schoudertas. De tas ziet er duur uit. Hij is nieuw, diezelfde dag nog gekocht in een boetiek. Het haar van de vrouw is in een lang pagemodel geknipt en hoog om haar hoofd getoupeerd. Een paar lokjes waaien voor haar gezicht. Ze veegt ze met haar vrije hand opzij, met de hand dus die ze niet op de schouder van de jongen houdt. Thomas, de jongen, knijpt zijn ogen dicht naar de camera. De vrouw is Isabella, Bella-Isabella, en als Thomas de foto in handen krijgt stopt hij hem zorgvuldig weg.

Renée dan, in haar oranje wollen trui. Lichtbruin haar tot op haar schouders in warrige pieken. Haar waar je geen kam doorheen kunt krijgen, en dat is een erezaak. Ze heeft het sinds mei al niet eens meer geprobeerd. Renée die op een sliert haar kauwt. Toet! Daar rijdt de auto weg over de bosweg. Gabbe en Bella voorin, want Bella wil voorin zitten om de weg te kunnen zien en Rosa kan het niet schelen. Rosa en Thomas op de achterbank, Thomas met blaadjes papier om zeeslag op te spelen en met een boek over een solozeiler die in afschuwelijk weer de Atlantische Oceaan is overgestoken. Renée die op een sliert haar kauwt. Als Thomas terugkomt uit Zweden is haar haar kortgeknipt, opgekamd en raar ongelijkmatig getoupeerd in de sauna van de Johanssons.

(Zo zit het met Thomas en Bella: ze hebben een idee, een droom, een plan om weg te gaan. Dat is een spel geweest. Het zullen-we-ergens-heen-gaan-spel, dat ze speelden in een flat in de stad toen Thomas klein was. Waar ze ook iets van hadden meegenomen naar het zomerparadijs, dat ze ook hier een beetje speelden, in een regenachtige tijd voordat de familie Engel er was. Koffers pakken, reisplunje aantrekken en weggaan. Waarnaartoe? Naar de zeemeerminnen, het lieve leven. Wat is dat? De zeemeerminnen, die in het pretpark waren toen Bella daar nog was, die zich later naar alle kanten hebben verspreid, diegenen onder hen die de wereld in getrokken zijn.

Maar het was ook een verzamelnaam. Een naam voor onrustige types, mensen die iets zochten, niet zozeer een plaatsje onder de zon, zeker niet één plaatsje onder de zon. Want het leven bevond zich op vele plaatsen, het leven was meerdere levens, levens die zich vermenigvuldigden als Chinese doosjes, en het was een kwestie van rondtrekken, van het ene leven naar het andere.)

Op Thomas' verjaardag houden ze een popcornfeest in het huis op de berg. Thomas maakt zijn pakjes open. Kajus en Bella geven een bouwdoos van een schip, een miniatuurmodel van het schip de Sancta Maria waar Christoffel Columbus mee over de zeeën voer om Amerika te ontdekken. Van Gabbe en Rosa en Nina en Renée krijgt Thomas een boek over een solozeiler die in een zeilboot zijn eenzame leven leidde tot zijn scheepje in een afgelegen zee onder onbekende omstandigheden verging. Slocum, Joshua. Erkki Johansson komt met zijn vlooienspel. Het vlooienspel is heel simpel, beduidend minder ingewikkeld dan het Triomf-spel dat Thomas en Renée overigens niet meer spelen, omdat het op den duur toch tamelijk eentonig is met dat Kopstuk van de maatschappij en met al die miljonairs in de Miljonairsvilla. En beduidend huiselijker. Alle vlooien uit de groene, gele, rode en zwarte vlooienfamilies moeten, nadat ze volslagen wanordelijk over de vloer zijn verspreid, worden teruggewipt naar het lege familiebakje dat maar net iets groter is dan de vlooien zelf. Het familiebakje is het gemeenschappelijke huis van de vlooien, de spelers hebben allemaal een eigen familie in een eigen kleur, en degene wiens familie het eerst in het bakje terug is, is de winnaar van het spel.

Onmiddellijk nadat hij zijn cadeau heeft overhandigd, wil Erkki Johansson demonstreren wat er allemaal wel niet mogelijk is met het spel, met als gevolg dat hij het bakje laat vallen en alle vlooien over de grond huppelen onder de eettafel waaraan ze popcorn zitten te eten. En aangezien popcorn en andere feestelijkheden alle aandacht opeisen, blijven de vlooien gedurende het hele feest onder de tafel liggen.

Kajus komt ook nog even langs. Later gaat hij naar het strand, vissen met Huotari. Ze hebben kleine harinkjes gekocht die ze aan de haken van de lange vislijn willen vastmaken, als aas voor die paling die ze een dezer dagen denken te vangen.

Naar Zweden. Thomas en Kajus hebben niet meer over Zweden gepraat. Niet met elkaar. Maar zelf heeft Thomas wel gepraat. Hij heeft zoveel gepraat dat het niemand in het zomerparadijs heeft kunnen ontgaan wat hij WIL, wat zijn plannen zijn. Naar Zweden gaan. Maar toen niemand notitie van zijn plannen nam, is hij als een klein kind gaan pruilen en dreinen.

'Nu is Thomas rusteloos geworden', heeft Rosa gelachen.

Thomas heeft gemelijk gekeken.

'Thomas is chagrijnig', heeft Bella met een geamuseerde blik geconstateerd.

'Nou, Thomas', heeft Rosa gezegd. 'Ik snap precies hoe je je voelt, hoor. Iedereen heeft daar weleens last van. Van zo'n gevoel dat je weg wilt.'

Voor een deel klopt het wel, ja. Maar slechts voor een deel. Dat Thomas maar blijft rondlopen met dat idee-fixe, zoals Kajus het noemt, dat komt nu juist vooral door Kajus zelf, die maar in de serre blijft zitten en onvermurwbaar is. Vanaf de dag na midzomer tot aan de dag dat ze inderdaad weggaan. En hij dus niet meegaat.

'Ik moet werken. Gabbe moet voor zaken naar het noorden. Jullie gaan naar Umeå.'

'Je hebt het beloofd.'

'Het spijt me, Thomas.'

'Het zou een verrassing zijn voor IsabellaZeemeermin.'

Dan zegt Kajus niets, kijkt alleen maar nog sluwer dan anders. Alsof Thomas louter en alleen door zijn blik te doorgronden vanzelf aan de besmeurde zeemeermin zou moeten denken die iedereen al vergeten is, iedereen behalve hijzelf, stijfkop die hij is...

Maar Zweden dan. Het was hun idee. Van Kajus en van hem, en met al die andere dingen had het niets te maken. Zo was het. En daarom, om het recht op zijn versie van het verhaal te verdedigen, blijft Thomas al die dagen doorzaniken over Zweden, tot het besluit valt dat ze zullen gaan.

Alleen, dan smaakt het plotseling heel anders dan hij dacht. Kajus gaat niet mee. En Renée ook niet. Ze is er niet toe te bewegen, blijft zo hardnekkig weigeren dat Thomas op het laatst boos wordt en naar huis gaat, naar de zolder, waar hij het mes uit zijn bergplaatsje onder een plank van de vloer haalt en het achter het behang in de wand wegstopt. Daar zal ze in elk geval af moeten blijven terwijl hij weg is.

Maar midden onder het verjaardagvieren komt er iemand terug. Iemand die bij machte is dromen waar te maken.

'Weet je wat nou zo vreemd is', roept Gabbe zodra hij binnen is, want hij is verontwaardigd. 'Voor de leukste dingen halen ze hun neus op.' Zijn wereldreisje met Nina en Maggi Johansson is dus inderdaad een flop geworden. Gabbe heeft allerlei dingen willen doen; naar de paardenrennen gaan en met een normaal of zelfs wel wat hoger bedrag aan de toto meedoen, een dagje naar de parachutistenclub om naar het parachutespringen te kijken. Hij is zelfs bereid geweest Maggi Johansson op een proefsprong te trakteren, en dat terwijl Maggi Johansson niet eens familie is.

Of gewoon autorijden over de grote weg, met een snelheid van minstens honderdtien kilometer per uur.

Zeg het maar dames, waar willen jullie heen. Maar de dames hebben nergens heen gewild. Kenmerkend voor alles wat Gabbe wilde, is dat de dames – die op de leeftijd zijn dat ze absoluut geen zin hebben om voor wie dan ook een lekker wijf te zijn, zeker niet voor kerels in de leeftijd van hun vaders, laat staan voor hun eigen vader – dat allemaal juist niet wilden, en soms, meestal eigenlijk, wilden ze überhaupt niets behalve in de flat in de stad – want uiteindelijk zijn ze daar beland – op Nina's kamer zitten giechelen en fluisteren en doen, om iedere keer als Gabbe daar binnenkwam in alle talen te zwijgen en gekke bekken te trekken en zich hoe dan ook zo aan te stellen dat er geen zinnig woord meer uit hen te krijgen was. De grammofoonplatenafdeling van het warenhuis was de enige plek waar ze wel mee naartoe wilden.

Dan valt Gabbes blik op de jarige die, zoals ze hem uitleggen, tijdens zijn afwezigheid ook last van rusteloosheid heeft gekregen.

Gabbes gezicht klaart op.

'Mooi dat ik vandaag teruggekomen ben. Net op tijd om een beetje leven in de brouwerij te brengen.'

En zo eindigt de verjaardag ermee dat Gabbe in zijn James Bondstoel op de berg zit en dat Thomas bij hem komt, naast hem gaat staan, tactvol en discreet als het ware. Gabbe wendt zijn hoofd om, ontdekt hem opnieuw en zegt, zittend op het hoogste punt van de berg: 'Wel, son. Nu is het onze beurt. Om eens rond te kijken in de wereld.'

De hut is groen met een rond raampje. Dat is een patrijspoort, legt Thomas aan Bella uit die het verkeerd zegt. Er zijn twee slaapbanken boven elkaar, een klein tafeltje en een kleerkast. Bella haalt een jurk uit haar witte leren reistas en hangt die in de kast alsof dit een reis is die maanden zal gaan duren. Het is de gele jurk. Die zo mooi glanst, Thomas' favoriet. We gaan, Thomas! Thomas kruipt op de bovenste slaapbank en gaat op zijn buik naar buiten liggen kijken. Schuimkoppen op de golven. Groen en grijs water dat versmelt met de hemel. Thomas heeft zijn kaartje in zijn hand. De boot heet de Forsholm III. Bij de aanblik van de Forsholm III in de haven heeft Thomas iets van teleurstelling gevoeld. Wat was ze klein. Laag en langwerpig, met een commandobrug van gelakt hout. Het is maar een paar uur naar Umeå. Hier op deze plaats is de zeestraat op zijn smalst. Gabbe heeft de auto op de parkeerplaats bij de haven neergezet, ze hebben hun bagage gepakt en zijn aan boord gegaan.

Gabbe en Rosa kloppen op de deur van de hut. Gabbe heeft een fles bij zich en het is de bedoeling dat ze met zijn allen in de nauwe ruimte van Thomas' en Bella's hut een aperitiefje nemen. Gabbe en Bella en Rosa gaan alledrie op de onderste slaapbank zitten want andere zitplaatsen zijn er niet; ze moeten een beetje vooroverhangen want er is geen ruimte om rechtop te zitten en Thomas kijkt vanuit het bovenste bed neer op drie scheidingen in drie donkere haardossen. Gabbe is geweldig in vorm, speelt James Bond als de beste. Bella en Rosa zijn zijn lekkere wijven, Gabbe maakt spitsvondige opmerkingen en Bella en Rosa lachen en op een gegeven moment wordt het haast ondraaglijk, vooral wanneer Gabbe het plotseling in zijn hoofd haalt dat hij en Thomas een soort mannelijke reizigerssaamhorigheid moeten uitstralen. Hij begint over de solozeiler in het boek dat Thomas voor zijn verjaardag heeft gekregen. Thomas zegt 'hmm', de Forsholm III vertrekt, Thomas drukt zijn gezicht tegen de ruit van de patrijspoort. Langzaam begint de boot zich uit de harde wind en de golven los te werken. Want het waait hard. Op de radio hebben ze harde wind voorspeld, tot windkracht zes.

'Een fantastische *enterprise*, toch', zegt Gabbe over de solozeiler.

'Daar is moed en uithoudingsvermogen voor nodig. Plus grondige navigatiekennis.'

'*Navigare necesse est, vivere non necessare*', zegt Gabbe. Precies zoals het op het lucifersdoosje staat dat op het tafeltje lag toen ze binnenkwamen.

'Je spreekt het verkeerd uit', giechelt Rosa. 'Het is Latijn, dat moet je zó uitspreken.' En Rosa spreekt het uit en Bella giechelt en Gabbe heft zijn glas en zegt: 'Bond, ik ben James Bond', en Thomas plakt zijn gezicht zo ongeveer tegen de ruit aan. Nu zijn ze midden op zee. Hij klimt van de slaapbank af en vraagt of hij de hut uit mag.

Thomas gaat naar het bovenste dek. Onderweg stuit hij op een stel uit bierflesjes drinkende jongelui. Een jongen, van een jaar of vijftien, zestien misschien, steekt zijn flesje omhoog en zegt 'hoi' alsof ze elkaar kennen. Dat is niet zo, maar Thomas knikt. De jongelui hebben een radio waarop de Rolling Stones te horen zijn. De Rollende Stenen: daar heeft de grote broer van Bjöna een grammofoonplaat van in zijn pop-slaapkamer in het flatgebouw in de stad. Een pop-slaapkamer krijg je als je alle overbodige dingen je kamer uitgooit en er een matras neerlegt met een houten kistje ernaast dat als tafel dienstdoet, kaarsen in lege groene flessen zet, kussens uitstrooit over de matras en de vloer, De Rollende Stenen op de pick-up legt en je helemaal overgeeft aan de muziek. Bjöna en Thomas worden binnengeroepen, mogen op de matras gaan zitten en moeten stil zijn terwijl Bjöna's grote broer bijna plechtig de arm van de pick-up op de plaat laat zakken. Terwijl het liedje van begin tot eind wordt afgespeeld zitten Thomas en Bjöna stil te luisteren, waarna Bjöna's grote broer de pick-up uitzet en tegen Thomas en Bjöna zegt dat ze weer weg moeten. Maar ja, al die dingen horen bij een andere tijd. Een ander leven. Thomas' stadstijd, Thomas' stadsleven. Die bestaan nu niet. Want nu bestaan de zomer en het ruisen van de zee.

Thomas is alleen op het opperdek. De Forsholm III vaart

langs de laatste eilandjes van de scherenkust. Het water is daar vol stenen en rotsen en soms als de zon even te voorschijn komt zie je duidelijk plekken waar het water ondiep is. Zulke plekken zijn er overal aan beide zijden van de vaargeul.

Hier begint de open zee. Als Thomas recht voor zich kijkt in de richting waarin ze varen, ziet hij alleen maar groen en wit. De golven komen recht op de boot af, een behoorlijk steile, hoge wand van water. De Forsholm III is klein, hij dacht het in de haven al, veel te klein om stand te houden tegen zulke hoge golven. Na een paar honderd meter op open zee zijn de golven al zo hoog dat de boot in de golfdalen neerstort en haar voorsteven onderdompelt. Schuimig wit water spat overal. Thomas houdt zich vast aan een reling.

En nu denkt hij aan haar, misschien. Viviann, of althans dat meisje waarvan Renée zei dat ze Viviann heette. Viviann; het indianenmeisje dat vorige zomer met Goofi naar de wal is gezeild, dat hem uit de nood heeft gered, hij denkt nu aan haar zoals hij al eerder aan haar gedacht heeft. Viviann: terwijl hij hier staat te denken vindt hij het opeens maar een vreemde naam. Viviann is eigenlijk niet dat meisje van toen, hij maakt haar als het ware anoniemer, ze wordt gewoon het meisje met het lange bruine haar, in de witte blouse met al die knoopjes, de indiaanse die hem uit de nood heeft gered en die hij nu, een tijdje later, op zijn beurt allerhande dingen over de zee zou kunnen vertellen. Ze zou hier kunnen zijn, te midden van het blauw, het grijs, het wit, zich aan de reling naast hem kunnen vasthouden en naar hem luisteren, naar de zeevaarder die in het holst van de nacht een perfecte koers wist te houden op de deining na de herfststorm tijdens de hondenwacht met Buster Kronlund – niet zomaar een zeilertje in een zeiljolletje. Hij zou zijn verhaal over de zee vertellen, en het zou niet belachelijk klinken, het zou waar zijn.

Want daarvoor ging je naar Umeå; voor de zee, voor het bruisen van de golven, niet voor de pony's in de manege waar

Thomas de volgende dag zal paardrijden, en niet omdat je er Löfbergs Lila kunt kopen wat een heel lekker koffiemerk is, en niet omdat je er in een pension dat Pilen heet aardbeientaart zult eten met een vórk.

Juist, ja. Maar dat meisje, die Viviann, is er niet. Hij heeft maar wat gefantaseerd. Viviann is een product van zijn fantasie en als zodanig niet interessant, en hier op dit gladde dek waar het water hem om de oren spat en de wind zijn jack tot een ballon opblaast, groeit Thomas binnen enkele seconden uit tot iemand die beseft dat hij alles over Viviann en hem maar verzint, hij weet niets van haar, hij is een dromer die de werkelijkheid naar zijn hand probeert te zetten.

Op het dek onder hem komt Gabbe aanlopen. Hij heeft een donker kostuum aan en een das, net als James Bond. Hij ziet Thomas staan. Hij wuift en komt de trappen op. Het donkere haar waait in zijn ogen. Het witte overhemd en de zwarte broekspijpen fladderen. Gabbe is heel werkelijk. Tegen het grijs en het groen en in de zon die nu tussen de wolken door kijkt, tekent zijn silhouet zich scherp af. Als een stripfiguur, zwart omlijnd. Thomas in zijn groene jack valt veel meer met zijn achtergrond samen. Verdwijnt er bijna in.

Maar gelukkig is die achtergrond nogal groot. De achtergrond is al het andere. De zee, de hemel, de Forsholm III.

Thomas draait zich om en loopt via een andere trap naar beneden. Hij duwt een deur open en komt een salon binnen met een bar en een snelbuffet. Ook hier is de ruimte vol jongelui. Aan een muur hangt een plaat waarop de vaarroute is aangegeven met kleine lampjes die aanfloepen wanneer er weer een stuk van het traject is afgelegd. Onder de plaat zit een meisje in kleermakerszit, haar blik op haar handen gericht die ze om elkaar heen laat draaien, peddelend als de pootjes van een zwemmende kat. Thomas' blik blijft op die handen gericht. Hij kan er zijn ogen niet van afhouden. Hij moet zichzelf dwingen ergens anders naar te kijken, zich op de plaat te concentreren, op de gele vlekjes van de lampjes die traag maar regelmatig aanfloepen. De boot helt behoorlijk, eerst naar de ene kant, dan opeens naar de andere, en weer terug. Thomas struikelt, verliest bijna zijn evenwicht en grijpt zich aan de eerste de beste mouw van iemands jas vast.

'Hoi', zegt het meisje van wie de jas is. Thomas herkent haar. Een van de meisjes uit het groepje jongelui dat hij daarnet al gezien heeft toen hij naar het bovenste dek ging.

'Hoi.' Thomas mompelt.

'Wie ben jij?' vraagt het meisje.

'Thomas', zegt Thomas.

Hij wenst onmiddellijk dat hij iets anders had gezegd. Thomas; wat klinkt dat belachelijk opeens. Zo kinderachtig. Hij zou een andere naam moeten hebben nu hij met dit meisje praat, dat tegen hem doet alsof hij even oud is als zij, terwijl ze toch zeker drie, vier jaar met hem moet schelen. Een naam die op de een of andere manier correcter is.

Thomas gaat al zijn namen stuk voor stuk na. Niet op ditzelfde moment natuurlijk, maar later. Want hij zal deze scène steeds opnieuw in zijn hoofd naspelen, met diverse wijzigingen in de replieken en in de loop van de gebeurtenissen, zó dat het meisje en hij een samenhangend gesprek voeren over de zee, het weer, de vaarroute, zeg maar over de hele reis. Waarbij Bella niet plotseling bij hem staat, hem bij zijn arm pakt en door elkaar schudt en hem luid en boos vraagt waarom hij steeds maar wegloopt voor Gabbe en de anderen.

Thomas gaat zijn namen na. Bykovskij, de kameraad-kosmonaut. Didi, Frédéric Dumas. Tom Sawyer. Een Volslagen Ongelooflijk Iemand. Charmant Jongetje, Entertainer. Slocum, Joshua. Tsjet. Mister Tsjet.

Het is verschrikkelijk.

Hij merkt dat hij nog steeds de mouw van het meisje vasthoudt en laat haar los, maar zodra hij dat gedaan heeft begint de boot opnieuw te hellen en moet hij zich weer vastgrijpen.

'Hou me maar vast, hoor', zegt het meisje. 'Ik sta stevig. Wil je een biertje?'

Thomas schudt van nee.

'Heb je broers of zussen?'

'Hoezo?'

'Ik vroeg het me gewoon af. Reis je alleen? Ben je weggelopen? Ik ben weleens weggelopen.'

'Ik reis alleen', zegt Thomas, plotseling een EenzaamReiziger. 'Ik ben niet weggelopen.'

'Ze hebben me aan de overkant gevonden. Er is daar een manege. Ik was gek op paarden. Daarom was ik weggelopen.'

Dan is er plotseling iemand anders bij. Een jongen die zwaar tegen de schouder van het meisje leunt en daarbij naar Thomas kijkt en naar de plaat met de vaarroute. Zijn blik valt op het andere meisje, dat in kleermakerszit onder de plaat zit en haar handen om elkaar heen laat draaien. Hij vraagt waarom ze dat doet. Ze kijkt op.

'Zomaar', zegt ze. 'Het is leuk.'

Maar ze lacht er niet bij. Wel interessant, vindt Thomas. Het doet hem aan iemand denken. Maar het haar is anders, kort en blond. Thomas denkt dat hij ook met haar wel zou kunnen praten zoals hij nu met dat meisje praat dat gek was op paarden en wegliep naar een manege aan de overkant van het water. Maar dat blijkt onmogelijk, want het volgende moment is Bella er, boos en luidruchtig. Ze heeft haar gele jurk aan. Ook draagt ze schoenen met hakken en de hele salon ruikt naar haar parfum. Apple Blossom, zoet en smerig. Ouwewijvenparfum. Thomas schaamt zich. Niemand in deze salon draagt een feestjurk zonder mouwen. Niemand draagt een jurk.

'Kom mee, nu meteen.' Bella pakt hem stevig bij zijn schouder. 'Waarom loop je weg voor Gabbe? Kom. We gaan eten, heb ik gezegd.'

En Thomas wordt zo snel meegevoerd dat hij geen gelegenheid meer krijgt om iets aan iemand uit te leggen.

Het restaurant ligt achter een glazen wand naast de salon. Gelukkig hebben ze een tafeltje bij het raam en kan Thomas zich onzichtbaar maken voor de jongelui die dachten dat hij hun iets voorgelogen had, hij kan hun zijn rug toekeren en naar buiten kijken. Hij eet worst en patat en drinkt er cola bij. Het water spat tegen de ruit, het stroomt zelfs langs de binnenkant omlaag. Gabbe legt uit dat dat door de druk komt, maar wat hij daarmee bedoelt wordt niet duidelijk, want hij is alweer druk bezig een borrel te bestellen voor bij de wienerschnitzel. En wijn. '*Sangre di Toro*', zegt Gabbe in een taal die hij niet spreekt. 'Ossenbloed' vertaalt hijzelf als de fles arriveert, want er staat een ossenkop op het etiket afgebeeld en de kleur van de wijn is even donker als Thomas' Coca-Cola. Proost, Thomas! Bella heft haar glas omhoog, ze is het intermezzo in de salon al vergeten en is alweer in een voortreffelijk humeur. Rosa zegt dat ze geen wijn wil. Rosa is de hele tijd al stiller dan daarvoor. Maar Gabbe is in topvorm, geen zee gaat hem te hoog.

'Wie een keer een storm op de Atlantische Oceaan heeft meegemaakt, die is de rest van zijn leven immuun voor storm, wat was dat een zeegang toen, Thomas', en de hele restaurantafdeling wiegelt heen en weer, flessen ketchup rollen over de tafel, en Thomas knikt, knikt, maar het duurt even voordat hij doorheeft dat Gabbe het over die overtocht uit Amerika heeft die hij met Renée ondernam, zijn dochter die ingewanden van staal heeft, en met al hun spullen; 'zeemansdoop noemen ze dat, Thomas, of, nou ja, weet ik veel, ik zeg maar zo: proost.' Gabbe praat aan één stuk door en als hij niet iets anders zegt, zegt hij dat hij James Bond is, jazeker. Bella lacht. Bella lacht met open mond, haar buste wipt omhoog onder de gele jurk, de mooie, stevige buste waaraan je een lekker wijf meteen herkent. Niemand in de restaurantafdeling draagt een feestjurk. Rosa en Gabbe hebben nog dezelfde kleren aan als in de auto, alleen heeft Gabbe een stropdas om met een motiefje van muzieknoten.

'Ik wil ponyrijden', zegt Thomas opeens.

'Ponyrijden', herhaalt Bella, alsof Thomas iets pikants heeft gezegd of iets vreselijk grappigs. 'Waarom?'

'Er is daar een manege met pony's. In Umeå.'

'Wij gaan ponyrijden, reken maar.' Aan de mannenzijde van de tafel legt Gabbe zijn arm om Thomas' schouder. 'Nu je het zegt, ik denk dat een flinke rijtoer ons allemaal heel goed zou doen. Als je nagaat hoe we hier zitten te vreten.'

Bella's blik ontmoet die van Gabbe en ze lacht. Bella schijnt nog maar één manier van reageren te hebben, registreert Thomas objectief. Namelijk door zo te lachen dat haar mond een groot zwart gat wordt. Thomas kronkelt zich los uit Gabbes greep. Gabbe heft het glas.

'Daar ga je, James.'

'Er valt niet te praten met jullie', zegt Thomas en plotseling heeft hij medelijden met zichzelf.

'Neem me niet kwalijk.' Rosa probeert overeind te komen. 'Ik moet even...'

Ze zakt weer tegen de rugleuning.

'Jezus, wat ben ik misselijk.'

Maar deze reis duurt niet lang meer. Even verderop is de kust al te zien en staat de zee helemaal niet meer zo hol. Gabbe is Rosa gevolgd naar de hut en Thomas en Bella zijn alleen aan het tafeltje in het restaurant achtergebleven, te midden van wienerschnitzel en worstjes, patat, Coca-Cola en Sangre di Toro.

Bella vraagt Thomas waarom hij zo doet tegen Gabbe. Thomas geeft geen antwoord. Pas als hij beseft dat hij wel iets moet zeggen omdat Bella hem met een vragende, nogal mismoedige blik blijft aankijken, vraagt hij haar wat ze met 'zo' bedoelt.

Bella legt met veel gekletter haar bestek op haar bord. Ze steekt een sigaret aan en zit een poosje met korte boze trekjes te roken, zonder iets te zeggen.

Thomas geeft geen kik meer. Hij kijkt naar de opengebarsten worstjes op het bord, naar de mosterd in de groefjes. Kijkt tersluiks naar het raam. Ziet ze niets? Ziet Isabella het ruisen van de zee niet? Varen? Onderweg zijn? Is ze stekeblind? Hij roept niets, zegt niets. Stelt zichzelf alleen een paar vragen. In alle bescheidenheid, zo langs zijn neus weg, terwijl hij haar blik probeert te ontwijken.

'Thomas', zegt Bella. Ze drukt haar sigaret uit en begint weer te eten. Haar stem is bijna vriendelijk. Alsof ze een soort beroep op hem doet.

'Thomas', zegt Bella. 'We kunnen toch proberen het een beetje gezellig te hebben met elkaar.'

Bella's feestjurk glanst. Thomas staart naar de stof. Handgeweven Thaise zijde. Hij kent de woorden vanbuiten, kent ze al zo lang hij het zich kan herinneren. Hij slikt. En zwicht. Plotseling heeft hij medelijden met Bella in haar glanzende jurk in de restaurantafdeling waar de ketchupflessen over de tafel rollen. Apple Blossom te midden van een zwakke, zoete geur van zeeziekte en braaksel die zich, nu de bootreis bijna ten einde is, overal heeft verspreid.

Ondanks alles. Ook al ziet zij het niet.

Bella aan de ene kant van de tafel. Thomas aan de andere. Daar zit zij. En hier zit hij. Bella heft haar wijnglas. Ze glimlacht samenzweerderig, alsof ze een geheim met elkaar delen. Dat is niet zo.

Op de een of andere manier heel eenzaam in haar gele jurk.

Thomas grijpt naar zijn Coca-Cola. De hele fles. Ze drinken elkaar toe.

'Pilen' is de naam van het pension, het is een blauw houten huis. Ze logeren op de eerste verdieping, Bella en Thomas in een kamer, Rosa en Gabbe in een andere. Rosa voelt zich beter zodra ze voet aan wal heeft gezet.

Gabbe neemt Thomas in een taxi mee naar de manege. Thomas' pony is bruin en hoog. Thomas is verrast door de hoogte van het dier. Hij heeft nog nooit eerder paardgereden of zelfs maar in een zadel gezeten. Hij klautert op de rug van de pony. Twee meisjes van de manege leiden de pony rond over het terrein van de manege. Er is geen pony groot genoeg voor Gabbe, dus die moet helaas wachten. Gabbe heeft een camera bij zich. Als Thomas een rondje heeft gereden op de pony, roept Gabbe: *'Keep smiling, son!'*, neemt een kiekje, zet onmiddellijk zijn zonnebril weer op en kijkt van het ene meisje naar het andere. De meisjes zijn allebei op het hek naast de stallen gaan zitten waar hij als een van de gebroeders Cartwright tegenaan leunt. Gabbe helpt Thomas uit het zadel. Thomas heeft een vierkant gevoel tussen zijn benen; zo voelt het dus als je echt een cowboy bent. Bij het afrekenen geeft Gabbe een royale fooi en als hij en Thomas naar de weg lopen waar de taxi die Gabbe heeft laten bestellen op hen staat te wachten, legt hij zijn hand weer net zo op Thomas' schouder als twee jaar geleden op de vliegtuigententoonstelling. Thomas heeft niets tegen taxi's. Hij vindt het leuk om in een taxi te rijden. Met Kajus nemen ze nooit een taxi want dat is duur en onnodig, net als eten in een restaurant terwijl je thuis toch beter en goedkoper uit bent. Thomas heeft de hele achterbank voor zichzelf. Gabbe is voorin naast de chauffeur gaan zitten. Vanaf die plek steekt hij, terwijl hij met de chauffeur een gesprek voert over de toestand van de wereld in het algemeen, een heel verhaal af over de 'effecten van nevelvlekken in zonnestelsels', iets waar ze het op de autoradio over hebben. Gabbe spreekt woorden als 'zonnestelsel' en 'nevelvlekken' buitengewoon zorgvuldig en duidelijk uit en Thomas begrijpt dat Gabbe denkt dat Thomas belang stelt in dat soort dingen. Zelf heeft het Thomas de laatste jaren steeds weer verbaasd dat hij zo weinig geïnteresseerd is in de ruimte en de maan en in wie daar de eerste stappen zal zetten. Zelfs vliegmachines vindt hij nog interessanter. Maar plotseling begrijpt hij ook dat Gabbe gespreksstof zoekt, dat hij misschien niet weet wat hij met Thomas aan moet, die in de twee uur dat ze samen op excursie zijn misschien twee hele zinnen heeft gezegd.

Renée en Gabbe, denkt Thomas. Hoe zijn die als ze samen zijn?

Renée en Gabbe tillen het zeiljolletje op de motorboot, zodat het tamelijk ver naar achteren dwars op de achtersteven komt te liggen. Gabbe gooit de touwen los. Renée start de motor en vaart achteruit weg. Gabbe kijkt of de jol wel goed ligt. Renée geeft gas en ze varen met een snelheid van minstens tien knopen de smalle doorgang naar zee in, hoewel de maximumsnelheid hier maar drie knopen is. Tijdens deze manoeuvres wordt er geen woord gewisseld.

'Ja', zegt Thomas vanaf de achterbank tegen Gabbe en probeert geestdrift te veinzen.

'Ja,' herhaalt Thomas, 'jajaja', tot Gabbe zwijgt en door zijn raampje naar buiten kijkt en Thomas hetzelfde doet door het zijne en de chauffeur, die een man van weinig woorden is, de radio uitzet omdat er dreunende muziek begint. De stilte duurt niet lang. Gabbe moet er iets aan doen. Hij begint te fluiten. Hij bonkt met zijn hand op zijn knie op de maat van de melodie die daarnet nog op de radio was toen hij uitgezet werd en die nu verder speelt in zijn hoofd. Ai ken ket no settisfeksjabonk bonk bonk. En in Pilen komt er Coca-Cola en aardbeientaart met een vórk op tafel.

Bella heeft een nieuw lichtblauw mantelpak. Ook Rosa's kleren zijn nieuw. Een jurk, mouwloos, lichtblauw. Vanuit de verte zien Bella en Rosa er in hun lichtblauwe kleren en met hun identieke zonnebrillen hetzelfde uit. Rosa lacht, pakt Bella bij een arm en zegt: 'Nu zijn we een tweeling', en ze stappen met zijn allen in een taxi. 'Daar ga je, James!' Gabbe is nog steeds op de James Bondtoer, hoewel het alweer de volgende dag is, tijd om naar huis te gaan. Gabbe zit op zijn praatstoel. Hij heeft het raampje van de auto helemaal omlaaggedraaid zodat het achterin flink tocht. Deze keer is het een levendige chauffeur die veel geld heeft verspeeld aan de paardenrennen, een onderwerp dat Gabbe ter sprake weet te brengen door luidop allerlei gedachten met elkaar in verband te brengen. Het maakt toch wel indruk op Thomas zoals Gabbe het voor elkaar krijgt een gesprek over te kleine pony's en een rijtoertje in de vorm van een rondleiding aan de teugel door een manegemeisje over het terrein van de manege als vanzelf over te laten vloeien in een gesprek over jockeys, in te zetten bedragen bij de toto en 'de sfeer van het kansspel die er op een renbaan kan heersen'. Thomas lacht een beetje in stilte. Hij zit weer op de achterbank, tussen Bella en Rosa in, de lichtblauwe vrouwen met het donkere haar en de zonnebrillen. Bella lacht een beetje, misschien om hetzelfde als Thomas wanneer hij naar Gabbe luistert, misschien niet, misschien lacht ze gewoon zomaar, zoals ze al een hele poos doet. Thomas bekijkt de nopjes op de stof van haar mantelpak. Wollen *georgette*. Zo heet het materiaal. Rosa's nieuwe jurk is van dunne katoen. Dat, met de mouwloosheid van de jurk, maakt dat het nu ineens lijkt of Rosa degene is die er een beetje opgedirkt uitziet, terwijl Bella comfortabele, warme reiskleding draagt. Want het is koud nu, al waait het bijna niet. Maar het is guur, de lucht is misschien zelfs al een tikkeltje herfstachtig. Later, als ze op de boot op het dek staan en voor het laatst naar Zweden kijken, zal Rosa een vest moeten halen en terwijl ze even weg is zal er een zeker kiekje genomen worden bij een reling onder de commandobrug. Met haar vest aan zal Rosa later in een ligstoel op het zonnedek, waar behalve zij niemand zit, in slaap vallen.

Rosa lacht nu ook, in de taxi, net als Bella. Maar Bella lacht meer dan Rosa en Rosa wordt geleidelijk aan steeds zwijgzamer. Dan zijn ze weer bij de haven. Ze stappen uit de auto en gaan aan boord.

'En Thomas', vraagt Bella in de restaurantafdeling. 'Wat vond je het leukst?'

Thomas heeft zijn mond vol eten, worst en brood. Isabella rookt, nipt aan een glas wijn. Rosa drinkt water. Gabbe bestelt koffie, sterke zwarte koffie. Hij draait het filmpje in de camera terug. Binnen dat zwarte omhulsel bevindt zich nu een zeker plaatje. Het was de laatste foto van het rolletje. Thomas voelt zich op een bepaalde manier nog steeds verblind door het flitslicht dat wel moest flitsen omdat het zo donker was, hoewel het midden op de dag was.

'Daar ligt Bleke.' Rosa kijkt uit over de zee. 'Ik denk dat ik maar eens in de zon ga zitten.'

'Het is bewolkt', zegt Thomas, maar Rosa glimlacht zwakjes en zegt dat het meestal wel zonnig wordt als zij buiten komt.

'Ik heb nu eenmaal zo'n invloed op het weer, Thomas.' Rosa staat op uit haar stoel en gaat weg. Thomas speelt met een lucifersdoosje, op de ene kant staat 'Veilig op zee', op de andere kant 'Navigare necesse est', maar hij zorgt er wel voor dat hij de 'Veilig-op-zee'-kant boven houdt, want als Gabbe de andere kant te zien krijgt gaat hij de Latijnse woorden misschien weer verkeerd uitspreken. Gabbe drinkt koffie uit een grote mok.

Bella leunt achterover, blaast rook uit door haar neusgaten. Ze zegt dat ze geen zin heeft om terug te gaan.

'Ik zou best in m'n koffer willen leven. Gewoon maar wat zwerven. Van het ene leven naar het andere.' Bella's reistas valt om. Ze hebben voor de terugweg geen hut genomen en al hun spullen rond hun tafeltje in het restaurant gezet. Ze kijken alledrie naar de reistas. Die staat bol, het is dan wel geen koffer, maar hij is beslist vol genoeg voor een langere reis dan alleen maar naar Umeå.

'Verdomme, dat hij me toch vóór geweest is.' Gabbe houdt de camera voor zijn gezicht en kijkt erdoor naar Bella.

'Wie?' vraagt Bella met een lach.

'Mister Jazz.' Gabbe drukt af. Het toestel klikt.

'*Just a joke.*' Gabbe grijnst zijn wolvengrijns en legt de camera op tafel neer.

'Het rolletje is op', zegt Thomas. Want zo is het.

Ze moeten om zijn opmerking lachen. Bella tenminste, die

moet overal om lachen. Thomas ziet: Bella zit niet langer op de veerboot uit Umeå, ze is volop bezig de Atlantische Oceaan over te steken en Thomas weet dat en hij weet ook dat hij daar niet bij is. Nu is zij degene die de wereld in trekt en hij degene die naar huis gaat om modellen te bouwen, om met ezellijm vleugels aan rompdelen van miniatuur oorlogsvliegtuigjes te bevestigen, om de delen met camouflageverf te schilderen. Gabbe meesmuilt een beetje en vindt het mooi dat zijn traktaties op prijs worden gesteld. Daarmee bedoelt hij niet alleen de wijn in Bella's glas, maar deze hele reis, het lichtblauwe mantelpak, een kilo koffie van het merk Löfbergs Lila en Engelse drop. Hij drukt op het knopje van de camera om alles vast te leggen, al is het maar voor de grap, het filmrolletje is immers op. Thomas geneert zich. Hij vindt dat Isabella gek doet. Hij heeft spijt dat hij zich daarnet op de foto heeft laten zetten en dat nog wel met een grijnslach die hem zal doen blozen als hij de foto ziet. Hij staat op en loopt het restaurant uit. Er zijn vandaag niet veel passagiers. Geen jongelui met flesjes bier, geen meisje dat met haar handen door de lucht peddelt als een zwemmend katje, ook voelt hij op het opperdek niets van het ruisen van de zee. Het is eigenlijk nagenoeg windstil. Even schijnt de zon. Dan verdwijnt ze weer achter de wolken en is het overal weer grauw.

Onder Thomas, in een witte stoel, ligt Rosa. Ze heeft een zonnebril op. Haar hoofd is een beetje achterover en opzij gevallen. Haar benen heeft ze voor zich op een andere stoel gelegd. Alle stoelen zijn leeg, Rosa is de enige op het zonnedek. Thomas wuift. Rosa ziet het niet. Ze ziet niets. Ze slaapt.

Thomas, in scherpe contouren. Zijn trui is felwit. Scherp afgetekend, afgezonderd, tegen de achtergrond van een grijsblauwe hemel. Van iedereen afgesneden zo, doodalleen. Thomas, reiziger. Thomas, EenzaamReiziger.

Het laatste voorval tijdens die reis naar Zweden is dat Gabbe afslaat naar een benzinestation om te tanken. Het is nog ongeveer een uur rijden naar het zomerparadijs, het is een heel gewoon benzinestation en ze hebben helemaal niet de bedoeling daar de auto te gaan wassen. De auto is niet eens bijzonder vuil, maar Bella, die de laatste paar uur werkelijk om alles wat Gabbe zei heeft moeten lachen, trouwens Rosa en Thomas ook, maar Rosa en Thomas hebben veel minder gezegd, bijna niets eigenlijk, want ze zijn allebei moe en hebben vrijwel de hele weg geslapen, Bella krijgt de reusachtige borstels van de automatische wasserette in het oog en vindt die dingen er waanzinnig grappig uitzien. Dat zou ze nou echt eens willen proberen. Zo komt het dus zo'n beetje dat Gabbe en Bella in Gabbes auto de wasserette in rijden en er twee wasbeurten lang in blijven zitten, uit nieuwsgierigheid en zucht naar avontuur. Thomas is helemaal niet enthousiast, alleen maar slaapdronken net als Rosa, als ze plotseling uit de auto worden gezet omdat Bella samen met Gabbe – die ook hierop nog wel wil trakteren, als Bella dat nu zo graag wil – tussen de roterende borstels en het schuim en het water, dat van verschillende kanten tegelijk komt, de wasserette in wil rijden.

Op dat moment, Thomas is moe en wil alleen nog maar zo snel mogelijk naar huis, begrijpt Thomas waarom Bella haar haar donker geverfd heeft. Dat was niet omdat ze een brunette wilde worden, maar omdat ze wilde verbergen wat ze eigenlijk was. Een blondje, zo eentje van het domme soort, het soort dat de meerderheid van de blondines vormt. Wat ze in haar domheid niet begreep, was dat haar domme blondheid van het soort was dat door geen haarverfmiddeltje ter wereld zou kunnen worden weggewerkt.

Rosa en Thomas blijven bij de benzinepompen staan terwijl Gabbe en Bella tussen de borstels door naar binnen rijden en de glazen deuren zich achter hen sluiten, het tafereel is precies zo pathetisch en onwaarschijnlijk als het lijkt wanneer je het achteraf beschrijft. En wat moeten Rosa en Thomas in de tussentijd beginnen?

'Kom Thomas', zegt Rosa als ze een tijdje tegen steentjes hebben staan schoppen bij de benzinepompen. 'Laten we maar naar de cafetaria gaan en daar wachten. Hier te staan rondhangen heeft ook geen zin.'

Thomas en Rosa gaan samen naar de bar naast het benzinestation, tegenover de moderne automatische autowasserette. Rosa bestelt koffie, Thomas Coca-Cola, hoewel hij er geen trek in heeft. Ze nemen een tafeltje met uitzicht op de weg. De jukebox speelt het volgende liedje, het liedje dat ze tijdens de reis al meermalen op verschillende plaatsen hebben gehoord:

Help, I need somebody
Help, not just anybody

'Het is verboden', zegt Rosa plotseling. Het duurt even voordat Thomas begrijpt dat ze het over de borstels en de wasserette heeft.

'Het is misschien wel gevaarlijk.'

'Hoezo gevaarlijk?'

Maar daar heeft Rosa geen goed antwoord op. Thomas zou haar dankbaar zijn geweest als ze dat wel had gehad, want nu ziet hij zich genoodzaakt, zich welbewust van zijn betweterige toontje, haar onder ogen te brengen dat de auto vanbinnen beschadigd raakt als er water in komt, en dat het benzinestation in dat geval schadevergoeding moet betalen omdat ze goedgevonden hebben dat er tijdens de wasbeurt passagiers in de auto bleven zitten terwijl dat toch verboden is. Ze hebben er nog geld voor aangenomen van Gabbe ook, en dat is al helemáál verboden, beslist onwettig. Maar stel nu eens dat het benzinestation weigert om ook maar een stuiver te betalen, dan krijgen ze vast wel iets terug van de verzekering. Autoverzekeringen, daar weet Thomas alles van, vooral door het spel LEVENSWEG dat in het Zweeds TRIOMF heet. 'Leraar, loon 24.000'. Het volgende hokje: 'Indien u een autoverzekering afsluit, betaal dan 20.000'.

'Jaja, Thomas.' Rosa's blik dwaalt door de cafetaria. De mensen kijken ook naar haar, want ze is mooi. Rosa is werkelijk bijna net zo mooi als Bella, denkt Thomas, maar om de een of andere reden vindt hij het prettiger om ergens met Rosa te zijn, want Rosa is wat minder luidruchtig, ze praat niet zo luid, en vooral, ze lacht niet met zo'n lachje en zegt geen dingen die maken dat je haar plotseling doorziet en een dom blondje in haar ontdekt.

Nu zegt Rosa dat ze niets van auto's afweet.

'Tja, Thomas. Daar weet ik allemaal niets van, hoor. Ben je erg in auto's geïnteresseerd?'

'Ik weet niets van auto's', zegt Thomas en hij kijkt Rosa recht in de ogen.

Rosa schiet in de lach. Ze voelt zich opeens een beetje opgelaten. Thomas heeft de rietjes uit zijn glas gehaald en buigt ze doormidden zodat er geen lucht meer door kan en er één breekt. Auto's rijden voorbij over de snelweg. Thomas gaat nieuwe rietjes halen bij het buffet. Hij schenkt nog wat koffie in voor Rosa uit de kan die op het warmhoudplaatje bij de kassa staat.

En Rosa praat: 'Kijk, Thomas, de snelweg. Ik ben gek op snelwegen.'

'Dit is nou zo'n moment, Thomas, dat je in je memoires zou willen vastleggen.'

Thomas schokschoudert. Wat betekent 'memoires'?

'Wat zijn memoires?' vraagt Thomas. Maar Rosa lacht alleen maar want haar opmerking was bedoeld als een ironisch commentaar, en ze legt haar handen plat op tafel.

Iemand zet de plaat nog eens op.

When I was young and so much younger than today
I never needed anybody's help in any way
–
Help me if you can I'm feeling down
And I do appreciate you're being around
Help me get my feet back on the ground
Won't you please please help me – jieeeeeeuuuh

Rosa's handen zijn ruw en bruin. Donkerder dan haar lichaam, maar misschien komt dat door de bleekroze kleur van haar nagellak of door haar lichtblauwe jurk en witte vest die het donkere aan haar accentueren, zodat het nog donkerder lijkt. Haar nagels zijn niet zo lang als die van Bella, maar wel ook zeer zorgvuldig gelakt, de randen zijn volkomen gaaf. Rosa's vingers trommelen op de maat van de muziek op het tafelblad, ze blijven trommelen ook als de muziek opgehouden is. Dan kijkt Rosa Thomas opeens strak aan en zegt iets ongelooflijks. Ze zegt: 'Je bent een geweldig lief jongetje, Thomas.'

Even is Thomas stomverbaasd. Hij raakt de kluts kwijt, vergeet dat hij zich had voorgenomen geen Coca-Cola meer te drinken, leegt in één teug zijn glas, zet het op tafel terug en schudt langzaam zijn hoofd, zonder een woord te kunnen uitbrengen.

Want nee. Hij is geen lief jongetje. Hij is niet lief. Hij is... Thomas denkt eens goed na en nu, in deze situatie, weet hij wat hij is: hij is de jongen die het Triomf-spel begon te winnen door alles wat hij bezat in te zetten, al zijn geld, zijn bezittingen, de auto met de plastic staafjes die zijn gezin vormden, alles op één cijfer, het hoogste cijfer, nummer tien, en door aan het Rad van Fortuin te draaien dat vervolgens op de tien terechtkwam, iedere keer weer kwam de wijzer op onverklaarbare wijze op de tien terecht, en zo kon hij zijn bezit tienvoudig vermeerderen. Daar had Renée niet van terug, al zat zij schatrijk en alleenstaand in de Miljonairsvilla waar ze zoals gewoonlijk eerder was gearriveerd dan hij. Maar het jongetje Thomas was Kopstuk geworden en had het spel gewonnen.

Met gemengde gevoelens. Thomas was niet onverdeeld blij geweest met het feit dat hij plotseling alleen nog maar won. Hij had zich opeens een medeplichtige gevoeld. Nu was hij iemand die invloed had op anderen. En er was een groot verschil tussen de persoon die invloed had en een arme onschuldige die verloor, die in wespennesten trapte, lepeltjes kwijtraakte en slecht en onrechtvaardig behandeld werd, onhebbelijkheden te verduren had en alleen maar kon klagen en min of meer demonstratief medelijden met zichzelf kon hebben.

Thomas legt zijn handen plat op tafel naast die van Rosa. Hij raakt Rosa's handen aan, neemt ze in de zijne. Hij kijkt op, naar Rosa, recht in Rosa's donkere ogen. Natuurlijk bloost hij, maar dat is pas later, een seconde later, als Rosa haar handen met een heftig gebaar uit de zijne heeft getrokken en haar handtas van de tafel af op haar schoot heeft genomen en opengemaakt en er als een bezetene in begint te rommelen, alsof ze iets zoekt wat ze echt nodig heeft. Ze diept een vochtige tissue op. Scheurt het omslag stuk, vouwt de tissue die tot een heel klein vierkantje is opgevouwen open en begint er haar handen mee af te wrijven. Ze werpt even een zijdelingse blik op de wasserette en zegt met haar gewone stem: 'Ze gaan zeker nog een tweede keer.' De vochtige tissue verfrommelt ze tot een propje dat ze in de asbak legt. Een grauw propje. Asgrauw.

'Ik moet even naar de wc, Thomas. Wil je een ijsje?'

Later zullen Bella en Rosa boven in Bella's atelier om dit voorval met Thomas lachen en zich over hem verbazen. Een van de laatste keren dat ze met zijn tweeën in het atelier zitten. Rosa zal Bella vertellen van 'dat incidentje bij het benzinestation aan de snelweg', zoals zij het betitelt, niet het hele verhaal tot in alle details, maar wel zo dat Bella een helder beeld krijgt van wat zich heeft afgespeeld. Ze bedoelt het heus niet kwaad, maar wil nu eens met een voorbeeld aantonen dat Thomas een heel bijzonder persoontje is, al kun je niet zomaar in één oogopslag zien wat er nu zo bijzonder aan hem is. En ook dat we toch eigenlijk zo weinig van elkaar afweten, van onze eigen kinderen. Dat alles midden tussen de haren. Want het laatste dat Bella en Rosa samen in het zomerparadijs doen, dat is elkaars haren knippen. Suikerspinnen zijn uit de mode, zodra ze in Zweden aankwamen hadden ze dat meteen in de gaten.

'Een geweldig jongetje, die Thomas', zal Rosa zeggen, en Thomas zal achter de wand stiekem meeluisteren. 'Hij heeft vele kanten. Een klein, hoe zal ik het zeggen, niet zo heel erg maar toch wel een beetje, een klein wolfje in schaapskleren.'

En Bella zal haar oren natuurlijk niet kunnen geloven.

'Heeft hij dat echt gedaan?' Maar als ze er later nog eens over nadenkt zal ze zeggen dat het toch niet zo ontzettend onvoorstelbaar is.

'Ik heb alleen nog nooit zo over hem gedacht.'

Dan houden ze op over Thomas te praten en stappen ze op andere onderwerpen over. Op alle plannen waar Rosa in deze periode vol van is, plannen voor een ander leven. Thomas zal naar buiten gaan, het is mooi weer, wat zit hij op zo'n mooie dag als vandaag stiekem in huis anderen af te luisteren?

Maar misschien kijkt Bella sindsdien met andere ogen naar Thomas. Misschien is het wel waar dat ze plotseling de wolf in hem ontdekt. Precies zoals hij een week eerder bij een benzinestation langs een snelweg ergens in het niemandsland tussen Zweden, de zee en het zomerparadijs, plotseling zag wat hij 'het domme blondje' noemde. Dat dat erin zat, dat het niet weg te krijgen was, dat geen haarverfmiddel het kon camoufleren.

'Bij de wortels is je haar helemaal blond', zegt Rosa als ze Bella's haar knipt in het atelier.

'Klopt. Ik heb het geverfd.'

'Dus je bent blond, Bella. In het echt.'

Avond, nacht: er zal een schim in de deuropening staan. Niet Viviann, want die bestaat immers niet. Thomas is groter geworden, hij weet dat Viviann alleen maar een product van zijn fantasie is, een van de vele. Dit is werkelijkheid. Thomas knijpt zijn ogen dicht.

'Hallo Enig Kind, slaap je?' zal Bella vragen. Thomas zal geen antwoord geven. Maar daarom houdt Bella haar mond nog niet.

'We moeten praten.'

'Nu zal ik je alles vertellen. Nu wil ik dat je luistert, Thomas.'

'Thomas, toe nou. Wakker worden. We moeten praten.'

Thomas draait zich op zijn buik, boort zijn gezicht in het kussen, gromt zoals hij denkt dat hij altijd doet als hij diep in slaap is.

'Dan niet, Thomas', zegt Bella zachtjes, en weg is ze.

Alsof ze plotseling allebei iets hebben ingezien. Eventueel zullen ze algauw, morgen misschien, of over een paar dagen, opgaan in, ja, hoe moet je het noemen? Zó, want dat is de enige manier waarop het gezegd kan worden: het lieve leven, de rest van de tijd. Maar dat zullen ze niet samen doen. Het is natuurlijk geen uitgesproken inzicht. Het inzicht komt pas achteraf. Pas later zal Thomas begrijpen dat hij de hele tijd in het zomerparadijs wist, en ook dat hij de enige was die het wist, dat Bella niet terug zou komen toen zij en Rosa een schandaal veroorzaakten door aan het eind van die zomer van 1965 samen weg te lopen, de wereld in.

En het andere verhaal, dat van 'De Wolf en het Blondje', het verhaal dat nog maar nauwelijks ontdekt is: ja, dat zou niet verteld worden. Het zou er niet van komen. Thomas knijpt zijn ogen dicht, hoewel ze de kamer allang verlaten heeft.

'Dan niet', zegt Bella nogmaals voordat ze zijn kamer verlaat. 'Dan niet.' Langzaam, langzaam verplaatst ze zich naar de deur. Alsof ze wacht of hij haar nog zal roepen. Nog iets zal zeggen.

Maar dat doet hij niet. En ze verlaat zijn kamer. En hij hoort hoe ze het witte huis uitgaat, hoewel het midden in de nacht is en donker buiten, en hoewel Rosa slaapt. Hij gluurt onder het gordijn door. Ze staat in de tuin te roken. Ze kijkt omhoog naar zijn raam. Doet ze dat? Best mogelijk. Ze ziet hem in ieder geval niet. Hij zit verborgen in het duister achter zijn eigen dichte gordijnen.

En Bella komt het huis weer in en gaat naar Rosa die in de slaapkamer ligt te slapen.

'Nú moet ik weg.'

'Ik ga met je mee', antwoordt Rosa slaapdronken, maar met zeer grote vanzelfsprekendheid. Misschien is het inderdaad zo eenvoudig. Het is ook een mogelijke versie van wat er gebeurd is.

Thomas is de cafetaria uitgelopen. Hij gaat op het trapje voor de deur zitten en snuift de benzinelucht zijn longen in. De borstels rumoeren nog achter de gesloten deuren van de wasserette. Hete, vochtige stoom dringt via de kier onder de deur naar buiten. Rosa heeft natuurlijk gelijk: Bella en Gabbe zijn een beetje getikt. Hoeveel tijd is er verstreken? Drie of vier keer 'Help', wat geen lang liedje is. Tien minuten? Rosa komt met twee ijsjes in haar handen naar buiten. Thomas zegt dat hij geen ijs wil. Rosa komt naast hem op het trapje zitten.

'Als jij geen ijs wil,' zegt Rosa, 'dan zal ik ze maar alletwee opeten. Ik heb voor de zekerheid mijn lievelingssmaken genomen. Chocolade en pistache. Kun jij er eentje vasthouden terwijl ik de andere opeet?'

Ze geeft Thomas het chocolade-ijsje. Ze heeft haar zonnebril opgezet. Een walm van iets golft over Thomas heen. Drank. Ze is naar de wc geweest, heeft zich wat opgefrist en een slokje genomen, maar nu wil ze dat niet laten merken terwijl ze eerder tijdens de reis iedere keer vreselijk aanstellerig deed als ze het zakflesje drank uit haar handtas haalde, een slokje omdat we vertrokken zijn, een slokje voor Zweden, een slokje voor de pony's, een slokje voor dat pak Löfbergs Lila omdat het van die lekkere koffie is. Thomas houdt het hoorntje ijs vast. Gelukkig is het ijs nogal ijzig zodat het niet meteen begint te smelten. Terwijl Thomas het hoorntje vasthoudt kijkt hij naar de snelweg. Niet omdat hij zich voor auto's interesseert, maar omdat hij zich opeens verschrikkelijk schaamt voor de manier waarop hij zopas in de cafetaria Rosa's handen heeft vastgepakt. Rosa likt aan haar ijsje, doet alsof er niets aan de hand is.

Maar toch, het is tegelijkertijd een fantastische scène. Rosa en Thomas op een trapje voor een benzinestation ergens in het niemandsland tussen Zweden, de zee en het zomerparadijs, de anders tamelijk koele zomerlucht zwaar van warme stoom uit een autowasserette, Rosa in een lichtblauwe jurk en een wit vest en met een groen ijsje in een hoorntje in haar hand. Thomas, zijn ogen dichtknijpend hoewel de zon niet schijnt, met een chocolade-ijsje dat langzaam begint te smelten in zijn hand. Hij eet het niet op. Hij wil het niet. Het is niet van hem, het is van Rosa. Een bruin straaltje druipt over zijn vingers, hij moet van hand wisselen en zijn vingers schoonlikken.

'Wil je een tissue?' vraagt Rosa.

Thomas schudt het hoofd.

Eigenlijk zou je er een foto van moeten nemen, want Rosa is ondanks alles mooi en Thomas ziet eruit alsof hij haar zoon is. Als je Rosa en Thomas daar op dat trapje bij het benzinestation zou zien zitten zou je, als je een vreemdeling was die hen niet kende, denken: wat doen die daar, wie zijn het, waar wachten ze op? Waarom eet dat jongetje dat er lief uitziet zijn ijsje niet op? Het smelt zomaar in zijn hand.

Rosa haalt de camera uit haar handtas. Het lijkt wel alsof Rosa hier zelf ook aan moest denken. Aan dit alles. Aan deze momenten die je maar liever niet in je memoires wil opnemen. Aan hoe absurd het allemaal is, maar ook, en misschien wel juist daarom, hoe mooi.

Daarnet zat ze nog met Thomas in de cafetaria, nipte ze aan een kop koffie en zei dat dit nu zo'n moment was dat ze in haar memoires zou willen zetten, dat was dan wel ironisch bedoeld maar tegelijkertijd welde er een akelig gevoel in haar op. Bij nader inzien. Maar ze is niet van plan om iets nader in te zien. Ze zal hier in alle rust blijven zitten babbelen tot het ergste voorbij is, tot er weer nieuwe momenten aanbreken.

Maar Thomas wil niet babbelen. En daar zit ze dan met haar gebabbel. Wat moet ze met haar gebabbel beginnen?

Ze is dus naar de wc gegaan en heeft een grote teug uit het zakflesje genomen. Daar op de wc, voor de spiegel, heeft ze haar gedachten uiteindelijk dan toch geen halt meer kunnen toeroepen, ze bleven maar toestromen, als water uit de kraan waar ze bijna haar hele gezicht onder had gehouden, *to cool down*.

Toen heeft ze zichzelf in de spiegel gezien, zichzelf gedwongen te kijken. Anders dan Bella is Rosa iemand die niet rustig wordt wanneer ze zichzelf in een spiegel ziet. Dat komt niet doordat ze minder mooi is, maar doordat ze zichzelf op een andere manier ziet als ze in de spiegel kijkt. Ze kijkt niet om een soort bevestiging te vinden van iets dat ze al weet, maar om te zoeken naar iets waarvan ze allang weet dat het er niet is. Iets dat op haar voorhoofd te lezen zou moeten zijn, zoals bij haar dochter Renée. Om die reden houdt ze op een andere manier van haar dochter Renée dan van haar dochter Nina Engel. Maar ze vindt het niet. Ze vindt HET niet. En dus is haar gezicht gewoon maar een plek, een van die plekken waar de angst begint. En Rosa heeft zichzelf drie keer op de wangen geslagen. Linkerwang, rechterwang, linkerwang. ZO JA... nu is ze weer gewoon. Ze heeft mondspray in haar mond gespoten, is naar de bar teruggegaan en heeft ijs gekocht aan het buffet. Ze heeft Thomas nergens gezien. Is de bar uitgegaan. Thomas bleek op het trapje te zitten. Ze is naast Thomas gaan zitten. Heeft haar ijsje opgegeten. Een idee gekregen. De camera uit haar handtas opgediept.

Daar nadert een vreemdeling. Hij heeft zijn tank laten volgooien en is nu op weg naar binnen om te betalen. En hup, daar reikt Rosa hem de camera aan met het verzoek een kiekje te nemen. 'Van Thomas en mij,' ze legt haar arm om Thomas heen, 'ja, dit is Thomas.' De vreemdeling pakt de camera aan, richt de zoeker op Thomas en Rosa en zoomt in, zegt '*cheese*' en drukt af. Thomas zegt niets. In tegenstelling tot Rosa weet hij dat deze foto nooit zal worden ontwikkeld omdat het filmrolletje nog steeds op is, het laatste kiekje dat nog op het rolletje paste is getiteld Gezellig Uit Varen met het Gezin. Het is dezelfde camera. Rosa heeft hem meegenomen uit de auto, zo kan hij tenminste niet beschadigd raken door de hitte en het vocht daarbinnen.

Gabbe en Bella rijden de wasserette uit. Ze stappen uit de glanzend schone auto en lopen naar het trapje voor de deur van het benzinestation waar Thomas en Rosa zitten. Ze zien er heel raar uit. Hun gezichten zijn rood en bezweet, hun haren druipen. Gabbes overhemd plakt aan zijn buik en borst.

Bella is nog net zo uitgelaten als daarnet. Ze roept dat ze kookt. Het was daarbinnen zo ontzettend heet. Zeker meer dan honderd graden Fahrenheit.

'Zei ik het niet?' mompelt Thomas. Bella strijkt door zijn haren en neemt het ijsje dat in zijn hand druipt van hem over, aangezien Rosa wel haar eerste ijsje heeft opgegeten maar het tweede totaal vergeten schijnt te zijn.

'Het is van Rosa.'

'Neem maar.'

Rosa steekt een sigaret aan en loopt vast naar de auto.

Gabbe en Rosa lopen naar de auto. Zo ziet het eruit. Rosa loopt een paar passen voor Gabbe. Ze gooit de sigaret al na een paar trekjes op de grond, trekt huiverend het witte vest strakker om zich heen. En als de situatie normaal was geweest, dan zou Thomas ook het volgende hebben gezien: hoe de sigaret die Rosa weggooit in een plas belandt, er ligt benzine in de plas, de benzine begint te branden, het hele benzinestation vliegt in brand, er volgt ook nog een ontploffing, Rosa en Bella en Thomas en Gabbe werpen zich in de dichtstbijzijnde greppel en Gabbe slaat beschermend zijn arm om hen alledrie heen want van hen vieren is hij immers de man, en het zou geen film zijn over wat er kan gebeuren als je onachtzaam bent met vuur, nee, het zou een avonturenfilm zijn vol Rampspoed en Chaos. Enzovoort, in Thomas' fantasie. Maar het is geen normale situatie en Thomas denkt niets. Hij heeft Bella weer om zich heen. Bella loopt naast hem. Thomas heeft Bella's voortreffelijke humeur en Bella's uitgelatenheid om zich heen en tegen wil en dank laat hij zich erdoor meeslepen. Binnen een mum van tijd lacht hij om Bella's dwaze beschrijvingen. Een paar meter voor hen haast Gabbe zich Rosa in te halen en legt zijn arm om Rosa heen. Ze praten met elkaar, zachtjes, en als Thomas en Bella zouden luisteren, zouden ze toch niet kunnen horen wat ze zeggen. Maar Gabbe en Rosa fluisteren niet over Bella of Thomas of iets dergelijks. Hun zachte gepraat is gewoon precies wat het lijkt. Een teken van saamhorigheid, van een zekere gemeenschappelijkheid in ieder geval, onder alle omstandigheden. Bella ziet het niet, of ze let er niet op.

'We hebben hem twee wasbeurten gegeven.' Bella is de enige die nog in de wasserette zit, de enige die überhaupt nog op reis is. De anderen zijn allemaal moe en verzadigd, op weg naar huis. 'Het was echt een belevenis, Thomas. Alsof je onder water zat of zoiets.'

Ze gaan in de auto zitten, Rosa en Gabbe op de voorbank en Bella en Thomas achter hen. De portieren slaan dicht en Bella wuift naar het personeel van het benzinestation dat door Gabbe is omgekocht omdat het verboden is tijdens het wassen in de auto te blijven zitten.

'Je hebt toch wat avontuur nodig in je leven', zou Gabbe misschien hebben gezegd als niet ook hij zich plotseling nogal afgepeigerd had gevoeld. Zoals na een heerlijke maaltijd. Het zweet droogt op, Gabbe krabt zich, hij heeft jeuk, zijn overhemd is van polyester, een materiaal dat zich niet zo goed leent om in te zweten. Gabbes volle, vermoeide gevoel legt zich zwaar over de auto.

Rosa valt in slaap. Thomas kijkt uit het raam. Bella praat en lacht nog een poosje door, tot ze zo ongeveer midden in een zin stilvalt omdat ook zij in slaap is gevallen. Het is stil. Alleen de motor ronkt.

Later zal Thomas natuurlijk denken dat hij dit allemaal niet heeft meegemaakt. Hij kan niemand bedenken, niemand van alle mensen die hij kent, vaders, moeders, kinderen, die zoiets als dit zou doen, in de auto blijven zitten terwijl die in een wasserette gewassen wordt en achteraf zeggen dat het echt een belevenis was. Zodoende zal hij het aan niemand vertellen, niet aan Kajus, maar ook niet aan Ann-Christine en Johan Wikblad, die overigens wel onvergetelijke episodes van de reis te horen krijgen, verhalen over pony's, taart, een pension met de naam Pilen.

Bella en Rosa blijven bijna de hele weg naar huis doorslapen. Thomas is klaarwakker. Bella slaapt met open mond, ze snurkt een beetje. Hoorbaar. Thomas probeert met discrete zetjes in haar zij te zorgen dat ze ophoudt met snurken. Gabbe is stil. Hij trommelt met regelmatige tussenpozen met zijn vingers op het stuur en gaat steeds harder rijden. Het getrommel wordt nijdiger naarmate zijn snelheid toeneemt. Het doet Thomas aan Renée denken wanneer ze zeilt. En het maakt niet uit of Bella's gesnurk te horen is of niet, want Gabbe is volledig in zijn eigen werelden verdiept, louter vervuld van vaart en vrijheid.

Thomas houdt op Bella discrete zetjes te geven en benut de onbewaakte ogenblikken om zijn bouwpakketten van oorlogsvliegtuigen alvast een beetje te bekijken, die in plastic zakken aan zijn voeten liggen. Verstolen bestudeert hij de bovenkanten van de doosjes. In Zweden nog heeft hij zichzelf beloofd de bouwdozen geen blik waardig te keuren aangezien ze hem niet interesseren. Maar nu kijkt hij toch. De vliegtuigen zien er interessant uit. Als Gabbe plotseling vanaf de voorbank iets tegen hem zegt, schrikt hij op alsof hij een dief is die op criminele bezigheden wordt betrapt, terwijl het toch zijn eigen bouwpakketten zijn, bouwpakketten die hij cadeau heeft gekregen. Vlug laat hij de plastic zakken weer op de vloer van de auto zakken.

'Als ik opnieuw zou mogen beslissen wat ik zou worden als ik groot was,' zegt Gabbe, 'weet je wat ik dan zou worden, Thomas? Ik zou rallyrijder worden in autorally's.'

'Hmm.' Thomas kijkt door het raam naar buiten.

'Wat wil jij worden als je groot bent, Thomas? Word jij rallyrijder?'

Opeens klinkt er een duidelijk hoorbaar gegorgel uit Bella's mond. Thomas buigt naar voren om met zijn ene hand Bella stiekem een zetje te kunnen geven, en hoewel hij niet van plan was antwoord te geven op Gabbes vraag, komt hij met zijn hoofd zo ongeveer in de ruimte tussen de twee stoelen voorin terecht zodat hij wel moet antwoorden.

'Ik denk van niet.'

'Wat wil jij dan worden?'

'Ik weet het niet', antwoordt Thomas. 'Daar heb ik nog niet over nagedacht.'

Thomas leunt weer achterover. Gabbe geeft bijna plankgas lijkt het wel, en hij haalt minstens drie auto's na elkaar in op een manier waarvan Thomas weet dat het levensgevaarlijk is en die Kajus maniakaal noemt: 'Je zou die snelheidsmaniakken erop moeten wijzen dat het verkeer één grote chaos wordt als iedereen rijdt zoals zij.' Thomas houdt zich vast aan de handgreep van het portier. Bella's hoofd valt op zijn schouder. Bijna haar hele lichaamsgewicht rust nu op hem. Thomas moet zich gewoon aan de handgreep vastklampen om te voorkomen dat hij en Bella allebei omrollen. Bella ruikt naar zweet maar ook, heel flauwtjes, naar Blue Grass. Het is inderdaad Blue Grass. Ze heeft in Zweden Blue Grass bijgekocht.

'Blue Grass. Wat heb ik daar lang naar gezocht, Rosa.'

Blue Grass: het parfum waarover Kajus altijd grapjes maakte. Dat het precies bij haar paste. Dat het de omgekeerde wereld was, aangezien gras groen was en niet blauw zoals op het flesje stond. 'Maar voor Bella,' zei Kajus tegen Thomas, 'voor Bella is het gras blauw als zij zegt dat het blauw is.' Dat was meermalen gebeurd, in het zomerparadijs, in het stadsleven langgeleden. Thomas en Kajus hadden op een hoek van het vierkante plein gestaan en vanuit de verte naar Bella gekeken, Kajus met een winterjas aan en een aktetas bij zich, want hij kwam van zijn werk en was net uit de bus gestapt bij de bushalte waar Thomas op hem had zitten wachten boven op de zandcontainer van de gemeente, waar zand in zat om 's winters gladde wegen mee te bestrooien. Binnen lag Paul Anka op de draaitafel en door de open balkondeur van hun flat op de derde verdieping, de bovenste verdieping van het nieuwe flatgebouw aan dit vierkante plein, schalde zijn 'D-I-A-N-A'. Bella stond op het balkon tegen de grijze balustrade geleund te neuriën en te roken, voor iedereen zichtbaar. Maar plotseling draaide ze haar hoofd om alsof ze voelde dat ze door bepaalde personen werd geobserveerd, en haar blik viel op hen die op de hoek van het plein naar haar stonden te kijken. Ze begon geestdriftig te wuiven. Toch zat er iets van onnodige opwinding en misschien schaamte in de manier waarop ze onmiddellijk haar sigaret doofde in de donkere aarde van de bloempot waarvan ze altijd zei dat ze er in de lente bloemen in zou planten, alleen kwam daar nooit iets van omdat de lente altijd zo snel voorbijging en als het dan weer zomer was had je immers velden vol bloemen in je eigen zomerparadijs.

Zoals ze naar binnen ging. De muziek zachter zette, de deur achter zich dichtdeed. Je kreeg toch een beetje de indruk dat ze op heterdaad betrapt was. Alsof ze haar hadden overrompeld terwijl ze met geheime privé-dingen bezig was.

En toen Thomas en Kajus een paar minuten later boven kwamen werden ze door iemand anders verwelkomd, iemand die met een koele het-eten-is-klaar-glimlach op haar gezicht uit de stilte van de flat te voorschijn kwam. Maar de lucht was zwaar van Blue Grass. En Kajus snoof en zei nog eens wat hij ook al op het plein tegen Thomas had gezegd. Dat het zo goed bij haar paste, net de omgekeerde wereld... enzovoort. Alsof daarmee alles gezegd was. Alsof het een soort verklaring was. Voor iets onbegrijpelijks, iets pikants, iets kenmerkends voor Bella. Niet iets heel belangrijks. Tenminste, niet zo belangrijk als jazzmuziek en gezinsleven boven een vierkant plein op de derde verdieping.

Toch wist Thomas al vroeg iets. Dat daarmee niet alles gezegd was. Blue Grass. Het was een naam voor 'van alles en nog wat'. En dat van alles en nog wat, dat waren echte, concrete dingen.

En Thomas kijkt door het raampje van de auto en wordt plotseling boos op Kajus omdat Kajus het niet ziet. Omdat hij domweg weigert het te zien. Hij doet het af met de woorden Blue Grass. Maar neem nou bijvoorbeeld muziek. Er bestaat toch ook andere muziek. De wereld zit vol muziek. Allerlei soorten muziek. Chet Baker, Bill Evans én Paul Anka. En ga zo maar door. De meezingers die de hele reis door op de radio te horen waren: ook dat soort muziek. En zo zijn er zoveel dingen, ontzettend veel. Dat is geen Blue Grass. Dat is van alles en nog wat, allemaal echte, concrete dingen.

'Van alles en nog wat, Thomas', zoals ze zelf ook zei. 'Ik vind van alles en nog wat leuk.'

'Ik ben een alleseter', zoals iemand anders zei. Iemand die met zijn vingers op het stuur trommelde. Een wijsje neuriede. 'Two of a kind. Two of a kind.'

Thomas' rechterschouder begint te slapen onder het gewicht van Bella's hoofd en bovenlichaam. Maar daar maakt hij zich geen zorgen meer om. Hij heeft plotseling een gevoel van PANIEK. Want: als ze rechtop gaat zitten en haar gewicht van hem afhaalt, dan zal ze voor altijd weg zijn. Voor altijd, *forever and ever.* En wat zal er dan van hem worden, van Thomas, als Isabella's gewicht van hem afgenomen wordt? Hij heeft geen flauw idee. Een heel licht iemand, zo licht dat hij in de lucht komt te zweven. Een paar jaar geleden kreeg hij een Chinese vlieger voor zijn verjaardag van Gabbe, Rosa, Renée en Nina. Hij liet per ongeluk het touw los, de vlieger zweefde een poosje los in de lucht, het was een mooi gezicht maar even later bleef hij in een boom haken – jullie kennen dat verhaal – sjonge, wat een lol zeg. Je kon hem met geen mogelijkheid meer uit de boom halen, hij zat veel te hoog tussen de takken en daar bleef hij zitten tot hij op een keer in een flinke plensbui naar beneden viel, kapot en lelijk.

'Als ik je een goede raad mag geven, Thomas,' zegt Gabbe aan het stuur, en hoewel er pas een paar seconden zijn verlopen sinds zijn vorige domme opmerking is het haast een geruststelling om Gabbe weer te horen, alles is beter dan dit soort overpeinzingen, 'volgens mij moet je carrière zien te maken als rallyrijder. Er gaat niets boven snelheid en vrijheid.'

'Ja', zegt Thomas.

'Thuis heb je je kamer zeker vol autootjes staan, Thomas?'

'Ja', liegt Thomas.

'Welke vind je het mooist, Thomas? Welk merk, bedoel ik?'

Opeens wordt Rosa wakker. Ze draait het raampje half open, zoals Bella het in de Austin Mini van Kajus nooit mag doen, want dan zit Thomas, die zo gevoelig is, precies op de tocht achter in de auto. Rosa schiet in de lach en zegt tegen Gabbe dat hij niet van die domme vragen moet stellen waarop toch geen antwoord valt te geven. Ze draait zich om en lacht naar Thomas en Thomas lacht terug. Dan keert ze zich weer naar voren en kijkt naar de weg voor hen met alle auto's erop. Ze vraagt Gabbe welke auto ze zullen gaan inhalen. 'Zullen we die rode nemen, die Opel daar?' Of die, of die, of die? En Gabbe zegt 'ja hoor' en trapt het gaspedaal nog dieper in en zo roetsjen ze langs de ene auto na de andere. 'En die daar, zullen we eens kijken hoeveel die kan hebben?' vraagt Gabbe op zijn beurt. Zo halen ze ook die auto in, en Rosa is verrukt, maakt haar handtas open, haalt het zakflesje eruit en zegt: 'Zo, en nu een slokje voor de snelweg', en Gabbe zegt op zogenaamd strenge toon: 'Nounounou', en Rosa neemt nog een slokje en zegt: 'O, wat brandt dat lekker in je keel'. En Thomas zit achterin op de tocht en Bella's haar waait in zijn mond, maar hij lacht ook. Er heerst, hij kan het niet ontkennen, een gezellige stemming. En Rosa en Gabbe zijn zo grappig samen. Hij heeft ze nog nooit zo meegemaakt. Ze konden wel twee speelkameraadjes zijn, en ze lijken zo op elkaar, haast broer en zus. En opeens is het net alsof hij en Bella op de achterbank Renée en Nina zijn en alsof ze in een witte engel over het hele Amerikaanse continent rijden en de wonderbaarlijkste dingen zien. Zoals Rosa ooit een keer zei: 'Amerika is groot, Bella, heel groot.'

Ten slotte suist de auto met een vaart van tachtig kilometer per uur, wat voor de bosweg een hoge snelheid is, het zomerparadijs binnen. Gabbe toetert en parkeert de auto op het erf, een beetje scheef, hij rijdt hem niet eens de garage in. Rosa stopt het zakflesje in haar handtas, draait de achteruitkijkspiegel haar kant op, fatsoeneert haar kapsel en veegt de restjes ijs uit haar mondhoeken.

Bella wordt wakker, kijkt slaapdronken om zich heen.

'Zijn we al thuis?' zegt ze, maar het is geen vraag, je kunt aan haar horen dat ze het antwoord zelf wel weet. Haar stem is vol teleurstelling. Thomas knikt. En dat was het dan. Ze pakken hun tassen en hun plastic zakken met Löfbergs Lila en vliegtuigbouwpakketten en Blue Grass en de ansichten die ze niet hebben verstuurd en nog van alles en nog wat, en ze stappen uit de auto.

'Gorki Toys', zegt Thomas tegen Gabbe voordat ze uit elkaar gaan. Opeens is de reclame in de *Donald Duck* hem te binnen geschoten.

'Die autootjes', zegt hij. 'Thuis in mijn kamer in de stad.'

'Ik ben zo moe, Thomas. Ik zou wel een winterslaap kunnen doen.'

Bella staat in de grote kamer, met haar reistas en al haar plastic zakken in haar handen, een zonnebril op en in haar nieuwe kleren. Op een bepaalde manier ziet ze eruit als een vreemde tussen alle bekende meubels en spullen. Alsof ze er niet bij hoort. Of komt het alleen doordat ze anders altijd gele kleren draagt?

'Het is midden in de zomer', zegt Thomas. 'Een winterslaap doe je in de winter.'

Bella laat haar tas en alle zakken met een plof op de vloer vallen. Ze gaat naar het buffet, zet haar zonnebril af en trekt een grimas vóór de spiegel. Dan verdwijnt ze de slaapkamer in en komt in haar welbekende gele badjas weer te voorschijn, net alsof ze op weg is naar het strand. Maar dat is ze niet. Ze gaat naar het trapportaal en Thomas hoort voetstappen op de trap naar de zolder en het geluid van een deur die dichtslaat. Even later voetstappen en stemmen en weer een deur die dichtslaat. Dezelfde deur, de deur van het atelier, want een andere deur is er niet op zolder. Opnieuw voetstappen, en vlak daarop ziet Thomas voor het eerst na het reisje naar Zweden Kajus weer.

'En, hoe was het? Vond je 't leuk?'

Thomas haalt twee bouwpakketten voor oorlogsvliegtuigen uit een plastic zak.

'Ik heb op een pony gereden en die bleef stilstaan om te schijten.'

'Op een pony gereden? Jij kunt toch niet paardrijden?'

Thomas maakt het ene bouwpakket open en bestudeert de onderdelen en de gebruiksaanwijzing. Hij hoeft er niet lang op te studeren om te zien dat in ieder geval het ene bouwpakket veel te gemakkelijk is voor iemand van zijn leeftijdscategorie en met zijn bouwpakketervaring.

'En Bella en Gabbe en Rosa dan. Wat hebben die gedaan? Hebben die ook pony gereden?'

'Het stormde toen we weggingen. Ik stond op het opperdek. Rosa was zeeziek. Ik ben helemaal niet zeeziek geweest.'

'En Bella en Gabbe dan, waren die niet zeeziek?'

'Helemaal niet. Die hebben stalen ingewanden.'

'Zeg Thomas. Jullie kunnen het toch wel een weekje redden, jij en Bella?'

'Zeg Thomas.' Thomas is net op weg naar buiten. Kajus' stem haalt hem in bij de keukendeur. Nagelt hem vast aan de keukenvloer. Zijn hand op de deurknop.

'Met zijn tweetjes.'

'Hoezo?'

'Ik ga naar Lapland, vissen.'

'Met wie?'

'Met iemand van m'n werk. Die belde gisteren.'

'Wij hebben geen telefoon.'

'Toe, Thomas. Ik was in de stad. Ik had toch gezegd dat ik moest werken. Weet je dat niet meer?'

'Ik ga mee.' Thomas weet niet waarom hij het zegt. Het gaat automatisch.

'Er zijn daar muggen', zegt Kajus. 'In Lapland heb je een ander soort muggen. Veel lastiger dan hier.'

'Muggen houden niet van mijn pigment. Ik hoef niet eens muggenolie op te doen.'

'Er is daar vrijwel niets te doen. Hier is het veel leuker voor je. Met Renée en alle andere kinderen.'

'Renée en alle andere kinderen'; Thomas is het huis al uit.

Hij zit op het privaat, op het deksel van de plee, tot Kajus' auto uiteindelijk wegrijdt. Pas als de auto over de bosweg is verdwenen staat Thomas op en gaat weer naar buiten.

'Nu ja, als je echt wilt', heeft Kajus gezegd terwijl hij door de keuken naar Thomas toeliep. 'Dan mag je natuurlijk mee. Maar ik denk dat je liever hier blijft.' De verstarring is geweken. Thomas is naar buiten gehold voordat Kajus hem heeft kunnen omhelzen.

Thomas loopt door de tuin van de Johanssons. Het is overal leeg, maar de buitendeur van de Johanssons staat open, dus er zal toch wel iemand van de familie thuis zijn. Even overweegt Thomas naar binnen te gaan, maar hij verandert van gedachte. Hij zou Erkki Johansson niet kunnen verdragen. Erkki Johansson is een beste knul, maar nu even niet, denkt Thomas en hij voelt zich edelmoedig nu hij op deze manier uiting geeft aan zijn sympathie voor Erkki Johansson. Hij loopt dwars over het miniheuveltje bij het strandje van Maj Johansson, waarop het grootste vloerkleed van de Johanssons ligt te drogen met in alle vier de hoeken een grote steen zodat de wind er geen vat op kan krijgen. Thomas schopt tegen een van de stenen in de bovenhoeken van het kleed, de steen rolt weg in de richting van de tegenoverliggende steen en stoot hem weg alsof het een biljartbal is, en meteen daarop bedenkt Thomas dat hij zijn ene oorlogsvliegtuigbouwpakket maar aan Erkki Johansson zal geven, want voor een achtjarige is de moeilijkheidsgraad van het pakket heel geschikt. Hij ziet Erkki Johanssons gezicht voor zich als hij het geschenk overhandigt, hoe Erkki Johansson een gat in de lucht springt bij zoveel vriendelijkheid van Thomas' zijde, en hij gaat de sauna van de Johanssons binnen.

'*Kato Tuumas*, hé Thomas. Wat kom je doen, Thomas?'

Nina en Maggi liggen op de bedden in de kleedruimte tijdschriften door te bladeren en er staat een transistorradio aan, maar niet hard, want er is een praatprogramma aan de gang. Nina ontdekt Thomas en zegt nog iets in het Fins, maar Thomas luistert niet, want hij staart naar een vreemd iemand, een meisje met tamelijk kort bruin haar dat vreemd bol om haar hoofd zit, dat languit boven op de kranten op de vloer ligt. Het duurt minstens een minuut voordat Thomas beseft dat het Renée is.

'Hebben jullie wat te roken?' zegt ze tegen Nina en Maggi, maar met haar blik op Thomas gericht. 'Ik heb me godsamme toch een trek.'

'Bek dicht, papkind', zegt Nina. 'Doe niet zo stoer.'

'Sodemieter op.' Renée trekt aan haar haar, maar dat is zo kort dat de lok waar ze aan rukt niet tot haar mond reikt, hoe ze ook haar best doet hem uit te rekken. Daarom begint ze maar aan de radio te prutsen en zet het geluid zo hard mogelijk.

'Huhhuh', zegt Thomas. Zijn stem verdrinkt in de herrie van de radio. Hij gaat naar buiten.

Er ligt een vreemde boot afgemeerd aan de gemeenschappelijke ponton van de Johanssons en Gabbe en Rosa. Een gewone vissersboot met een overdekte kajuit op het voorschip. Een tuftufmotor die je met een slinger op gang moet brengen. In de boot is Pusu Johansson bezig met pogingen om de motor aan de praat te krijgen. Zijn blik valt op Thomas.

'Ha, die Thomas. Wat vind je van deze engel?'

'Selma heet ze.' Thomas leest het houten plakkaat dat tussen de openingen van de kajuit gespijkerd zit. 'Is die boot van jou?'

'Ik heb hem van de neven geleend. Zodra het een beetje zomerweer wordt gaan we er een lange reis mee maken.'

Johan Wikblad heeft zijn huis op een gele plaat triplex gelijmd. Hij heeft namelijk een maquette gemaakt, hij heeft delen uitgesneden uit balsahout en ze volgens zijn eigen ontwerp samengevoegd met ezellijm; het geval is lichtbruin en ziet er nogal broos uit, maar als je het aanraakt, als je bijvoorbeeld het geheel symmetrische vierkante dak eraf licht, voel je dat het toch eigenlijk heel solide is. Johan Wikblad prutst aan de deurtjes die nog kunnen bewegen ook. 'Hier ga je naar binnen,' demonstreert hij, 'en hier ga je naar buiten. Hier is de keuken, met uitbouwmogelijkheid voor een sauna, als ik later rijk ben.'

'Het wordt een geel huis', zegt Johan Wikblad.

'Een geel huis met witte posten en een groen dak. En naast het huis ga ik een garage bouwen. Een garage is handig voor als ik een auto krijg.'

Johan Wikblad wijst op een lege plek op de plaat triplex.

'Wanneer begin je met bouwen?' vraagt Thomas.

'Zo snel mogelijk. Ik ga nu naar een aannemer voor een offerte. Daarna koop ik het rode huisje. Dat sloop ik. En dan ga ik bouwen.'

Thomas kijkt tersluiks naar Ann-Christine. Die kijkt met grote kalme ogen naar het huis op de plaat triplex. Ze zegt niet wat ze de hele zomer steeds heeft gezegd. Maar ook niet iets anders.

Het wordt avond. Johan Wikblad maakt een omelet klaar. Thomas en Ann-Christine en Johan Wikblad eten. Na het eten pakt Johan Wikblad het spel kaarten en ze gaan zitten pesten. Ann-Christine verliest en Thomas wint een paar keer achter elkaar. Daarna leert Johan Wikblad Thomas de principes van de rekenliniaal en Ann-Christine zet de visserstrui in elkaar die ze heeft afgebreid, en kijkt of hij Johan Wikblad past. Hij past. Het wordt halfacht, acht uur, Thomas leest in Johan Wikblads atlas en ze gaan met zijn drieën een avondwandeling maken. Ann-Christine en Johan Wikblad hand in hand op de bosweg, Thomas slentert er wat achteraan, blijft steeds verder achter totdat hij ongemerkt een andere richting inslaat, naar het Ruti-bos. Daar is het stil en leeg.

Maj Johansson loopt door het strandlaantje met een paddestoelenmand. Zij ziet Thomas niet. Maar dat komt misschien doordat Thomas zich tegen de grond drukt en zorgt dat Maj Johansson hem niet opmerkt als ze hem passeert.

Na het reisje naar Zweden laten Gabbe en Rosa zich een paar dagen niet zien. Ook Renée is verdwenen. Ze zeggen dat ze aan een regatta van een andere zeilvereniging meedoet en dat ze daar intern is. Maar je weet maar nooit. Goofi staat al die tijd ondersteboven op het trailertje op het gazon van Maj Johansson, uit de bomen waait rommel op het bootje neer. Groene boemerangvormige zaadhuisjes van Maj Johanssons esdoorn. Maj Johansson vertelt Erkki en Thomas dat ze in haar jeugd de uiteinden van de boemerangetjes natmaakten met spuug en er dan het Grote Groene Neuzenspel mee speelden. Erkki's neus valt er bijna meteen weer af, die van Thomas blijft maar een paar minuten zitten. Hij voelt zich een belachelijke sukkel. Eén moment, alsof er een radargolf over hem heen glijdt, voelt hij ogen op zijn huid, een blik over hem heen gaan. Bliksemsnel draait hij zich om, kijkt in de richting van het riet. Niemand. Zijn neus valt af, het gevoel ebt weg.

Nina daarentegen is er wel, zoals gewoonlijk. Zij en Maggi hebben min of meer hun intrek genomen in de sauna van de Johanssons. Ze hebben er nog een derde bij ook, niet Renée meer, maar een jongen. Een van de jongens die ze met midzomer in het bosje bij de brandweerkazerne hebben ontmoet. Hij heet Jake, en van wie hij is, van Nina of van Maggi, is op dat tijdstip nog niet beslist. Hij heeft nog geen besluit genomen en Nina en Maggi doen hun best om zijn beslissing te bespoedigen. Overigens is die Jake een type waarvan de volwassenen niet goed hoogte kunnen krijgen. Een stoere jongen is het niet, ook geen James Bond, of een 'Arie Bombarie' zoals Maj Johansson zei toen Gabbe boven op de berg van de Engelen in zijn James Bondstoel zat, met zijn kijker of met alleen maar een drankje in zijn hand, en om zich heen keek en alsmaar dingen riep, het zomerparadijs in. 'Wie denkt-ie wel dat-ie is, die Arie Bombarie?' had Maj Johansson gevraagd, maar antwoord had ze niet gekregen, want Erkki en Thomas wisten geen van beiden wat een Arie Bombarie was.

Jake laat zijn handen om elkaar heen draaien als de pootjes van een zwemmend katje. Zijn haar is nogal lang. Hoewel zijn familie zo ongeveer naast de neven van de Johanssons woont, doet hij net alsof hij Maj Johansson niet kent, hij groet haar tenminste niet als ze elkaar bijvoorbeeld op de bosweg tegenkomen. Dus als Jake niet zou zijn wat hij ondanks alles toch is, 'een jongen van hier en geen vreemde snoeshaan met stadsmanieren', dan zou Maj Johansson een tomeloze hekel aan hem hebben en maatregelen nemen om een eind te maken aan dat gehok in de sauna. Nu beperkt ze zich tot heen en weer hollen tussen haar huis en de sauna en roepen dat de muziek zachter moet.

Thomas raakt tot zijn eigen verbazing in een bijzonder goed humeur als hij Maj Johansson tussen het huis en de sauna heen en weer ziet hollen en haar hoort roepen dat de muziek zachter moet. Het heeft iets vertrouwds, iets bekends. Het is bosbessentijd, Thomas pakt het bosbessenkannetje, gaat het bos in en plukt bijna een liter bessen die hij bij Maj Johansson brengt, omdat ze het bij de Johanssons niet breed hebben maar wel met veel monden aan de dis zijn en hijzelf immers allergisch is gebleken voor bosbessen.

'Hier.'

'Nee maar, Thomas.'

Maj Johansson bloost tot over haar oren, weet niet wat ze moet zeggen, staat daar maar bij het aanrecht in de keuken van de Johanssons met het kannetje in haar hand, en zegt: 'Nee maar, Thomas.' Al met al een nogal pijnlijke situatie want Thomas is plotseling net zo verlegen als zij, hij rent naar het Ruti-bos en pas als hij een poosje in zijn eentje heeft lopen nadenken, voelt hij zich weer gewoon. Maar als de Johanssons aan hun avondmaal zitten en Thomas in de tuin op Erkki wacht, gaat tegen toetjestijd de deur open. Thomas mag binnenkomen en op een krukje aan het uiteinde van de eettafel van de Johanssons gaan zitten terwijl Maj Johansson een bordje voor hem neerzet, een stuk bosbessentaart afsnijdt en hem dat op een zilveren taartschep aanbiedt.

'Nee dank je, ik ben allergisch.' Thomas heeft die informatie niet met opzet achtergehouden, maar er is gewoon niet eerder een gelegenheid geweest om het te zeggen. Thomas en Maj Johansson voelen zich allebei weer zo opgelaten dat Thomas niet kan blijven zitten, maar naar buiten moet.

'Wat ben je toch weer charmant', plaagt Ann-Christine in het rode huisje. 'Echt een schátje.'

'Hou je mond.' Thomas kijkt tersluiks in Johan Wikblads richting. Johan Wikblad heeft niets gehoord. Hij haalt het kaartspel, schudt de kaarten en deelt ze uit om een potje te gaan pesten. Hij vraagt Thomas waar zijn vader is. In Lapland, zegt Thomas.

Bella slaapt bijna twee dagen. Als ze voor het eerst goed wakker wordt is het al middag, ze trekt vlug gele kleren aan en loopt net als anders beneden rond, terwijl Thomas in zijn kamer met een bouwpakket bezig is. Ze rookt en ruimt hier en daar iets op, wast wat af, verschuift iets in de kasten, pakt haar naaidoos om kousen te gaan stoppen, doet het licht in de grote kamer aan en uit alsof ze maar niet kan besluiten of het licht nu aan moet of uit. Het is trouwens behoorlijk donker en bewolkt, ook midden op de dag. Maar ze maakt niets af en uiteindelijk gaat ze met haar tijdschriften in de leeshoek zitten. Ze bladert en neuriet. Het is bepaald geen jazzmelodie die ze neuriet, merkt Thomas. Het is een van die deuntjes die tijdens het reisje naar Zweden op de autoradio te horen waren. Snel, bijna driftig slaat ze de bladzijden om, op een manier waaruit Thomas concludeert dat het bladeren maar een tijdelijke bezigheid is in afwachting van iets anders. Onder het lezen werpt ze af en toe een blik door het raam naar buiten. Verstolen, maar geleidelijk aan steeds minder verstolen.

Bella zit in de leeshoek met haar tijdschriften, Thomas bouwt in zijn kamer aan een bouwpakket. Tijd verstrijkt, één dag, twee dagen, bijna drie. Ze vervelen zich niet met elkaar, aanvankelijk niet, ze praten de hele tijd. Ze praten over van alles en nog wat. Over de weersomstandigheden in het zomerparadijs. Over hoe het in één klap bijna herfst werd en dat je alleen bij de gedachte aan zwemmen al begint te rillen. Over het reisje naar Zweden en over wat er tijdens dat reisje is gebeurd praten ze niet zoveel. Dat is niet nodig, natuurlijk niet, daar waren ze immers allebei bij.

Thomas vertelt over de zomer en over alles wat er buiten gebeurt. Niet over de boemerangneuzen of over de bosbessen of over Maj Johansson en dergelijke, maar wel dat Huotari's vakantie afgelopen is en dat hij weer naar de stad is vertrokken en dat Thomas en Erkki hebben geholpen zijn spullen naar de grote weg te brengen, waar de bussen langskomen. Er heeft een ansichtkaart uit Lapland in de brievenbus gelegen, geadresseerd aan Thomas persoonlijk. In zijn verhalen tegen Bella noemt hij de kaart niet, maar die ligt wel open en bloot op de keukentafel. Hij heeft hem daar zelf laten liggen, met het voornemen hem later te lezen, als hij tijd heeft. Hij vertelt van het vriendje van Maggi en Nina en dat Ann-Christines visserstrui Johan Wikblad goed paste.

Bella zegt 'ja' en werpt blikken door het raam naar buiten. Geleidelijk aan doet ze dat helemaal niet meer zo heimelijk, en geleidelijk aan werpt ze ook geen blikken meer maar blijven haar ogen gewoon onafgebroken op het raam gericht. De derde dag maakt ze zich van haar plekje los. Ze legt het tijdschrift dat ze in handen heeft neer en begint te lopen. Ze loopt en loopt, gaat met grote passen door het huis, van de grote kamer naar de kamer van Thomas, door het trapportaal naar de keuken of de grote kamer weer in. Ze neuriet niet langer, pakt geen voorwerpen meer op, nee, het is niet langer nodig om net te doen of er niets aan de hand is. Waar zijn ze? Waarom laten ze zich niet zien? Zijn ze weg, en waar zijn ze dan naartoe?

Maar nee, dat weten ze toch, ze zijn niet weg. Ze zijn gewoon in hun huis op de berg. 's Avonds brandt er licht achter alle ramen, maar de gordijnen hebben ze dichtgetrokken.

Op een middag blijft Bella plotseling midden in Thomas' kamer staan en vraagt ronduit wat niemand durft te zeggen: 'Waarom komen ze niet?'

'Ze zijn er wel. Wat doen ze?' Haar stem heeft een nogal akelige, haast verwezen klank. Een klank die Thomas nog niet eerder heeft gehoord. Maar het verbaast hem niet. Dat niet, nee. Hij voelt dat hij antwoord moet geven, dat Bella juist van hem een antwoord verwacht, en dat hij nu eindelijk eens een keer moet zeggen hoe het zit, dat hij werkelijk zijn best moet doen om zich exact uit te drukken.

'Ik weet het niet', zegt Thomas. 'Ik heb geen idee.'

Bella zwijgt een poosje. Dan zegt ze, alsof het over het weer gaat of over de temperatuur buiten: 'Het was toch leuk in Zweden.' Maar Thomas hoort toch het vraagteken erachter.

En hij voelt dat hij ook hierop antwoord moet geven.

'Jawel.' Het was leuk in Zweden. Plotseling weet hij dat hij het meent.

Bella gaat recht tegenover Thomas aan tafel zitten.

'Is Kajus weg?'

'Hmm.'

'Waarnaartoe? Naar Lapland?' Maar het is duidelijk dat ze het antwoord weet.

'Hmm', zegt Thomas.

‘Zo.’ Ze staat weer op, doet haar badjas uit en gooit hem neer. Hij belandt op Thomas’ bed.

‘Ik ga naar het atelier, even rusten. Daarna moeten we eens praten.’

Ze wandelt in onderbroek en bh de grote kamer door naar het trapportaal. Doet de deur achter zich dicht.

Thomas zit nog steeds aan zijn tafel. Hij bouwt.

Maar steeds vaker bevindt hij zich in de buurt van het huis van de Engelen, merkt hij. Hij staat aan de voet van de berg, op het grind van de parkeerplaats, in de schemering. Bij Gabbes auto. Die staat een beetje scheef geparkeerd. Nog net zoals Gabbe hem heeft neergezet op de dag dat ze uit Zweden kwamen, toen ze allemaal zo moe waren en zo vol zaten dat ze niet eens meer zin hadden om de garage binnen te rijden.

Er brandt licht achter de ramen. De gordijnen zijn dicht. Verder is het stil en leeg. Wat doen ze nu?

Er wordt heel wat afgekletst. Midden in de nacht, of op een ander ongelooflijk tijdstip waarop alleen Maj Johansson in de buurt kan zijn geweest, is er iemand in de James Bondstoel gesignaleerd. Ook heeft iemand Rosa gezien, Rosa Engel puntje puntje puntje, zwaaiend op haar benen als een dennenboom in het overigens ongebroken bos achter haar rug naast het huis, en het volgende ogenblik naar beneden tuimelend, de berg af. Midden op de dag, voor iedereen zichtbaar.

Maar niet iedereen heeft het gezien. Alleen iemand die toevallig in de buurt was.

Rosa Engel, een gevallen Engel. Letterlijk dus, gniffel gniffel.

‘Alles wat de mensen beweren dat ze gezien hebben, Bella’, zal Rosa zelf tegen Bella zeggen, in het witte huis, de volgende dag al. ‘Alle roddelpraatjes. *Well*, wat zal ik ervan zeggen? Het klopt allemaal. Ik zal niets ontkennen. Het is allemaal waar. En erger nog. God Bella, je moest eens weten wat er allemaal wel niet waar is. Ik ben gevallen, ja. Het was daar ergens een beetje glad. Ik gleed uit. Ik dacht dat ik te pletter zou slaan. Maar dat gebeurde natuurlijk niet. Het bewijs: hier ben ik.'

'Het voordeel van zo'n valpartij waarvan je bont en blauw ziet is dat je, als het tenminste meezit, een beetje beneveld raakt van de klap. En dan kun je daarna des te helderder denken.'

Dat ze bont en blauw ziet is natuurlijk enigszins overdreven. Ze heeft een paar schaafwondjes op haar gezicht. Die zijn alleen van heel dichtbij zichtbaar.

'Ik heb helder gedacht, Bella. Ik blijf hier.'

'En deze ene keer meen ik nu eens echt wat ik zeg.'

'Ik ben hiernaartoe gekomen om te blijven. Dat wil zeggen, alleen als jij het wilt natuurlijk.'

Maar dit is allemaal pas morgen, en niemand weet het nog.

Thomas staat bij het huis van de Engelen, in het donker. Achter de ramen brandt licht, de gordijnen hangen roerloos. Niemand die ze ook maar even in beweging brengt. En hij denkt, over engelen, het volgende:

Dat engelen beweeglijk zijn, rusteloos trekken ze rond. Sommige engelen wonen wel ergens, hebben zelfs echte huizen en een zomerhuis waar ze gordijnen met grote ballen erop voor de ramen hangen. En dichttrekken.

Over engelen wordt van alles en nog wat beweerd. Dat ze goed nieuws brengen, met beloften en vermoedens, een zweem van iets anders. Dat ze opduiken. Wanneer je ze het minst verwacht. Dan ben je blij, want als je ze ziet dan begrijp je pas goed hoe node je ze de hele tijd hebt gemist.

Engelen wonen in echte huizen met schoorstenen waar rook uit komt, met ramen waarachter gordijnen met een motiefje hangen. 's Avonds brandt er licht achter de gordijnen, zodat je weet dat ze thuis zijn.

Maar ze komen hun huis niet uit. Behalve wanneer ze er zelf een aanleiding toe zien.

Verder laten ze je met rust.

Met rust.

Idióót, idióót, schalt het door het bos. Waar je niet naartoe gaat. je hebt er geen zin in.

Je haalt je duikbril en doet je zwembroek aan, je kleedt je om, steekt de snorkel in je mond en waadt het water in. Het is koud, hooguit twintig graden. Je duikt onder en verdwijnt in de stille wereld. Daar word je Didi. Die-idi. Die-idioot. Je komt weer aan de oppervlakte. Je hebt het koud.

'Hallo Didi!' Erkki Johansson galoppeert in cowboytenue over het heuveltje bij het strand. Hij trekt zijn pistooltje uit de holster, schiet in de lucht. Klikklak, klinkt het.

'Denderdedenderdedenderdedenderdedèènder', roept Erkki Johansson.

'Dat is van Bonanza, Thomas. Ik ben Little Joe.'

'Erkki! Hoe vaak moet ik je nog zeggen dat je niet mag gaan zwemmen als er geen volwassene bij is!' Nog even en Maj Johansson staat op het minieme heuveltje bij het strandje van de Johanssons, met haar tirades. Terwijl Erkki nota bene al zijn kleren aanheeft.

'Cowboys zwemmen niet', zegt Erkki Johansson mokkend, heel zacht zodat alleen Thomas hem hoort. 'Ik ben echt Little Joe, hoor.'

'Erkki Johansson, je moet komen! Nu meteen! We gaan eten!'

En Thomas blijft achter op het strand, rillend in zijn handdoek.

Wat is er gebeurd met de zucht naar wetenschappelijke ontdekkingen? Wat is er gebeurd met de observaties van het leven op de bodem van de zee? Als je in de stille wereld duikt, zie je modder en wier. Je kinderlijke nieuwsgierigheid, ook in de meest objectieve wetenschappen een voorwaarde voor succes, die maakt dat je plotseling verbanden ziet, ook daar waar ze niet met het blote oog zichtbaar zijn, waar is die gebleven? De sprong in de fantasie? De momenten waarop de werkelijkheid zich voor je opent? Zich even als een glimp laat zien, als vinnen in het water, daar waar de open zee begint? De plotselinge zekerheid dat de werkelijkheid groter is dan de werkelijkheid? Zo worden de grootste ontdekkingen gedaan, dat weet je toch?

Hij probeert het wel. Hij doet werkelijk moeite. Maar het is niet genoeg. Er is ook nog iets anders nodig.

Je moet er zin in hebben.

ZIN. Iemand trekt besabbelde haren tussen tanden door.

Ja. Daar is ze weer. Hij komt niet van haar af.

Thomas staat bij het huis van de Engelen. Hij schopt tegen steentjes die in het donker wegschieten. Met doffe tikjes slaan de steentjes tegen het blik van Gabbes rode PLYMOUTH. Dat moeten ze horen. Maar er komt niemand naar buiten om te kijken wat het is.

Maar alles heeft een natuurlijke verklaring. Thomas weet weliswaar niet wat er zich achter de gesloten gordijnen afspeelt. Maar binnenkort komt hij daar wel achter, morgen al trouwens. Rosa maakt zich klaar om weg te gaan, ze is van plan al het oude achter zich te laten en een nieuw leven te beginnen. Ze is uitgespeeld.

Gabbe heeft buikgriep. Maar hij is alweer aan de beterende hand. Morgen is hij ook hersteld.

'Ik heb vast iets verkeerds gegeten', heeft Gabbe de dag dat ze uit Zweden kwamen gezegd. Al dadelijk was hij misselijk geworden.

'Wat dan?' heeft Rosa met een glimlachje gevraagd. 'Je hebt zoveel naar binnen gewerkt.'

Zelf heeft ze whisky genomen om zich tegen de buikgriep te wapenen. Het heeft drie dagen lang geholpen. Ze is inderdaad niet aangestoken.

Maar Gabbes buikgriep, de whisky, haar eigen glimlachje. Dat alles heeft opeens de kalme verstandhouding onmogelijk gemaakt die er na het uitstapje tussen haar en Gabbe zou hebben kunnen bestaan, zoals soms na andere uitstapjes. Want wat Thomas in de auto zag, het laatste stuk, toen Rosa wakker werd en meedeed met het rallyrijden op de autoweg, dat was heus wel waar. Dat was wel degelijk een verstandhouding.

Maar dat met Bella, dat was ook waar.

En plotseling hebben Gabbes vermoeidheid, zijn volgevretenheid, zijn misselijkheid, Rosa afkeer ingeboezemd. Ze moet kiezen.

Hoe vaak houdt ze zichzelf niet voor dat ze met het spelletje moet ophouden? Meermalen, deze dagen. In de James Bond-stoel, Gabbes stoel, op het hoogste punt van de berg, op onmogelijke tijdstippen van de dag. En ten slotte is ze uitgegleden en gevallen en heeft ze zich bezeerd, en de klap heeft gemaakt dat ze helder kon denken en een besluit heeft kunnen nemen.

Op de morgen van de vijfde dag staat ze op en trekt de gordijnen opzij. Ze doet pleisters op haar wonden, smeert haar lichaam in met zonnebrandolie, trekt het dekbed van het bed en gaat weg.

De volgende ochtend al is Renée op het strand. Ze draagt zeilspullen naar Gabbes motorboot. Goofi is dwars op de reling gelegd, klaar voor vertrek. Thomas gaat naar haar toe.

'Heb je hulp nodig?'

'Alles is klaar.' Ze schenkt hem een vluchtige blik onder haar pony door. Haar haar zit lelijk. Ze ziet er totaal anders uit. Kinderlijker, op een bepaalde manier.

'Wat heb je met je haar gedaan?'

'Van de trap gevallen.'

'Eerst zat het beter.'

'Nou en. Nu zit het zo. Help eens even.'

Samen brengen ze vlonders, midzwaard en roer Gabbes boot op. Daar verschijnt Gabbe zelf, bij het huis van de Johanssons. Hij komt aanlopen over het heuveltje bij het strandje van Maj Johansson, in zeilkleding. Op de steiger loopt hij langs Thomas, haalt zijn hand door diens haren. Ze gaan naar het zeilpaviljoen. Wil hij soms mee? Thomas schudt van nee. Gabbe haalt de motor met de motorsleutel van het slot en trekt hem aan. Ze moeten choken, want de motor is lang niet gebruikt. Maar verder is alles net als anders. Renée maakt het meertouw los van de paal en springt aan boord. Gabbe meerdert snelheid, ze varen weg. Vlak voordat ze bij de doorgang naar zee komen, minderen ze even wat vaart en trekken zwarte oliepakken aan. Het waait hard, daarginds op de open zee zullen vast hoge golven zijn.

Thomas en Bella zitten aan het ontbijt. Ze eten 's morgens eeuwig en altijd hetzelfde. Ze zitten aan dezelfde kant van de tafel net als alle andere morgens, hun gezichten naar de deur gewend. Bella roert Minimeal-poeder door haar fil. Ze moet afslanken, verklaart ze. Ze wordt dik. Thomas schudt het hoofd. Hij weet nauwelijks wat het woord betekent. In zijn ogen is Bella's lichaam gewoon goed zoals het is, altijd.

'Nu zie je het nog niet', zegt Bella. 'Maar later wel. Je dijt steeds meer uit. Op het laatst ontplof je. Whoemmm, Thomas.' Bella doet een ontploffing na.

Thomas eet knäckebröd. Ze zitten midden in de hondsdagen en de melk in de filschaaltjes wil niet dik worden. Er komt alleen maar een taaiig laagje bovenop, terwijl wat daaronder ligt vloeibaar blijft en niet te eten is. Hij bestudeert Kajus' ansicht die op tafel ligt. 'Muggen en middernachtzon! Een geweldige belevenis. Dit moeten we ook eens een keer samen doen.' Het plaatje aan de voorkant stelt een Lap voor die bij een Lappenhut staat. Op de achtergrond de toendra. De sneeuw ligt dik op de toendra, de foto moet in de winter genomen zijn.

Er valt zonlicht over de keukentafel, voor het eerst in dagen. Voetstappen buiten, de keukendeur gaat open. Daar staat ze weer in de deuropening, Rosa, in haar zonnepakje en met strandsandalen aan haar voeten. Rosa, de koeltas aan haar schouder hangend, haar huid glanzend van zonnebrandolie.

Verder sleept ze een dekbed met zich mee. Een enorm groot dekbed.

'Zulke grote dekbedden heb je alleen maar in Amerika', zegt ze en ze stapt de donkerblauwe keukenvloer op. 'Dit is mijn Amerikaanse dekbed. Dat neem ik 's zomers altijd mee uit de stad. Ik ben nogal kouwelijk.'

Ze laat het dekbed vallen, het blijft op een hoop bij haar voeten liggen.

'En nu blijf ik.'

'Ik ben gekomen om te blijven.'

'Dat wil zeggen, Bella. Alleen als jij het wilt, natuurlijk.' Thomas en Bella staren haar aan.

Rosa komt dichterbij. Ze heeft een pleister op haar voorhoofd, een blauwe zwelling op haar arm. Maar ze is niet dronken of zoiets, ze is heel gewoon.

'Het is allemaal een beetje provisorisch natuurlijk. Ik ga binnenkort op reis. En Bella, nu is mijn vraag deze. Ga je mee?'

'En Thomas. Ga jij mee?'

Thomas slaat zijn ogen neer. Hij is plotseling verlegen.

Het ruitjespatroon van het knäckebröd zigzagt onder Thomas' blik, een kaart uit Lapland wordt kreukelig en slap in zijn vuist. Want ja.

Hij wil wel. Hij gaat mee. Maar waarheen dan wel? Daar heeft hij nog geen flauw idee van. Nu, dat is niet belangrijk. Als de juiste instelling, de juiste stemming er maar is. Daar komt het om te beginnen op aan.

JA.

Weg zijn de dagen zonder de Engelen, de dagen vol van gepieker, vol van Lapland.

En Bella? Thomas kijkt tersluiks naar Bella. Ze lijkt een beetje in verwarring gebracht.

Maar dan lacht ze, een lach waarin al het heen-en-weergeloop door het witte huis, al het getuur uit het raam, al het slapen, het slapen-slapen-slapen, tot ontlading lijken te komen.

'Jezus, Rosa', zegt Bella met een opgeluchte schaterlach. 'We zijn net terug uit Umeå.'

'Zweden!' Ook Rosa schiet in de lach. 'Wat is Zweden vergeleken met waar ik aan denk?'

'Ga zitten, Rosa', zegt Bella dan. 'Vertel eens waar jij aan denkt.'

Rosa verhuist naar het witte huis. Zij slaapt in de slaapkamer, Bella boven in het atelier, zoals ze deze hele zomer heeft gedaan. De maaltijden gebruiken ze gezamenlijk in de keuken van het witte huis. Rosa, Bella, Thomas en Nina, en Renée als die opduikt. Als de zon schijnt zitten ze op het strand of buiten in de tuin, Thomas bouwt op zijn kamer aan zijn bouwpakketten, Thomas beweegt zich door het zomerparadijs, doet verschillende dingen, speelt, neemt waar.

Daar blijft het voorlopig bij. Wat aanvankelijk nieuw en vreemd is wordt al gauw minder raar, wordt gewoon. Na een tijdje heeft Thomas het gevoel dat het altijd al zo is geweest. Dat Rosa altijd bij hen in het witte huis heeft gewoond, de maaltijden samen met hen heeft gebruikt. Ook toen Kajus daar woonde. Voor Thomas heeft het niets controversieels, maar dat krijgt het wel zodra hij ook maar een stap buiten hun eigen perceelgrens in het zomerparadijs zet.

Hij heeft het naar zijn zin. Naderhand zou hij, als hij aan deze periode terug zou denken wat hij echter niet zal doen, zuiver objectief kunnen zeggen dat de tijd met Rosa in het witte huis een goede tijd was.

Maar zodra hij bij de Johanssons komt, staat Maj Johansson klaar met haar waarheden. Puntje puntje puntje. Wie naar Maj Johansson luistert, zou haast gaan geloven dat hij iets ongehoords meemaakt. Iets wat 'sinds mensenheugenis' nog niet vertoond is, de term die Maj Johanssons gebruikt als ze op de geschiedenis van het zomerparadijs doelt. Iets waarover nog jaren zal worden nagepraat.

Nee, dat is beslist niet waar. Hoe het was toen Bella en Rosa samen in het witte huis woonden en plannen maakten voor een leven samen, dat zal algauw vergeten zijn. Het jaar daarop is het al vergeten. En weer een paar jaar later zul je kunnen denken dat je het je verbeeld hebt.

Maj Johansson kijkt naar Thomas en vraagt of hij honger heeft. Thomas kan zijn oren niet geloven. Wil Thomas een bordje warm eten mee-eten aan tafel bij de familie Johansson?

Werkelijk, Thomas schudt zijn hoofd.

Ook Gabbe doet dat. Als Maj Johansson uit mededogen ook hem aan haar tafel noodt. Hij zegt dat hij heerlijk eten krijgt in de wegrestaurants bij de benzinestations in de buurt. Frites, hamburgers, biefstuk. En ander ongezond eten, zegt Gabbe en likt zijn lippen erbij af. Eigenlijk zou je een horecavergunning moeten hebben, bedenkt hij dan, en hij begint op het gazon van de Johanssons een heel verhaal over horecaketens af te steken tegen Maj Johansson, terwijl het eten van de familie Johansson binnen op tafel koud staat te worden. Daar ligt een grote markt. Het zou zeker een goede business zijn.

Als Gabbe zichzelf over zaken hoort praten is hij bijna weer in een voortreffelijk humeur. Je zou haast verwachten dat hij het volgende moment weer over James Bond begint en zoekend om zich heen kijkt naar de lekkere wijven die nu allemaal verdwenen zijn. Gabbe kijkt om zich heen. Hij fronst zijn voorhoofd. Haalt zijn schouders op. Stapt in zijn auto en rijdt weg.

'Hij heeft een heel kruis te dragen', zegt Maj Johansson. 'Maar zij ook.'

Gabbe is uit zijn doen, in de war. Hij weet niet goed wat hij ermee aan moet. De eerste dagen gaat hij behoorlijk tekeer. Hij staat op het hoogste punt van zijn berg en zegt zo'n beetje hetzelfde als Maj Johansson, dat het toch wel vreemd is, dat volwassen mensen... Dan stokt hij. Hij weet absoluut niet hoe hij erop moet reageren.

Op een keer komt Gabbe naar beneden terwijl de Strandvrouwen op het strand van het witte huis zitten. Op het gazonnetje van Maj Johansson begint hij planken aan elkaar te spijkeren. Hij spijkert en spijkert, met hartverscheurende overgave.

De Strandvrouwen nemen geen notitie van hem. Renée helpt hem met spijkeren. Er komt niets van terecht. De lucht betrekt. De Strandvrouwen pakken hun spullen en gaan weg. Gabbe houdt op met spijkeren. Het lijkt een viskar te worden waar hij mee bezig is. Maar het ding komt nooit af.

Na een tijdje rijdt hij alleen nog maar auto. Hij suist over de bosweg, over de autoweg, met honderd kilometer per uur.

In Australië is mejuffrouw Eleonora Plum uitgeroepen tot Luchtkoningin. Ze is stewardess bij de SAS en heeft een mooie beker, een mooie garderobe, mooie make-upspullen en een mooie rondreis van drie weken gewonnen. Thomas neemt de krant mee naar Gabbe om hem op te vrolijken. En dat meisje op de foto lijkt erg op dat andere meisje, Viviann.

Misschien knapt Gabbe daar wel van op, denkt hij. Ach welnee. Hij gaat helemaal niet naar Gabbe toe. Maar hij denkt aan Gabbe als hij naar de foto kijkt en het lijkt hem een verhaal dat bij Gabbe wel in de smaak zou vallen.

Meer foto's: op een keer liggen er foto's op de tafel in de leeshoek. Kiekjes, kiekjes uit het zomerparadijs, uit verschillende periodes. Wanordelijk door elkaar, alsof ze erop wachten op een nieuwe volgorde te worden gelegd. Kiekjes die Rosa met haar instamatic heeft genomen toen ze iemand was die rondliep om herinneringen te verzamelen. Maar ook latere foto's, foto's van het reisje naar Zweden, dat soort dingen.

De hele doos met foto's waarin Rosa de kiekjes van het zomerparadijs, die ze uiteindelijk in geen enkel album heeft geplakt, bewaart. Grappige tekstjes erbij, krantenknipsels en dergelijke, die ze had willen overschrijven of als inspiratiebron gebruiken bij het samenstellen van eigen teksten bij de foto's.

De kosmonauten Bykovskij en Valentina Teresjkova, Valja de Ruimtevrouw, tijdens een tweelingvlucht rond de aarde cirkelend.

'De twee kosmonauten babbelden vrolijk met elkaar en met

goede vrienden tijdens de vlucht van maandag. Valja's beeltenis werd dikwijls op de Russische tv-schermen vertoond, en ze gaf blijk van een goed humeur, al waren er wel donkere kringen onder haar ogen te onderscheiden. Meermalen viel er een helder gezongen duet door de telefoonhoorns te beluisteren, en Valja deed zelfs onopzettelijk even een dutje, wat echter ongerustheid wekte op de begane grond, waar men meende dat de verbinding verbroken was.'

Op de foto die bij deze tekst hoort zitten ze allebei met hun ogen dicht, hij en Renée. Het flitslicht heeft hen verrast. Thomas weet het nog, hij moet een beetje lachen.

Verse kiekjes, onder andere Gezellig Uit Varen met het Gezin. Die liggen daar zomaar open en bloot.

Bella en Rosa hebben de foto's bekeken. Ze hebben er genoeg van gekregen. Ze hebben ze op de tafel achtergelaten, gewoon laten liggen. Alsof ze er geen belangstelling meer voor hadden, niet wisten wat ze ermee moesten.

'Foto's doen me niets, Bella', zegt Rosa. 'Ik wil mijn eigen leven ontwikkelen.'

Thomas pakt Gezellig Uit Varen met het Gezin op. Die foto wil hij hebben. Die gaat op een bepaalde manier niemand iets aan. Hij denkt er niet meer over na wie de foto heeft genomen. Daar staan Bella en hij op de foto, denkt hij, ze zijn op weg. Een souvenir. Van toen ze op weg waren.

Rosa en Bella maken plannen voor een ander leven. Rosa praat, het is vooral Rosa die praat en Thomas die luistert. Hij luistert echt en het klinkt lang niet gek. Het is heel goed denkbaar dat ze in een huis met een tuin zullen gaan wonen, Rosa en Bella en Nina en Renée en Thomas.

Eerst luistert Bella ook, ze zegt niet veel maar kijkt wel belangstellend. Een beetje als Ann-Christine, zoals die naar Johan

Wikblads huisje van balsahout keek toen dat eenmaal op het stuk triplex vastgezet was.

Rosa gaat weer studeren en Bella gaat een baan zoeken. 'We moeten ons eigen leven scheppen, Bella. Gewoon helemaal *from scratch* beginnen.'

'Hmm', zegt Bella.

Thomas knikt. Hij begrijpt precies wat Rosa bedoelt.

En als Rosa Gabbe over de bosweg in zijn auto voorbij ziet komen, dan zegt ze: 'Weet je, Bella, soms denk ik dat een gezinsleven onder deze omstandigheden alleen maar mogelijk is als we met zijn allen in die ChittyChittyBangBang-auto gaan zitten, het hele gezin in zo'n auto met vleugels, dwars door de wolken op weg naar nieuwe avonturen. Maar er zijn minstens twee dingen fout aan dat verhaal, Bella. Ten eerste is het niet waar. Auto's kunnen niet vliegen. Ten tweede is het een sprookje. Waar je zelf als een sprookjesfiguur in mee moet spelen.'

'Ja.' Bella kijkt uit het raam. Soms, vindt Thomas na verloop van tijd, kijkt ze de auto wel erg lang na. Zelfs nog als hij allang uit het zicht verdwenen is, in de richting van de grote weg.

'En dan die stewardessen van Gabbe. Mijn rol is die van de stoïcijnse grondstewardess. Zij die ziende blind is. Je kent dat wel. Het is mij allemaal te pathetisch. En ik wil het gewoon niet. Ik wil niet.'

'Ik wil zo niet leven.'

'Ik ga eraan kapot als ik zo moet leven.'

'Een mens heeft visioenen nodig, Bella. Om te kunnen leven.'

'We moeten ons eigen brood verdienen, ons lot in eigen hand nemen.'

Als Bella een tijdje heeft geluisterd begint ze weer in de tijdschriften te bladeren. Ze rookt sigaretten, zegt 'hmm' op alles wat Rosa zegt, op zo'n manier dat Thomas eruit opmaakt dat ze niet zo goed luistert. Opeens krijgt Thomas zin om een boekje open te doen over bepaalde dingen die ze tegen Rosa heeft gezegd maar die niet kloppen, die louter gelogen of overdreven zijn, bijvoorbeeld het feit dat Bella helemaal niet met haar baan in de drogisterij is opgehouden en een paar dagen aan de zwier is geweest omdat ze de kas had verduisterd, maar omdat ze nooit precies wist hoe laat het was, wat een ongunstige invloed had op de zaken.

Maar hij doet het niet.

Hij vindt de hele tijd precies hetzelfde als Rosa.

'Je hebt visioenen nodig, Bella, utopieën.'

Natuurlijk klinkt het dom, naïef, onbegrijpelijk. Maar probeer zelf maar eens iets te formuleren wat buiten elk kader valt, iets wat je nog nooit eerder hebt gedacht.

'Wat betekent utopie?' Dat zou Thomas ook willen vragen. Alleen niet op de toon waarop Bella het vraagt. Maar vriendelijk en belangstellend.

'Ik ben misselijk', zegt Bella. 'Ik heb hoofdpijn.'

En ze gaat naar boven, naar het atelier.

Eén keer als Gabbes auto langsrijdt blijft Bella hem onbehoorlijk lang bij het raam staan nakijken. Rosa merkt het, zegt iets, min of meer recht voor zijn raap.

'Ach, dat is het niet', zegt Bella opeens bijna boos, heel ongeduldig in ieder geval. 'Je luistert niet, Rosa.'

'Wat wil je eigenlijk, Bella?'

Zegt Rosa een andere keer. Een beetje vermoeid, maar toch ook met oprechte belangstelling.

'Weg', antwoordt Bella. Maar dan is het al een paar dagen later. Laat op de avond. Als ze besloten heeft weg te gaan. Midden in de nacht gaat ze naar Rosa toe.

'Ik moet nu weg.'

En Rosa antwoordt, ze kan immers maar één antwoord geven: 'Ik kom met je mee.'

Voor de rest ebt het gepraat over een nieuw leven, althans het maken van concrete plannen daarvoor, na verloop van tijd weg. Ze beginnen weer over gewone dingen te praten. Over zonnebrandcrème, haarmode en de winkelboot. En als Rosa en Bella het zomerparadijs in gaan zijn ze weer Strandvrouwen, met hun zonnebrillen op lijken ze op elkaar als twee druppels water, net een tweeling.

Maar er komt een tijd dat Bella in zijn kamer staat, op avonden dat Rosa ergens anders is.

'Ik ben zo moe, Thomas. Ik ben het allemaal zo beu. Enig Kind, we moeten met elkaar praten.'

'Ik ben iets aan het bouwen', zegt Thomas, als hij met zijn bouwpakketten aan zijn tafel zit.

Ze gaat weg, maar komt terug. Keer op keer komt ze terug.

'Ik ga misschien weg, Thomas. Maar ik kom terug.'

's Nachts: ze is een donkere schim in de deuropening. Thomas slaapt. Ze gaat weg. Een seconde later: hij zit overeind in zijn bed. Hij is klaarwakker.

'Thomas.'

'Ik ben iets aan het bouwen.' 's Avonds: Thomas herhaalt de woorden, achter zijn bouwpakket.

'Je wilt niet luisteren', zegt Bella dan en ze gaat tegenover hem aan tafel zitten, ze lijkt wel uitgeput, alsof alle kracht plotseling uit haar weggevloeid is. En haar stem heeft iets onmiskenbaar afgetobds en gekrenkts. Daar is hij niet op voorbereid. Hij is immers maar een kind dat met zijn bouwpakketten aan de gele tafel zit in zijn jongenskamer die tot voor kort nog de kinderkamer werd genoemd, terwijl zij een moeder is die over moederdingen moet komen praten en die hem het een en ander over zijn doen en laten moet komen vragen en niet andersom, zij moet niet zelf over andere, vreemde dingen komen leuteren.

Hij raakt in de war, moet zijn bezigheden onderbreken. Hij legt de vliegtuigvleugel die hij in zijn hand heeft, waarop hij juist lijm had willen spritsen om hem aan de vliegtuigromp vast te plakken, weer op het krantenpapier op tafel neer. Hij kijkt op, naar haar, dwingt zichzelf te kijken. Dit is de avond, de laatste avond, haar haar is kort, heel kort, het houdt vlak onder haar oren op. Zo kort is het nog nooit geweest. Wel mooi. Maar anders.

Hij staart.

Zij ontwijkt zijn blik niet. Hij moet snel iets bedenken. Anders begint ze te praten.

Alle delen van het vliegtuig liggen op het gele tafelblad uitgestald. Hij weet hoe het in elkaar moet worden gezet, de gebruiksaanwijzing heeft hij niet meer nodig.

Nu begint hij te vertellen. Op zo'n manier dat het hemzelf bijna verrast. Plotseling hoort hij zijn eigen stem.

'Zoals alle goede verhalen', begint Thomas, Storyteller, 'begint dit verhaal in een café.'

Zo komt het dat het laatste dat Thomas in het zomerparadijs met Bella doet niet het stellen van de relevante vragen is, maar dat hij erop los leutert, een eigen verhaal opdist.

'In dat café ontmoette de Amerikaanse jachtvlieger Jimmie Angel een geheimzinnige man, een Avonturier.'

En hij vertelt verder, hij gaat maar door, hij verliest zich in zijn eigen verhaal: de geheimzinnige Avonturier beloofde Jimmie Angel, zelf nogal een waaghalzig type, veel geld als hij in de Zuid-Amerikaanse oerwouden een geheime opdracht zou uitvoeren. Ze gingen op weg, zonder kaarten, de Avonturier stond erop dat Jimmie Angel enkel en alleen op zijn aanwijzingen zou vliegen. Ze landden in het oerwoud en de Avonturier verdween, maar Jimmie Angel mocht niet met hem mee, hij moest bij het vliegtuig blijven wachten. Toen de Avonturier terugkwam had hij een koffer vol goud en diamanten bij zich. Toen Jimmie Angel dat zag zwoer hij bij zichzelf dat hij, als de opdracht uitgevoerd was, op eigen houtje terug zou gaan om uit te zoeken waar dat goud en die diamanten vandaan kwamen. En dat deed hij ook, jaren later, toen de Avonturier dood was.

Maar per ongeluk landde hij hoog op een berg, midden in een modderpoel. Het vliegtuig bleef in de modder steken, er was geen beweging meer in te krijgen. Dus in plaats van dat hij goud en diamanten kon gaan zoeken, moest Jimmie Angel te voet de berg afdalen, over zo goed als ondoordringbaar terrein, langs de geheime paden van de indianen. Toch was zijn tocht niet vergeefs. Want zo ontdekte Jimmie Angel de grootste waterval ter wereld, die later ook naar hem werd genoemd.

Het vliegtuig bleef in de modder achter. Voorgoed.

'Het was een flamingo,' besluit Thomas Storyteller zijn verhaal, 'een fijne flamingo.'

'Thomas.' Bella's gezicht breekt open in een lach, ze richt haar intense blik strak op Thomas. 'Wat een fantastisch verhaal. Heb je het helemaal zelf verzonnen?'

'Nee. Het staat hier.'

Thomas wijst op de doos van het bouwpakket, op de binnenkant van het deksel.

'Op het deksel. In het hokje "Belangwekkende achtergrondinformatie".'

Of verbeeldt hij het zich? Heeft hij eigenlijk wel een verhaal verteld? Is zij eigenlijk wel tegenover hem komen zitten, heeft ze eigenlijk wel geluisterd? Heeft ze niet voor de zoveelste keer gezegd: Enig kind, we moeten praten...

Is hij misschien al via de serre naar buiten gegaan? Staat hij niet al op het uiterste puntje van de gemeenschappelijke ponton van Gabbe en Rosa en de Johanssons? In zijn pyjama en badjas, met hoge laarzen aan? Uitkijkend over het donkere water, de donkere eilandjes, het dichtstbijzijnde dat van Huotari, zijn arm krabbend, in de maneschijn? Want het is bijna volle maan, afnemende maan, en de laatste week van de zomer breekt aan. En na de zomer komen herfst, winter, lente, en nieuwe zomers. Beloften van nieuwe zomers.

Nee. Hij zit in zijn kamer. Zij staat te roken op het trapje naar de keuken. Korte, nerveuze trekjes. Ze ziet hem niet. Hij heeft het licht uitgedaan. En nu draait ze zich om, doet de deur open en loopt stilletjes door de keuken naar de slaapkamer waar Rosa slaapt.

Want het helpt niet om verhalen te vertellen, verhaaltjes op te dissen. Beelden, kiekjes, van het lieve leven. Dat is het wat Thomas weet, en opeens is hij de enige die het weet.

Kiekjes van het lieve leven, een beeld uit het leven in de stad, langgeleden: Kajus wordt ziek. Thomas krijgt Kajus' kaartje. Thomas en Isabella gaan samen naar de schouwburg. Welke voorstelling? Naderhand weten Thomas en Isabella niets meer van de voorstelling. Maar toen het doek viel, begon het ballonnen van het plafond te regenen. Aan de touwtjes van de ballonnen hingen flesjes badschuim. Van het hele publiek hebben Thomas en Isabella de meeste flesjes gevangen. Dat weten ze nog. Ze zijn naar huis gegaan en hebben hun buit verdeeld. Thomas heeft de ballonnen gekregen omdat hij een kind is en ballonnen leuk vindt. Isabella heeft de flesjes badschuim genomen omdat zij een vrouw is die het heerlijk vindt om een schuimbad te nemen en het badschuim in de flesjes aan de touwtjes van de ballonnen is precies haar favoriete merk. Fenjal. Isabella en Kajus gaan in bad. Isabella gooit een heel flesje badschuim in het water leeg. Kajus zet de pick-up in de badkamer en Thomas gaat naar bed. Hij bindt de ballonnen aan zijn bed vast en gaat in bed liggen, doet het licht uit en ligt naar de donkere silhouetten van de ballonnen te staren tot hij in slaap valt, en dan denkt hij dat hij in een ruimteschip zit dat vliegt, dat door tijd en ruimte zweeft. Maar als hij de volgende ochtend vroeg wakker wordt, zijn alle ballonnen naar de grond gezakt en verschrompeld, ze hebben een HUID gekregen zoals het vel op de chocolademelk of zoals de lijven van Kajus en Isabella, want die zijn in de badkamer in slaap gevallen. Ze lijken wel dood. Thomas is naar de badkamer gegaan om te plassen. De pick-up staat nog aan. De plaat draait nog rond op de draaitafel, ook al is hij afgelopen. Thomas zet de pick-up uit, de plaat blijft stilstaan. Hij staat een tijdje voor de badkuip naar Isabella en Kajus te kijken die in het water, dat koud is, liggen te slapen. Hij doopt zijn vinger in het water om te voelen hoe koud en voelt dan de neiging in zich opkomen Kajus' arm te pakken en eraan te trekken en te gaan zaniken zoals alleen een jongetje kan doen dat midden in de nacht wakker is geworden en bang is: 'Word nou wakker. Kom, sta nou op.'

Hij doet het niet. Hij weet het immers al die tijd wel. Ze zijn niet dood. Isabella's hoofd is opzij gegleden, haar wang rust tegen de rand van de badkuip. Kajus zit een beetje meer rechtop, met gesloten ogen, zijn mond halfopen. Het grappige, iets waar Thomas bijna om moet lachen, ook al is hij bang en is het midden in de nacht en doodstil in de flat, dat zijn hun benen, spookachtig melkwit in het groene badwater. De witte huid is weerzinwekkend, zacht, haast zonder contouren, vooral door het contrast met de zwarte haren op de benen. Kajus en Isabella hebben allebei veel haar op hun benen, Isabella scheert het 's zomers altijd af omdat ze dan in badpak loopt. Maar Thomas lacht niet om die haren. Hij lacht om de manier waarop Isabella en Kajus liggen. De badkuip is niet lang, ze kunnen er geen van beiden hun benen languit in uitstrekken. Maar ze zijn zo gaan liggen dat hun voeten zich min of meer tegen de ander afzetten.

Kajus heeft zijn ene voet in Isabella's donkere oksel begraven, die 's winters ook harig is. Isabella ligt scheef op haar zij. Haar voeten liggen op Kajus' buik. Of liever gezegd, ín Kajus' buik.

Alle schuimbellen zijn weggesmolten. Isabella wordt wakker, haar blik valt op Thomas. Ze is bijna gealarmeerd. Ze vraagt waar ze is. En ze kijkt naar Thomas alsof ze verdwaald is.

Rosa draagt de strandmand met crackers, pindakaas en biscuitjes. In de ene thermosfles heeft ze zwarte koffie, in de andere sinaasappellimonade. Bella heeft de handdoeken, de stranddeken en de zonnebrandolie. Rosa heeft haar donkere haar van haar voorhoofd weggeschoven met een roze haarband, Bella heeft een sjaaltje om. Een wit sjaaltje tegen de zon, en Bella en Rosa hebben allebei hun zonnebril op. Rosa leunt op haar elleboog op de deken en zegt iets tegen Bella wat niet te verstaan is, zo ver zitten ze van alle anderen af. Rosa reikt Bella een mok koffie aan en Bella neemt de mok over en gaat naast Rosa op de deken zitten. Ze strekt zich uit, haar lichaam glinstert in de zon van olie en nattigheid, want daarnet in het water heeft ze zichzelf nat gespetterd. Het is heel mooi, ook al is haar huid niet zo bruin als anders.

Zo zitten Bella en Rosa die laatste middag op het strand in het zomerparadijs. Na een krap halfuurtje zullen ze naar het huis gaan, elkaars haar knippen en niet meer terugkomen.

Rosa tikt een sigaret uit haar pakje, steekt hem in haar mond en reikt Bella het pakje aan voordat ze hem aansteekt. Bella schudt het hoofd. Ze krabbelt overeind tot ze zit, kijkt uit over de baai. Het is heiig, het zicht is slecht. Zelfs het eilandje van Huotari, dat toch zo dichtbij is, is slechts met moeite te onderscheiden. Rosa komt ook overeind zitten, Rosa zegt iets en lacht, Bella lacht.

Maj Johansson komt eraan, in badjas. De ceintuur hangt los zodat iedereen al van verre haar enorme monokini kan zien. Rosa en Bella merken Maj Johansson niet op, het is dus niet Maj Johansson over wie ze zich vrolijk maken.

Thomas duikt onder water. Hij gaat op de bodem zitten waar het zand overgaat in modder. Hij kijkt door zijn duikbril.

Zonnestralen worden gefilterd door het water, deeltjes modder die om hem heen omhoogdwarrelen als hij met zijn voet in de bodem wroet zijn groenbruin, rafelig zoals sneeuwvlokken zijn wanneer het onverwacht begint te sneeuwen met heel veel grote langzame sneeuwvlokken en je verbaasd bij jezelf constateert dat je de winter toch eigenlijk lang niet slecht vindt.

Hij moet naar de oppervlakte om adem te halen. Boven het water is Erkki Johansson bezig met een donkerblauwe strandbal waarop met grote witte letters NIVEA staat. Hij is al een hele tijd bezig met die bal, maar heeft nog niets intelligenters kunnen verzinnen dan de bal een paar meter voor zich uit in het water te gooien en er dan schreeuwend in wilde haast achteraan te hollen. Terwijl er nergens haast voor nodig is, de wind is gaan liggen, al is het midden op de dag. De baai ligt er opeens glad bij, al is het midden op de dag en zou er eigenlijk een fris middagbriesje moeten waaien. Maar de belangrijkste reden van Erkki's demonstratieve en luidruchtige gedoe met die bal is dat hij Thomas bij zijn spel wil betrekken. Thomas weet dat. Hij heeft geen zin. Hij heeft het koud. En dat hij het koud heeft, dat wil hij overwinnen, dat wil hij afleren. Daarom zit hij nog steeds in het water, hoewel hij het koud heeft, en daarom probeert hij onder de oppervlakte te blijven. Onder de oppervlakte is het warmer dan in de lucht, als je lang genoeg onder blijft.

'Gooi de bal maar, Erkki!' Maj Johansson loopt het water in. Ze heeft haar badjas onder de elzenboom op het strand gegooid waar Renée meestal zit als ze niet ergens anders is, in het Ruti-bos, in de kelder, achter de sauna van de Johanssons of op een van haar andere plekjes; ze heeft er zoveel in het zomerparadijs. Thomas kan niet langer zeggen waar ze zich precies bevindt. Wel waar ongeveer. Uit verscheidene mogelijkheden kan hij er een kiezen. Als hij erover nadenkt. Maar dat doet hij niet. Op dit moment is hij in het water, heeft hij zijn hoofd bij andere dingen.

Maj Johansson is het water in gehold, heeft haar handen uitgestrekt naar Erkki Johansson en de bal, eigenlijk de strandbal van Pusu en van Maj Johansson en oorspronkelijk bestemd voor 'volwassen strandspelletjes', precies zoals in de reclame. Maar ja, hoe gaat dat. De bal is vóór de zomer gekocht. In de maand mei, toen ze nog achter een winkelwagentje liepen te winkelen en bezig waren zich op het zomerseizoen voor te bereiden, toen ze nog dachten dat ze het allemaal konden kopen, het ruisen van de zee en het vrolijke gelach op het strand, de gloeiende huid, koele avonden als de zon na hete dagen achter de bomen verdwenen is, glinsterende mugjes in de laatste zonnestralen die gefilterd door de bomen over de baai spelen.

Erkki gooit de bal naar Maj Johansson. Maj Johansson vangt hem op. Ze staat in het water dat tot de bovenrand van haar monokini reikt, slechts luttele centimeters onder het punt waar haar langwerpige borsten beginnen. Ze werpt tersluiks een blik in de richting van Bella en Rosa die met zijn tweeën op het strand zo zachtjes met elkaar zitten te praten dat niemand kan verstaan wat ze zeggen. Ze weet niet of ze naar hen zal zwaaien of niet. Voordat ze een besluit heeft kunnen nemen zijn Rosa en Bella languit op de deken gaan liggen, Rosa met haar hoofd op Bella's buik, Bella met haar ene hand op Rosa's haar waar ze verstrooid aan frutselt terwijl Rosa naar de hemel kijkt en praat, praat.

En zo dadelijk zullen Bella en Rosa weggaan. Opstaan, stijve ledematen strekken, het vuil van hun kleren afkloppen, de deken oprollen, de koffiemokken en limonadebekers en rollen biscuit in de mand terugleggen, de handdoeken uitschudden en rond hun nek hangen zoals boksers doen. Rosa zal haar voeten in haar sandalen steken, diezelfde witte met gouden knopjes en leren riempjes dwars over haar voet heen. Bella zal gewoon weglopen want zij is blootsvoets. Dan zullen ze over het laantje verdwijnen. Nu nog net niet. Maar over vijf minuten ongeveer.

Thomas is begonnen aan een poging het record adem inhouden onder water te verbeteren. Hij telt de seconden voor zichzelf ook al weet hij dat hardop voor jezelf tellen geen betrouwbare tijdmeting oplevert. Het is nu eenmaal niet zeker dat je iedere keer op dezelfde manier telt en je krijgt dus geen objectieve meting. Hij zou eigenlijk een stopwatch moeten hebben, denkt hij. Hij zal een stopwatch op zijn verlanglijst voor Kerstmis zetten, denkt hij ook nog, eentje die waterdicht is, zo een als Renée heeft in een plastic etui dat tijdens zeilwedstrijden als een sleutel aan een sleutelkoord om haar nek hangt en die ze onlangs nog hebben gebruikt om de tijd op te nemen tijdens het onderdeel hardlopen van de Olympische Spelen die Maj Johansson in haar tuin had georganiseerd omdat sport een manier is om de vriendschap tussen alle nationaliteiten in de wereld te bevorderen en omdat vooral Maj Johansson nogal last had van een kwaad geweten in verband met een zeker incident aan het strand, op een hopeloze dag langgeleden toen de vereniging voor onderwateronderzoek nog bestond. Prijzen en al had ze geregeld. En toen Thomas riep dat hij Amerika was en Renée riep dat zij Amerika was en Erkki Johansson natuurlijk ook riep dat hij Amerika was, toen zei Maj Johansson alleen maar dat ze in Amerika vast en zeker heel veel sporttalent hebben zodat ze best allemaal Amerika konden zijn, waarna Erkki Johansson uiteindelijk als enige sportman op het veld overbleef nadat twee van de sportlieden onbegrijpelijk zwaar geblesseerd waren geraakt, eerst Renée en toen Thomas. Als hij maar eenmaal een echte stopwatch heeft, denkt Thomas onder water, dan heeft hij een objectieve manier om te meten hoe lang hij onder water kan blijven, en op grond van die objectieve meting zal hij vervolgens een doelbewust trainingsschema kunnen opzetten om nog beter te worden, om nog langer onder de oppervlakte te kunnen blijven.

Maar ja, kerstcadeaus, Kerstmis. Vraagt hij zich dan niet af hoe het verder zal gaan, met Kerstmis bijvoorbeeld, met de kerstvieringen in zijn nieuwe leven?

Misschien wel, een beetje.

Hij komt weer boven. Hij moet ademhalen.

Dan wordt hij boos op zichzelf. Kerstmis, kerstcadeautjes; zijn dat nou dingen om aan te denken als je op de grens van een nieuw leven staat? Maar dan is daar toch weer die stem in zijn kamer, Bella's stem, die hij niet weg kan krijgen: 'Hallo, Enig kind, we moeten eens praten.'

Nee. Thomas schudt woest zijn hoofd, hij proest, kijkt naar de Strandvrouwen op de rots, Bella en Rosa, zet zich in gedachten als het ware tegen hen af.

Rosa en Bella liggen nog op de rots. Rosa heeft haar zonnebril afgezet en is bezig haar blouse dicht te knopen, een wit mouwloos zomerbloesje met heel veel kleine knoopjes aan de voorkant. Bella's vingers gaan door Rosa's haar. Ze pakt een paar lokken, meet ze met haar blik. Lang, ja toch?

Maar terwijl haar monokini langzaam en onaangenaam nat wordt van het koude water is Maj Johansson, met de bal in haar hand in het water, een paar seconden lang bevangen door besluiteloosheid. Ze heeft de bal in haar hand. De bal is blauw en de witte letters erop zijn groot, schreeuwerig. De zon schijnt, het is tijd voor vrolijke waterspelletjes. Maar: wat móét ze met die bal? Ze heeft opeens geen flauw idee.

Ze voelt zich totaal misplaatst. Wat ís dit voor malligheid, om het met Maj Johanssons woorden te zeggen. Ze is toch zeker een volwassen mens. Wat staat ze zich hier met blote borsten in het water belachelijk te maken?

Maj Johanssons gevoel van misplaatstheid duurt maar een paar seconden, dan duikt Thomas' hoofd boven water op. Maj Johansson ziet dat en bedenkt dat als Thomas nu boven water blijft waar hij is, en als Erkki Johansson nu een beetje schuin daarnaast blijft staan waar hij staat, dan vormen ze zo'n beetje een kring met zijn drieën, Thomas, Erkki en Maj

Johansson. En dan kunnen ze dus met de bal gaan gooien, van de een naar de ander, enzovoort. Ergens achter hen komt Pusu Johansson het huis van de Johanssons uit en Maj Johansson roept naar Pusu dat hij de camera moet halen en een foto moet nemen.

'Pusu! Ga onze instamatic eens halen! Dan kun je een foto nemen!'

Nu staan de Strandvrouwen op, nu zijn ze op weg.

Thomas huivert, zijn tanden klapperen. Erkki heeft het helemaal niet koud. Hij lacht met open mond naar Thomas, als hij een hond was zou hij zeker kwispelen, en juist als Thomas van plan is weg te gaan en de bal die op hem af komt in plaats van hem op te vangen gewoon over het water verder te laten gaan – steeds verder, steeds verder, met de wind mee, want het is weer gaan waaien, nu uit de richting van het strand – dan denkt hij nee, Erkki Johansson is geen hond, hij is het zoontje van Maj en Pusu Johansson, twee jaar jonger dan hijzelf, maar toch eigenlijk een beste jongen. Erkki Johansson kan er ook niets aan doen dat hij de belachelijkste moeder van het zomerparadijs heeft met de bungelendste borsten. En plotseling heeft Thomas medelijden met Erkki om die reden. Als hij aan Erkki Johansson denkt spoelt er een golf van tederheid over hem heen, en hij besluit te blijven staan en het balspel mee te spelen, ook al komt Pusu Johansson er al aan met de camera in de aanslag, ook al zou hij in Renées bijzijn nooit vrijwillig zo'n foto van zichzelf laten nemen, met Erkki Johansson en Maj Johansson in monokini.

En ook al is hij zich ergens vaag bewust van het feit dat Rosa en Bella hun spullen bij elkaar hebben gepakt en nu weggaan, nogal stilletjes, zonder veel drukte zoals anders.

Ze gaan naar het atelier om hun haar te knippen. Hun kapsels zijn uit de mode. Aan het eind van het laantje steekt Rosa haar arm door die van Bella. Bella versnelt haar pas, glijdt weg uit Rosa's greep.

Pusu Johansson maakt foto's. Erkki en Maj Johansson en Thomas lachen en spetteren met water naar elkaar. Ook Thomas. Maar hij klappertandt nog steeds en als er een kleurenfilm in het fototoestel van de Johanssons had gezeten, zouden zijn lippen blauw zijn. Maar die zit er niet in. En het is ook geen instamatic. Het is een doosmodel, volledig handbediend; ze noemen het alleen maar een instamatic. Even later verdwijnen Maj en Pusu en Erkki Johansson naar het huis van de Johanssons in het opgewonden tempo dat Maj Johansson krijgt als ze geestdriftig raakt, als ze zich, zoals ze dat noemt, 'weer net een kind voelt'. Nu hebben zij het koud, de familie Johansson: Maj Johansson trekt een tegenstribbelende Erkki met zich mee. Ze moeten droge handdoeken halen, zich afdrogen, iets eten want ze hebben honger, zich omkleden want straks komen de neven op de koffie om afscheid te nemen, want morgen is het zover, of overmorgen, dat hangt van het weer af, dan gaan ze een lange reis maken.

Erkki probeert zich om te draaien om nog iets tegen Thomas te zeggen, maar meer dan een zwaai wordt het niet, en die mislukt ook nog omdat hij de bal laat vallen en erachteraan moet rennen. En als Erkki de bal weer heeft hebben ze nog meer haast, de familie Johansson. Ze moeten naar huis om aan het volgende onderdeel van hun dagrooster van deze zomer te beginnen.

Thomas zwaait terug zonder dat Erkki het ziet. Hij wrijft zich stevig af met de badhanddoek tot hij weer droog en warm is. Dan kleedt hij zich aan, trekt een lange broek en een dikke trui aan. De zon heeft dan wel de hele dag geschenen, maar er heerst bepaald geen hittegolf, de wind is nogal fris en de lucht heeft nog steeds een guurheid die aan herfst doet denken.

Daar komt Renée uit het Ruti-bos. Ze loopt over de klip bij het strand, passeert Thomas, daalt af naar de steiger en stapt in de roeiboot van het witte huis, maakt het meertouw los en roeit weg.

'Wacht!' roept Thomas. Maar ze wacht niet.

Thomas zeilt met Goofi naar Vindön. Hij ziet haar van verre, een lichte stip in het riet. Hij heeft wind mee, het gaat steeds harder waaien, het gaat lekker. Hij voelt het weer, dat verrukkelijke tempo. Pieeuuww. Heel even borrelt zelfs dat wijsje in hem op, dat liedje van Viviann, alleen heeft het nu niets meer met Viviann te maken, 'My Boy Lollipop'. Gewoon een liedje. Een populair deuntje, niets bijzonders, maar met een ontegenzeglijk meeslepend refrein.

Goofi stuift met zo'n snelheid op Vindön af dat zelfs Renée in het riet op een rotsblok springt, duidelijk zichtbaar, en woest met haar handen zwaait en roept dat hij voorzichtig moet zijn met de boot. Ze heeft niet graag dat hij Goofi gebruikt zonder dat zij erbij is. Dat weet hij, ook al zegt ze niets. Maar ze kan het hem natuurlijk niet verbieden, de boot is immers gemeenschappelijk bezit. Het volgend voorjaar pas belt Gabbe Kajus in de flat in de stad op om te vragen of hij Kajus' rechten op Goofi soms kan uitkopen.

Thomas trekt zich niets van Renée aan. Hij hoort of ziet zogenaamd niets. Pas als hij vlak bij de rietzoom is haalt hij de schoot aan, loeft tegen de wind op, laat de schoot vieren, trekt het midzwaard omhoog en springt uit de jol het water in, hij is blootsvoets en heeft zijn broek al bij voorbaat opgestroopt. Dan trekt hij voorzichtig, geholpen door Renée, de boot een eindje het land op en snoert het zeil met de schoot aan de mast vast.

'Dit eiland is privé-terrein', zegt Renée als Goofi op zijn plaats ligt.

'Kan me geen moer schelen. Sacherijn.'

Thomas loopt dadelijk door naar de andere kant. Hij volgt met stampende passen de strandlijn, het knispert onder zijn voeten. Een speciaal soort Vindö-insecten die niet steken maar wel heel vervelend zijn kruipen al gauw onder zijn kleren over zijn hele lijf, een ranzige Vindö-lucht van riet, eierschalen, rotte vis en visgraten dringt in zijn neus. Hij bereikt de andere kant en kijkt naar het strand van de familie Lindbergh aan de overkant. De glanzende mahoniekleurige speedboot ligt aan de steiger afgemeerd, een groen dekzeil is over de boot gespannen. Klas of Peter Lindbergh en een onbekend meisje staan op de steiger. Een vriendinnetje, dat is duidelijk, maar geen meisje zoals Viviann. Dit meisje heeft dun blond haar en een donkerblauwe pet op haar hoofd. Ze gaan aan boord. Het meisje begint met routineuze gebaren het dekzeil los te knopen. Ze gooit het meertouw los, Klas of Peter start de boot en ze varen weg. Het is weer stil. De eikel? Nergens een eikel te bekennen.

Opeens een luid gekraak achter hem, nog geen twee tellen later is hij op de grond gevallen en ligt weer op zijn buik, riet en rottend eiland diep in zijn neus. Ze ligt boven op hem, maar het is geen spel zoals anders als ze weleens onverwachts giechelend op zijn rug springt en zegt dat hij een elzenhaantje in zijn nek heeft – 'hij vreet zich net naar binnen, je moet hem er tegen de wijzers van de klok in uitdraaien. Ik heb het weleens uitgeprobeerd. Nu ga ik draaien.' – om als het ware een alibi te hebben om hem in zijn nek te kunnen knijpen. Dit is ernst, om de een of andere reden is ze boos, hij voelt het in al haar bewegingen. En plotseling brult hij het uit van een hevige pijn. Ze heeft haar tanden in zijn arm gezet. En gebeten, dwars door zijn dikke wollen trui heen.

Er zal een merkteken achterblijven. Littekens die nog een poos zichtbaar blijven. Ook later in de tijd nog. Al zal er weldra alleen nog maar een rode plek zijn waarmee niets bijzonders aan de hand is, iets dat eruitziet als een doodgewoon allergisch eczeem.

Thomas kronkelt zich onder haar vandaan, vecht zich los. Hij slingert haar opzij en vervolgens werpt hij zich boven op haar, ze worstelen, vechten, hij trekt aan haar haren, het weinige haar dat er nog over is, schopt, is uitzinnig van woede – tot hij zich bedwingt en haar loslaat. Ophoudt met vechten. Opstaat. Zijn kleren afklopt. De pijn in zijn arm trekt weg.

Want dit is geen grap.

Ook zij is uit haar doen, verrast door zijn heftige, resolute aftocht. Ze staat een eindje van hem af, kijkt naar hem, haalt adem. Een zwaar, opgewonden ademen dat langzaam rustig wordt, stil, gewoon.

Hij voelt aan zijn arm. Die doet zeer.

'Mag ik kijken?' Ze komt dichterbij. Haar stem is weer gewoon. Een beetje nieuwsgierig zelfs. Als om uitdrukking te geven aan een objectieve interesse in het belang van de wetenschap.

'Je bent niet goed bij je hoofd', mompelt hij.

'Net goed', zegt ze dan. 'Idioot.'

Ze gaat weg. De bosjes in, waar ze even tevoren uit kwam stuiven om hem in de rug aan te vallen. Ze loopt er dwars doorheen, zonder voor iets uit te wijken. Takken knappen en breken af.

Thomas slentert langs de strandlijn terug naar de boten. Hij doet zijn zwemvest aan, maakt Goofi klaar. Snoert alles wat los in de boot ligt vast, de wind houdt aan, het wordt zwaar en nat laveren op de terugtocht. De baai strekt zich grauw en glinsterwit schuimend voor hem uit, in het zonlicht dat er door een opening in de overigens ondoordringbaar grauwwit bewolkte hemel enkele seconden overheen strijkt, lijkt het water woest.

Haar oranje trui, de knoedel van bijeengehaalde draden op haar schouder, ooit wit, maar nu niet meer. Die heeft hij nu in zijn blikveld, die kan hij vanuit zijn ooghoeken zien. Daar is ze weer, ze leunt half zittend tegen de voorsteven van de roeiboot, een paar meter van Goofi af, steentjes in haar hand, ze gooit steentjes tussen het riet in het water voor zich. Plop, plop: heel veel kleine steentjes. Haar trui opgestroopt, de huid van haar arm niet echt verbrand door de zon maar wel gebronsd, ruw, zomerdroog, zodat er witte poederachtige strepen op komen als ze zich krabt. Net als bij hem.

'Zullen we Goofi op sleeptouw nemen?' vraagt ze. 'Anders moet je laveren.'

Kajus is terug uit Lapland. Iedereen weet het, alleen Thomas niet. Als Thomas de ansicht met de Lap en de toendra krijgt, woont Kajus alweer thuis in de stad. Thomas heeft door de telefoon van de Johanssons met Kajus gesproken en op de een of andere manier heeft hij aldoor gedacht dat hij met Lapland sprak, hoewel er tijdens het gesprek geen plaatsnamen werden genoemd. Kajus heeft gezegd dat ze eigenlijk een keer samen naar Lapland zouden moeten gaan. Thomas heeft ja geknikt, maar over de telefoon is dat niet doorgekomen.

Thomas neemt de tweeliterbosbessenkan mee naar het grote bos. Daar blijft hij wel een paar uur, want hij komt Johan Wikblad en Ann-Christine tegen die gele veenbramen zoeken. Thomas wijst hun de weg naar een plekje waarvan hij als enige het bestaan weet, een klein diep dal een eind verderop. Het rood en geel straalt je met een intense glans tegemoet en de geur is zwaar en prikkelt in je neusgaten.

'Iets als dit krijg je hooguit eens in de tien jaar te zien', zegt Johan Wikblad en hij begint te plukken. En ze plukken. Ze plukken en plukken, ze halen het hele verborgen dalletje leeg.

Als Thomas weer thuiskomt, de kan tot aan de rand gevuld met zachte gele en harde onrijpe lichtgele en rode veenbramen, is het witte huis leeg. Er liggen roze voetvormige notitieblaadjes op de keukentafel en in de grote kamer. Thomas herkent ze. Ze zijn uit Rosa's HappyFeetMemo-blokje gescheurd. Op het eerste roze briefje staat: 'Thomas! Wij zijn naar Kopenhagen, we gaan wat rondkijken in de wereld. We redden ons prima! Er liggen boterhammen in de kast en er staat fil op het rekje. Kajus komt vanavond. Liefs. B.' Het is Bella's handschrift. 'Ook van mij', staat er in spichtige Rosa-letters onder. Het zinnetje is omcirkeld als een zon van waaruit zonnestraalachtige pijlen naar het woord 'Liefs' lopen.

Op het briefje in de grote kamer heeft Bella geschreven: 'Thomas! Kijk in het blauwe blik op de onderste plank van het buffet. Daar zitten verrassingen in!'

Thomas vindt het blauwe blik dat eigenlijk al die tijd in het witte huis bedoeld was voor het opbergen van biscuitjes en toffees, maar dat meestal leegstond omdat Bella en Thomas hun biscuitjes en toffees gewoon meteen uit de verpakking aten en alles al op hadden voordat het nodig was om ze in een blik te doen. Hij haalt het deksel eraf en vindt twee repen van zijn lievelingschocolade in het blik en een zak Engelse drop, ook zijn lievelingssoort, waarschijnlijk in Zweden gekocht, want het is een Extra King Size-zak en zulke zakken zijn in gewone winkels niet te krijgen. Zulk super-de-luxe snoepgoed verpak je normaalgesproken in cadeaupapier als een kerst- of verjaardagspresentje.

Thomas stopt de voetsporen weg in zijn broekzak, pakt de kan veenbramen en gaat naar buiten. Johan Wikblad en Ann-Christine eten een omelet in het rode huisje. Er hangt een baklucht en het ruikt er op een bepaalde manier net zoals bij een worstkraampje op de kermis, maar dat is slechts een vluchtige associatie in Thomas' hoofd; dan denkt hij aan alle fil in het rekje met de filschaaltjes die maar niet stijf wil worden omdat het de hondsdagen zijn, en vervolgens krijgt hij medelijden met zichzelf, zodat zijn lippen en bepaalde spieren van zijn gezicht gaan trillen. Maar dat duurt maar heel even, daarna is alles weer gewoon. Ann-Christines en Johan Wikblads emmer met veenbramen staat vlak achter de deur waar Thomas een poosje in het donker is blijven staan. De geur van bos, veenbramen en het vochtige moeras waar de veenbramen groeien krijgt de overhand en Thomas zet zijn kan bramen op tafel en schuift op de bank, en Ann-Christine haalt een bordje en zet eten voor hem neer, omelet met worstjes. Na het eten zijn Ann-Christine en Thomas en Johan Wikblad bezig met bramen schoonmaken totdat Gabbe thuiskomt en het nieuws dat Rosa en Bella naar Kopenhagen zijn afgereisd om eens in de wereld rond te kijken, waarbij ze de kinderen gewoon aan hun lot hebben overgelaten, zoals het in Maj Johanssons versie van het verhaal, die na verloop van tijd de officiële versie wordt, heet, totdat dat nieuws zich verspreidt en ten slotte ook het rode huisje bereikt.

's Nachts komt Kajus terug. Hij draagt Thomas uit het rode huisje naar het witte huis. Vroeg in de ochtend wordt Thomas wakker in zijn eigen bed. Hij staat op en sluipt naar de alkoof op zolder. Het mes dat hij in de wand had verstopt, is weg. Hij is niet verbaasd. Hij heeft bijna aldoor geweten dat het weg zou zijn.

Hij kleedt zich aan en gaat terug naar het rode huisje. Hij kruipt onder de deken op de slaapbank in de keuken, waar hij de avond tevoren ook was ingeslapen. Zijn gymschoenen schopt hij weg, en onder de deken kleedt hij zich uit. Hij kronkelt zich uit het ene kledingstuk na het andere, tot hij helemaal naakt is en de deken onbehaaglijk tegen zijn huid kriebelt. Om de een of andere reden zal hij zich juist dat detail herinneren. Hoe hij zich uitkleedt terwijl dat toch helemaal niet nodig is, hij had evengoed zijn ondergoed kunnen aanhouden bij wijze van pyjama.

Thomas leeft zijn rodehuisjesleven. Lange dagen, half tot zwaar bewolkt. Thomas en Johan Wikblad zitten 's avonds aan de boerentafel Johan Wikblads balsahuisje te schilderen met hobbyverf van het merk Humbrol, terwijl Ann-Christine met verschillende dingen bezig is. Het huisje wordt erg mooi, gele muren, witte posten en een groen dak. Het werk vereist heel wat concentratie, anders droogt de verf niet gelijkmatig op en komen er zakkers in. Ann-Christine leest voor uit de *Edda* wat minstens zo'n goed boek is als andere avonturenromans. Ann-Christine fluit. Ann-Christine bakt brood, maakt jam van de veenbramen, praat Frans met zichzelf om haar kennis bij te houden en Thomas en Johan Wikblad verstaan er geen woord van. Thomas lacht om Ann-Christine zoals hij de hele zomer heeft gedaan. Alles wat Ann-Christine zegt is zo grappig, het ligt aan haar manier van doen, en als ze 'over mijn lijk' zegt kan hij nog steeds het lijk van Ann-Christine voor zich zien, een enorm lijk, onontkoombaar. Op de een of andere manier is dat gewoon leuk, het is niet zo morbide als het klinkt wanneer je het zegt, wat hij dan ook niet doet. Af en toe laat Kajus zich even zien. Als er voor hem persoonlijk een telefoongesprek uit Kopenhagen komt en Maj Johansson in reistenue over het erf van het rode huisje aan komt hollen, heeft Thomas daar maling aan. Nu gaan de Johanssons op reis want die ochtend schijnt de zon wat langer, je zou haast gaan geloven dat de zomer weer terug is. De zee op, zegt Maj Johansson met een gezicht alsof haar heel wat avonturen in de wijde wereld te wachten staan, maar dat zegt ze vanwege de omstandigheden niet hardop. Maggi Johansson wordt onder dwang aan boord gebracht. Ze heeft er geen belang bij het zomerparadijs te verlaten waar zij en Nina zich in de sauna van de Johanssons hebben genesteld en een langdurig, taai gevecht voeren om wie hém uiteindelijk in de wacht zal slepen. De eerste nacht van het reisje van de familie Johansson, als ze voor anker liggen bij de landtong van Porkkala en iedereen slaapt, gaat Maggi Johansson aan land en keert lopend en liftend terug naar het zomerparadijs. De nacht daarop staat ze voor het huis van Gabbe en Rosa steentjes tegen Nina's raam te gooien. Als Nina en Gabbe het geluid horen, denken ze eerst dat het Renée is.

Thomas komt niet aan de telefoon.

'Gaan jullie dadelijk weg?' zegt hij tegen Maj Johansson. 'Als jullie nu niet gauw gaan, betrekt de lucht weer', mompelt hij wat zachter, maar nog duidelijk hoorbaar, en als Maj Johansson niet zou weten dat Thomas zielig is, dat Thomas nu zo'n arm kind is waarover het gaat in de psalmen die in Maj Johanssons hoofd worden gezongen als ze aan Bella en Rosa denkt en aan al die andere dingen en niet aan hun reisje, aan haar zonnehoed en aan de wijde wereld, dan zou ze het als een brutaliteit opvatten.

Thomas gaat met Ann-Christine en Kajus en alle kinderen van het zomerparadijs, dat wil zeggen Nina en Maggi, naar het pretpark. Kajus heeft zich in zijn hoofd gehaald dat ze er eens uit moeten, eens aan iets anders moeten denken. 'De *show must go on*, zeg ik maar', zegt Kajus. Thomas kijkt hem onbegrijpend aan. Wat kletst Kajus eigenlijk? Thomas denkt al aan andere dingen. Thomas denkt aan het huisje van balsahout van Johan Wikblad, aan bepaalde scènes uit de *Edda*, aan wat Renée in het bos uitspookt en aan wat Maj Johansson zal zeggen als ze met eigen ogen kan zien hoe hoog de golven in de baai bij Porkkala kunnen zijn. Daar is die modderplas hier niks bij. Kajus heeft het dus bij het verkeerde eind, maar dat geeft niet. Het is prima zo. Het pretpark is waardeloos, maar ook prima. Thomas staat bij een ronde tafel waarboven miniatuurvliegtuigjes vliegen. Als je een knop indrukt vallen daar bommen uit die met een naaldpunt op een stuk papier voor hem terechtkomen. Op de plek waar de naald terechtkomt staat een cijfer, en je moet zorgen dat je op het juiste moment de knop indrukt. Degene wiens bom in het hoogste cijfer blijft staan, wint en krijgt een vijfenveertigtoerenplaatje als prijs. Thomas' bom duikelt neer bij nummer tien. Hij is winnaar van de ronde en krijgt het plaatje 'Help' van de Beatles. Wat een geluk dat de pick-up in hun flat in de stad is. Eén korte seconde, een vluchtig moment ziet Thomas handen voor zich, uitgespreid op een tafel in een cafetaria van een benzinestation. Zijn handen en Rosa's handen, en hij ziet hoe hij bloost, nog steeds, terwijl het toch al weken geleden is en de situatie nu een heel andere is. Op de terugweg in Kajus' auto geeft Thomas het plaatje aan Nina Engel. Dat is een stomme zet. Nu denkt iedereen in de auto opeens dat hij verliefd is op Nina. Maggi, Nina zelf, Kajus en Ann-Christine op de voorbank, allemaal lachen ze eensgezind. Nina legt haar arm om Thomas heen. Thomas rukt zich los en gaat uit het raampje zitten kijken.

'Ochottochot', neuriet Maggi veelbetekenend. Ze is jaloers op Nina, denkt Thomas, omdat die het plaatje heeft gekregen. Nu heeft Nina niet alleen het plaatje maar ook Jake. Tja, niemand weet het nog en het hoort ook niet in dit verhaal thuis, maar misschien kan Maggi zich troosten met de gedachte dat Nina Jake dan wel op dit moment heeft, maar dat Maggi hem later zal krijgen. 'De rest van je leven zul je het ermee moeten doen', een eeuwigheid, zoals Maj Johansson langgeleden weleens tegen Bella zei als ze in een lollige bui was en het over Pusu Johansson had. Dat was in de tijd dat zij en Bella nog als pronte huisvrouwen lakens wasten aan het water, de tijd dat Rosa Engel alleen nog maar een in het wit geklede Engel met stadsmanieren was die naar het strand kwam trippelen, Bella en Maj Johansson op de steiger passeerde en 'jeetjemina, wat zijn jullie ijverig' zei, vlak voordat de boot van de Lindberghs haar kwam ophalen om naar de villa's aan de rand van de scherenkust te gaan, en dat zij er niet aan denken moest om in dat mooie zomerweer lakens te gaan wassen.

Hij zou tegen ze kunnen zeggen dat het maar toeval was dat hij het plaatje aan Nina gaf en niet aan iemand anders in de auto, denkt Thomas. Nina zat gewoon het dichtstbij. Maar hij zegt het niet. Hij zwijgt en kijkt uit het raam.

Kajus trommelt voorzichtig met zijn vingers op het stuur.

Ann-Christine zegt iets grappigs.

Kajus lacht en toetert en dan rijden ze de bosweg in. Het schemert al. In augustus is het alweer vroeg donker.

'Hoe was het in Lapland?' vraagt Thomas die morgen dat hij uit eigen beweging naar het rode huisje teruggegaan is, als Kajus een paar uur later opduikt en in de deuropening blijft talmen, verdrietig kijkend en niet wetend wat hij zeggen moet. Thomas, naakt, maar met zijn deken om zijn lichaam geslagen, zit op de bank aan de boerentafel te wachten op zijn ontbijt. Kajus antwoordt dat hij veel last heeft gehad van de muggen. Ann-Christine brengt een dienblad met chocolademelk en boterhammen uit het keukentje mee. Ze nodigt Kajus uit aan te schuiven en een hapje mee te eten. Even later zitten ze met zijn drieën te ontbijten. Kajus, Thomas, en Ann-Christine.

De zomer daarna zal er een nieuw meisje in het rode huisje zijn. Ze heet Annette en ze is mooier dan Ann-Christine, mooier zelfs dan Helena Wikblad. Annette zal een groot gezin willen hebben en ze zal in drie opeenvolgende jaren drie kinderen krijgen, en Johan Wikblad en Annette en de kinderen zullen een groot gezin vormen dat niet in het rode huisje past, en daarom zullen ze bij de neven van de Johanssons informeren of ze soms het witte huis mogen huren, dat nadat Kajus en Thomas het zomerparadijs in augustus 1965 hebben verlaten 's zomers leegstaat. Dat mogen ze. Ze krijgen een contract op jaarbasis. Hoewel Annette niet zo iemand is als de filmster. Het is heus nogal een verschil om door Annette lief te worden aangekeken of door Bella-Isabella, die werkelijk erg haar best deed om charmant en filmsterachtig te zijn als de neven één keer per jaar op bezoek kwamen om een eventuele vernieuwing van het contract, dat altijd op jaarbasis wordt opgemaakt, te bespreken.

En begin 1970 wordt het witte huis te koop gezet. De onderhoudskosten slokken een aanzienlijk deel van de begroting van de neven op, en contanten kunnen ze altijd wel gebruiken. Annette en Johan Wikblad hebben natuurlijk geen geld genoeg om het witte huis te kopen, en zodoende kunnen Maj en Pusu Johansson hun slag slaan.

'We zijn niet krenterig', zegt Pusu Johansson en hij doet een flinke aanbetaling. Zo komt het dat Maj en Pusu Johansson het aandeel van de neven in het witte huis overnemen, eigenaar worden van het huis en het renoveren tot het niet meer te herkennen is; ze schilderen de buitenkant rood en de zijgevels wit, verlagen vanwege de verwarmingskosten het plafond, slopen de oude tegelkachels die nooit wilden trekken en metselen een open haard in de grote kamer.

De neven verkopen een lapje grond van wat ooit het Ruti-bos was aan Johan Wikblad en Annette. Die bouwen er later een eigen houten huis met recht van overpad om een boot aan te kunnen leggen en te kunnen zwemmen, niet bij het strandje van het witte huis of van 'de villa' zoals het huis tegenwoordig wordt genoemd, maar bij de ponton voor het strandje ernaast die nog steeds voor de helft eigendom is van mensen die ooit de familie Engel werden genoemd, maar die bijna nooit meer in het zomerparadijs komen aangezien ze ook nog 'een aardig huisje' ergens aan de echte scherenkust hebben gekocht en het huis op de berg na verloop van tijd permanent aan anderen verhuren.

En o ja: de neven laten een aanzienlijk deel van het grote bos kaalkappen nadat ze een voordelig contract voor de exploitatie van het bos hebben afgesloten.

Enzovoort, enzovoort, het verhaal over het zomerparadijs kan tot in der eeuwigheid doorgaan. Maar dat verhaal is niet belangrijk. Het heeft geen raakpunten meer met dit verhaal.

Als ze van het pretpark terugkomen is het aardedonker. Kajus kijkt Thomas smekend aan. Maar Thomas loopt achter Ann-Christine aan, met Johan Wikblad mee die hen op het pad naar het rode huisje tegemoet is komen lopen. Ze komen Gabbe tegen, een zaklantaarn in zijn hand. Zijn gezicht is wit in het schijnsel van de lamp. Hij gaat het bos in. 'Gaat er iemand mee?'

Renée is met een tent en een slaapzak naar het grote bos gegaan. Ze verplaatst haar tent iedere dag maar slaapt er niet in, althans niet de nachten dat Gabriel alleen of met de anderen 'op patrouille' gaat en vroeg in de ochtend de tent besluipt en omsingelt om degene die in de tent is te overrompelen. Altijd komen ze tot dezelfde ontdekking. Ze is ergens anders.

Het is Thomas' tent, de tent die twee jaar geleden een kerstcadeau was, maar daar staat hij niet zo bij stil, het ding heeft meer dan een maand in de tuin van het witte huis gestaan en heeft allang geen speciale betekenis meer. De stof is verschoten en het muggennet is kapotgegaan en Thomas' gedachten zijn zo zelden bij de tent dat hij niet eens kan zeggen op welk moment hij uit de tuin verdwenen is.

Ze zoeken dus naar Renée. De kinderen overdag, de volwassenen 's avonds, als de mannen uit hun werk komen, Gabbe soms ook 's nachts, alleen of met iemand anders. Ze 'kammen de omgeving uit', maar de enige die die term kent is Thomas, want hij is de enige in het zomerparadijs die als hobby de padvinderij heeft. Uitkammen gaat zo: je roept en maakt een heleboel lawaai in de hoop dat degene die ergens in het bos zit hoort waar je bent en te voorschijn komt. Je kunt het ook doen zoals Gabbe, sluipend, volgens een bepaald plan of een bepaalde strategie. Het maakt niet uit hoe je het doet. Het resultaat blijft hetzelfde. Ze vinden haar niet. Thomas zelf is er lange tijd van overtuigd dat hij ieder moment van de dag min of meer precies weet op welke plek in het bos ze zich bevindt. Als hij overdag tijdens de patrouille met Maggi en Nina de zoektocht aanvoert omdat hij het bos het best kent van allemaal, heeft hij vaak het gevoel dat hij ze de verkeerde kant op leidt. Niet omdat hij dat wil. Helemaal niet. Integendeel juist. Hij zou Renée graag willen vinden. Maar hij weet dat dat op een andere manier moet gebeuren. Niet door het bos uit te kammen zoals ze nu doen, of door rond te sluipen, plannen te maken, strategieën te ontwerpen, door iemand in een tent te overrompelen. Na verloop van tijd laat Renée de tent dan ook gewoon aan zijn lot over. Ze treffen hem steeds op dezelfde plek aan. Open en bloot staat hij daar. De buitenrits is nu ook kapot. Maar altijd staat hij even leeg.

Het is geen kwestie van weken. Wel van dagen. Lange, grauwe dagen.

'Ze jagen haar de stuipen op het lijf', zegt Ann-Christine. 'Laten ze haar toch met rust laten.'

'Ze is klein', zegt Johan Wikblad. 'Het is nog maar een kind.'

'Ze kan goed voor zichzelf zorgen. Dat weet iedereen. Dat is nu juist wat hen zo bang maakt. Eigenlijk is dat het waar ze zich zorgen over maken. Haar integriteit. Dat kínd heeft een sterkere integriteit dan veel volwassen mensen.'

Thomas lacht om 'dat kind'. Hij protesteert. Renée is geen kind. Dan lacht hij weer. Het klinkt zo grappig als Ann-Christine 'dat kind' zegt.

Johan Wikblad kijkt Thomas verbaasd aan en klemt misprijzend zijn lippen op elkaar alsof hij wil laten zien dat er onder deze omstandigheden werkelijk niets te lachen valt. Thomas zegt niets meer. Hij heeft geen zin om iets uit te leggen.

'Desalniettemin is ze een kind', zegt Johan Wikblad. 'Dat onder een ontzettende druk leeft.'

'Ze moeten haar met rust laten', zegt Ann-Christine. 'Ze komt heus wel.'

'Gaat ze niet dood van de honger?' vraagt Thomas plotseling.

'Welnee', zegt Ann-Christine. 'Ze redt zich heus wel.'

'Ze heeft een mes', zegt Thomas. 'Mijn mes.'

Het schiet hem te binnen dat het eigenlijk Johan Wikblads mes is. Maar Johan Wikblad heeft geen oor voor deze mededeling. Of misschien vindt hij het onder deze omstandigheden niet van belang van wie het mes is, gist Thomas, en daar heeft hij eigenlijk wel gelijk in. Deze omstandigheden. Zo spreekt Johan Wikblad over het feit dat Renée met een tent en een mes het bos in is getrokken. Ook zegt hij, als er steeds meer tijd verstrijkt en Gabbe steeds zenuwachtiger wordt, dat er toch iemand moet zijn 'die onder deze omstandigheden het hoofd koel houdt'.

'Inderdaad', constateert Johan Wikblad laconiek. 'En ze zal het zo nodig gebruiken ook. Ze heeft geprobeerd Gabbe neer te steken.'

'Hoe weet je dat?' vraagt Ann-Christine.

'Gabbes trui was helemaal opengehaald.'

'Gabbe', zegt Ann-Christine. 'Die overdrijft.'

Johan Wikblad haalt zijn schouders op. Hij heeft geen eigen mening. Thomas lacht, want plotseling ziet hij iets dat hem vreselijk bekend voorkomt. Thomas herkent bij Johan Wikblad een streven naar wetenschappelijke objectiviteit. Opnieuw betrapt Johan Wikblad hem op een dwaas lachje op een totaal verkeerd moment. Hij klemt misprijzend zijn lippen op elkaar. Thomas vindt het wel een beetje vervelend. Hij zou het willen uitleggen.

Kajus telt niet mee. Hij gaat niet mee naar het bos. Hij is met zijn boeken en een nieuwe transistorradio naar zijn serre gegaan. Hij denkt al aan IsabellaZeemeermin, slepende, kwellende gedachten, al zegt hij niets, al is er niets aan hem te zien. Maar Thomas weet het en het is niet om uit te houden. Voor Kajus heeft het al een aanvang genomen, alles wat begint na de dag dat Bella uit het zomerparadijs verdwijnt en niet meer terugkomt. Alles wat groot en gezwollen is en een naam heeft die hijzelf nooit hardop durft uit te spreken. Het grote erna. De Resterende Tijd.

Vroeg in de ochtend gaat Thomas in zijn eentje het grote bos in. Hij heeft een pakje boterhammen bij zich, Extra King Size chocoladerepen en een thermosfles, zoals het hoort wanneer je een tochtje gaat maken. In een mandje. Hij en Ann-Christine hebben het mandje stiekem klaargemaakt toen er niemand in de buurt was. Hij beklimt de hoogste berg waarop waarschijnlijk ooit een uitkijktoren heeft gestaan, er ligt namelijk al zo lang Thomas het zich kan herinneren een stapel grauwe vermolmde planken op de grond. Thomas gaat boven op de stapel hout staan en kijkt om zich heen. Het waait. De wind is het enige dat er te horen is. Thomas staat stil. Als je ophoudt aan de wind te denken, wordt het stil. Echt stil. Zo stil dat alles verdwijnt, ook de tijd. De hemel is gelijkmatig bewolkt en het licht is zodanig dat het willekeurig welk tijdstip op de dag zou kunnen zijn. Willekeurig welke dag, willekeurig welk jaar. Thomas heeft opeens een gevoel alsof hij uit de tijd valt. Alsof hij buiten de tijd komt te staan, ernaast. Ergens anders gaat de tijd gewoon door. TikTakTikTak, ergens ver weg tikt een klok, maar niet hier. Het is een nogal onbehaaglijk gevoel.

Om het te verjagen stulpt hij zijn handen voor zijn mond en roept. De wind trekt door de bomen. Hij roept nog eens. Geen antwoord, niets. Hij gaat weer naar beneden, loopt verder. In het grote bos kan hij gaan waar hij wil, hij kent het beter dan wie ook. Dat is iets waarop hij zijn gedachten nu concentreert. Hij kent het grote bos zelfs beter dan Renée. Dat is altijd zo geweest. Van meet af aan al. Hij was hier eerder dan zij, dus heeft hij een voorsprong. Hij komt bij de plek waar hij met Ann-Christine en Johan Wikblad veenbramen heeft geplukt. Daar voelt hij het opeens heel sterk. Daar is ze. Het is alsof hij haar voelt hijgen, haar heftige ademhaling, haar warme adem vlak bij zich. Hij draait zich om en loopt over de heuvelrug boven het dalletje waar kortgeleden nog zoveel veenbramen waren. De lucht ervan, zwaar en prikkelend, hangt er nog ook al zijn de bramen nu weg. Nee. Niets.

'Renée! Ik weet waar je bent. Kom nou te voorschijn!' En even later: 'Dan niet, stomme idioot.' Hij zet de mand op de grond en gaat weg.

Als hij de volgende dag terugkomt ligt de mand tussen de veenbraamstruiken. Het boterhampapier ligt over het mos verspreid, glimmend van boter en nachtregen, in stukken gereten, hier en daar in snippertjes gescheurd, bijna als confetti zo klein. Het lijkt eigenlijk nog het meest alsof iemand een prullenbak heeft leeggegooid in de mooie natuur die Thomas kent als zijn eigen broekzak. Thomas gaat boven op de heuvel zitten. Nu wéét hij dat ze hier is.

'Renée!' roept hij. 'Je moet te voorschijn komen.'

Hij roept niet meer, gaat zitten en begint de picknickmand uit te pakken. Hij wikkelt het nieuwe pakje boterhammen open en schikt de boterhammen keurig op een rijtje naast zich. Het papier vouwt hij weer op en legt het terug in de mand, die hij mee terug wil nemen. Hij legt ook servetten neer. Al die tijd is hij kalm, zijn bezigheden amuseren hem eigenlijk wel een beetje. Maar tegelijkertijd kost het hem moeite om methodisch te werk te gaan en rustig de tijd te nemen, alsof hij niet weet of zich er niet druk om maakt dat hij de hele tijd door twee glanzende ogen wordt gadegeslagen.

Pas als hij de maaltijd zo ordelijk mogelijk heeft uitgestald, staat hij op en gaat weg. Maar niet zo heel ver weg, twintig meter misschien, tot hij een passend kuiltje vindt van waaruit hij de zaak in de gaten kan houden. Hij gaat op zijn buik liggen, drukt zich plat tegen de grond en kijkt.

Bijna ogenblikkelijk komt ze te voorschijn. Ze gaat op haar hurken bij de boterhammen zitten en begint te eten. Ze eet heftig en gulzig, aldoor gehurkt, ze lijkt nota bene wel een baviaan. Verder is er niets bijzonders aan haar te zien. Haar haar zit in de war, maar wanneer zit het dat niet? Ze is vies, haar kleren zijn groezelig, maar zo gaat dat nu eenmaal in het bos.

Ze is volledig herkenbaar. Op de een of andere manier verbaast dat Thomas, en dat hem dat verbaast geeft hem een beetje een akelig gevoel. De schokkerige bewegingen, de aapachtigheid; die dingen geven daarbij vergeleken op een bepaalde manier juist een gevoel van opluchting. Een soort redelijke verklaring.

'Renée!'

Thomas staat op om zijn aanwezigheid te kennen te geven. Ze kijkt op. Ze lijkt stomverbaasd, terwijl ze toch de hele tijd geweten heeft dat hij in de buurt is.

'Je moet ophouden!' roept hij. 'Wat is dit voor een spelletje?'

Zij gaat ook staan, richt haar lichaam op. Ze smijt het restant van de boterham weg, steekt haar hand onder haar trui, haalt het mes te voorschijn en laat de snede ervan Thomas tegemoet grijnzen, lang en noodlottig. De afstand tussen hen is misschien tien meter. Thomas is niet bang, dat niet, maar het is hem onaangenaam te moede, zoals sommige dingen waar hij niets van wil weten hem een onaangenaam gevoel geven. Hij voelt de neiging in zich opkomen om net als de kleine brabbelende peuter Thomas zijn vingers in zijn oren te steken en zijn ogen dicht te knijpen en een brabbelversje op te dreunen om alle andere geluiden en stemmen in zijn omgeving buiten te sluiten. Verder is hij kalm. Werkelijk heel kalm. En dan doet hij wat hij nog nooit eerder heeft gepresteerd. Hij draait zich om en loopt weg.

Een tijdlang denkt hij dat ze hem achternakomt. Hij kan haar hijgende ademhaling bijna voelen. En hij herinnert zich allerlei dingen. Haar plotselinge aanval en beet op Vindön. En hij denkt aan het mes van Johan Wikblad dat zij heeft gestolen en waarmee ze Gabbes mouw heeft opengehaald. Nee, Ann-Christine heeft het bij het verkeerde eind. Ze is er heel best toe in staat het mes te gebruiken. Maar toch, hij blijft niet stilstaan, hij aarzelt niet, hij draait zich niet om. Hij loopt. Hij holt niet, hij versnelt zijn pas niet. Hij loopt.

Terwijl hij loopt vormt zich een gedachte in zijn binnenste.

Eerst nog ongearticuleerd, meer een vermoeden. Maar niettemin duidelijk en onontkoombaar. Dat dit het moment is waarvoor hij al die tijd heeft getraind, alle dagen van de zomer. Het moment dat hij wegloopt van Renée. Haar achterlaat in het bos.

Pas als hij volledig de weg kwijt is, kijkt hij om zich heen en komt tot de ontdekking dat ze verdwenen is. Hij staat voor een akker. Een groot stuk akkerland. Het komt hem totaal niet bekend voor. Hij kan alleen maar constateren: hier ben ik nog nooit geweest. Dan begint het te regenen. Dat is nu typisch. Dat het juist nu moet beginnen te regenen, de eerste en enige keer dat hij volledig de weg kwijt is in het bos.

Als Thomas weer thuiskomt, zijn er vele uren verstreken. Het is al avond. Kajus is terug van zijn werk en ze zitten met zijn allen in het rode huisje. Kajus, Johan Wikblad en Ann-Christine.

Thomas is doorweekt. Hij heeft het een beetje koud, maar niet zo erg. Vanbinnen is hij nog warm, want hij heeft een heel stuk hardgelopen, na eerst een hele tijd te hebben rondgedwaald tot hij op een punt kwam waar hij de omgeving weer herkende, maar dat was een heel eind hiervandaan.

Hij is buiten adem, staat in het donker in de vestibule uit te hijgen zonder iets te zeggen terwijl ze met bezorgde blikken naar hem kijken. Ze komen hem tegemoet, gereed om hem aan te raken, te omhelzen.

'Waar ben je geweest? We waren ongerust.' Thomas deinst achteruit. Vanuit de tuin klinkt Gabbes welbekende stem en op de een of andere manier geeft hem dat zo niet een prettig, dan toch een geruststellend gevoel dat alles is zoals altijd.

'Als het licht wordt, ga ik achter haar aan!'

'Vergeet niet je buks mee te nemen!' roept Ann-Christine niet zonder ironie in haar stem door de deur die Thomas op een kier heeft laten staan.

'Wie weet doet hij het nog ook', zegt Kajus op vlakke toon. Hij kijkt Thomas smekend aan. Alsof hij eraan toe zou willen voegen: Kom. Maar Thomas heeft de klep van de slaapbank opengeslagen, is erin gaan liggen en heeft de deken over zich heen getrokken. Onder de deken kleedt hij zich uit, hij wringt zich uit het ene kledingstuk na het andere en laat alles op een hoop op de vloer vallen.

Johan Wikblad loopt met Gabbe mee naar het huis op de berg.

'Je weet maar nooit wat hij van plan is.' Johan Wikblad praat op nuchtere toon en knipoogt over zijn schouder naar Kajus en Ann-Christine en Thomas, alsof ze een bijzondere verstandhouding met elkaar hebben waar Gabbe geen deel van uitmaakt.

Kajus raapt Thomas' kleren van de grond op. Hij schudt ze uit en hangt ze in het kleine keukentje aan het droogrek. Thomas draait zich naar de muur, sluit zijn ogen en doezelt weg.

Ann-Christine gaat naar buiten en blijft nogal lang weg. De sauna is klaar, zegt ze als ze terugkomt. Niet zonder triomf in haar stem.

'Ik heb mezelf toegang verschaft.'

Ann-Christine heeft ingebroken in de sauna van de Johanssons. De buitendeur was weliswaar open, maar de deur naar de saunaruimte zelf zat op slot en ze heeft het raam daarvan kapot moeten maken om binnen te komen.

'Het is natuurlijk het toppunt van brutaliteit,' zegt ze, 'maar nood breekt wet.'

En ze kijkt naar Thomas in de slaapbank, alsof hij de nood in eigen persoon is. Wegkwijnend aan longontsteking of een andere kwaal die je tijdens lange koude uren in het bos kunt oplopen. De allergielijder, onvoldoende gekleed in de stromende regen.

'En dit is een noodtoestand', zegt Ann-Christine.

Hij had Ann-Christine kunnen vertellen waar de sleutel van

de sauna ligt, denkt Thomas. Op een doodsimpel plekje. Onder de tuinslang die opgerold aan een haak aan de muur van het saunahuisje hangt. Maar hij zwijgt. Ann-Christine is zo trots op haar eigen doortastendheid dat hij haar plezier niet wil bederven.

'Kom, Thomas.'

Ann-Christine trekt de deken van Thomas af. Thomas krimpt in elkaar met zijn handen voor zijn lijf. Maar Ann-Christine kijkt niet naar Thomas' naaktheid. Ze pakt zijn badjas van het kleerhaakje en gooit die naar hem toe, zodat hij boven op zijn lichaam belandt.

'Je gaat met Kajus naar de sauna.' Ze geeft Kajus de zaklantaarn.

'Neem deze mee. De rotsen zijn glad.'

In de sauna van de Johanssons krijgt Thomas gelegenheid om het gat in de deur te bestuderen. Het is niet groot. Ann-Christine heeft er al een stuk plastic overheen geniet. Thomas probeert zich een beeld te vormen van hoe Ann-Christines lichaam zich door het gat wrong. Dat is natuurlijk een valse voorstelling van zaken, want Ann-Christine heeft zelf gezegd dat ze alleen maar een gat heeft gemaakt, groot genoeg om haar hand doorheen te steken en de deur aan de binnenkant open te maken. Maar Kajus zal Thomas' gedachtegang raden en hij zal Thomas op zijn schouder kloppen en grinniken, een beetje zoals vroeger.

'Een noodtoestand, ja', zal hij zeggen. 'Inderdaad. Was jij m'n rug?'

Thomas dompelt de borstel in de waskom, zeept hem in en schrobt Kajus' rug. Hard, want dat vindt Kajus lekker. Er verschijnen rode striemen op Kajus' bleke huid. Het hete water stoomt als Thomas voorzichtig het deksel van de ketel licht, de metalen nap van de Johanssons in het water dompelt en de waskom met warm water bijvult. Een peertje boven de deur van het halletje verspreidt een zacht geel licht in de wasruimte.

Buiten verdiept de augustusduisternis zich. De ramen zijn zwart, de betonnen vloer is erg koud als je je voeten niet op de houten vlonders houdt.

Thomas en Kajus maken flink stoom in de warme sauna en gaan vervolgens naar buiten om op het saunaterras van de Johanssons verkoeling te zoeken. Naakt, zonder zelfs maar een handdoek om hun lichaam. Het is zo donker en zo laat in augustus dat je niet bang meer hoeft te zijn dat iemand je zal zien. De vakantiehuizen op de eilandjes in de baai staan leeg, alleen ver weg aan de overkant schijnen lichtjes. Thomas en Kajus lopen over het natte gras naar de steiger en laten zich via het trapje, het zwemtrapje van Maj Johansson, in het water zakken; ooit was het belangrijk dat het niemand anders dan Maj Johansson was die had bedacht dat Pusu Johansson weleens een trapje zou kunnen timmeren en dat aan het eind van de gemeenschappelijke ponton van de Johanssons en Gabbe en Rosa zou kunnen vastmaken. Ze klimmen zwijgend het trapje weer op en rennen over de natte planken van de steiger en over het gazonnetje van Maj Johansson weer terug naar de sauna. Thomas slipt op het gladde, koude gras.

Daar zitten ze weer op de hoogste zitbank, naast elkaar. Ze gooien water op de oven om stoom te maken.

Maar één ding nog, daar in het water: plotseling worden de diepe stilte en duisternis verstoord door het geluid van een motor. Een moment later doemt de boot op uit de smalle doorgang naar zee. Alle lantaarns zijn aangestoken, werpen een fel schijnsel langs de boorden. Ze glinsteren op het wateroppervlak als zilver. Wie er in de boot zitten, is niet te zien. Het zeildoek is over de hele romp heen getrokken. Met pruttelende motor vaart het schip langzaam een eindje verder. Dan koerst het weer richting zee, meerdert snelheid en stoomt weg naar de overkant van de baai. Een eiland van blinkende lichtjes. Even later is het weer donker en stil.

Thomas schuift een trapje omlaag in de sauna, zodat hij bij het raam komt te zitten. De ruit is beslagen. Met zijn wijsvinger begint hij er strepen op te strekken. Door de strepen probeert hij naar buiten te kijken.

'Wat teken je?' vraagt Kajus.

'Niets', antwoordt Thomas.

'Doe niet zo onmogelijk, Thomas', zegt Kajus plotseling heftig, alsof hij denkt dat Thomas een loopje met hem neemt. Thomas zwijgt. Hij neemt geen loopje met Kajus. Wat hij zegt is waar. Hij tekent niets. Zodra zich een patroon of figuur of iets dat ergens op zou kunnen lijken of iets zou kunnen voorstellen aftekent, maakt hij het met nieuwe strepen stuk. Hij doet werkelijk moeite iets te maken dat niets kan zijn, dat niet gedefinieerd kan worden, waaraan geen naam kan worden gegeven. Dat is helemaal niet makkelijk, zou hij tegen Kajus willen zeggen, maar hij zegt het niet. Integendeel: het is nagenoeg onmogelijk. Hij speelt het in ieder geval niet klaar. En na verloop van tijd komt er een eind aan het spelletje. Over het hele raam heeft hij strepen getrokken. De ruit is weer helder en zwart.

Zíj ligt op haar buik op de grond. De regen is opgehouden, maar de grond is nat. Doorweekt. Ze heeft in een van haar schuilplaatsen gewacht tot het ophield met regenen. Nu is het zover, en ze is weer te voorschijn gekomen. En ze is onderweg. Ze drukt zich tegen de grond. Het vocht zuigt zich in haar kleren. Die waren al vochtig, dus ze voelt er niet veel van. Ze spiedt, al haar zintuigen op scherp gesteld. Het wordt lichter. Ze moet waakzaam blijven. De wind trekt door de bomen. Het enige dat er nu te horen is, is haar eigen ademhaling, haar lichaam dat klopt en bonkt. Ze ruikt alleen haar eigen lucht. Vochtige kleren, vochtige aarde. Het is bijna licht. Dadelijk komen ze. Ze kunnen ieder moment hier zijn. Dat weet ze. Ze heeft op hun komst, hun aanwezigheid gewacht. Haar oranje trui heeft ze uitgetrokken. Die lijkt wel een stoplicht in het grauwe, eentonige landschap. Haar blouse onder de trui is blauw met korte mouwen.

Daar zijn de geluiden. Ze richt zich voorzichtig op tot ze op haar knieën zit, spiedt tussen de takken van een struik door. Ze zijn bij de tent. Daar beginnen ze altijd. Ze hebben de tent omsingeld. Zoals gewoonlijk schudden ze eraan en kijken ze erin. Om te ontdekken dat hij leeg is. Het is misschien al wel de tiende keer dat ze tot diezelfde ontdekking komen. Stelletje idioten. Als je erover nadenkt. Natuurlijk staat de tent leeg. Ze is er al heel lang niet geweest. De tent is niets, onbelangrijk. Enkel camouflage, misschien. Ze krabbelt op, gaat op haar hurken zitten, blijft nog even spieden en maakt zich gereed.

De angst, hoe zit het met de angst. Is ze bang?

Ja, dat wel. Nu komt de angst. Die komt altijd op dezelfde plek. Hier begint hij. Verroer je niet. Nu hebben ze ontdekt dat de tent leeg is. Ze schoppen ertegen, rekken hun halzen uit, hun neuzen in de lucht. Geen paniek nu. Je weet dat je veilig bent als je je niet verroert. Ga weg! Ze komen dichterbij. Twijgen breken, de grond trilt van het gestamp van hun laarzen. Ze bijt hard in een berkentak. Haar mond loopt vol sap. Zoet. Haar hand tast onder haar blouse. Het mes zit op zijn plaats, zoals het hoort. Kalm nu. Laat het beginnen. Het is tijd, neem je plaats in, zet je af. Ze komt overeind. Rent. Is onderweg.

Ja, ze ontdekken haar. Ze roepen. Naar elkaar, naar haar. En komen achter haar aan.

Ze rent al zigzaggend en cirkels trekkend. Grote en kleine cirkels en andere figuren. Ze kunnen haar vrij goed bijhouden, maar zij is sneller. En dan nog iets, zij kent het bos en weet beter dan de anderen hoe ze zich erin moet bewegen. Ze mat hen af. Ze verdwalen en raken het spoor bijster. Ze worden moe, kunnen niet meer. Hoe vermoeider ze worden en hoe minder ze kunnen, des te vaker verdwalen ze en raken ze het spoor bijster. Soms raakt ze lange tijd helemaal uit zicht. Verdwijnt ze helemaal. Toch duikt ze dan weer op, alsof het een spel is. Ze vertoont zich op plaatsen waar ze haar het minst van alles hebben vermoed. Ze zetten het op een rennen. Proberen haar in te halen.

Maar één keer maakt ze een verkeerde beoordeling. Opeens duikt ze weer op, maar veel te dichtbij. Het scheelt maar een haartje, ze is een paar meter van hen af. En dan hebben ze haar toch bijna te pakken. Eén moment is ze haar bezinning kwijt. Draait zich om en holt ervandoor, zonder plan of strategie. Paniek. Het is levensgevaarlijk je door paniek te laten overvallen. Eigenlijk is ze ook moe en waar het een kwestie van elkaar uitputten is, is het een uitgesproken nadeel om in paniek te zijn. Levensgevaarlijk, liever gezegd. En dat weet ze. Ze rent, rent zo hard als ze kan. Zonder plan. Haar hoofd is leeg. Ze vlucht, met andere woorden, en als je vlucht zijn alleen snelheid en kracht belangrijk. Maar ze is niet van plan zich over te geven, nooit. Haar lichaam bonkt van moeheid, van opwinding. Ze komen dichterbij. Steeds dichterbij, steeds dichterbij, en even zijn ze zo dichtbij dat ze weet dat alles verloren is. Dan raken haar voeten elk houvast kwijt en ze rolt in een spleet. Een volmaakte spleet, een schuilplaats, speciaal voor haar. Ze krijgt een paar seconden rust, kan haar gedachten ordenen, zich voorbereiden. Tot de stemmen en de voetstappen daar weer zijn.

Haar hand tast onder haar blouse. Het mes is er niet. Ze heeft het laten vallen. Waar? Wanneer? Daarnet, toen ze doelloos voortrende, zonder plan of strategie? Niet nadenken nu. Daar is geen tijd voor. Het hoofd koel houden. Ze moet rennen. Ze rent.

Het bos wordt minder dicht. Ze staat voor een akker. Kijkt om zich heen. Aarzelt eerst, ze weet niet waar ze is. Dit heeft ze nooit eerder gezien. Grappig. Die akker, die komt haar totaal niet bekend voor. Haar ogen berekenen de afstand. Onmogelijk. Een wit veld, nergens een plekje om je te verschuilen en uit te rusten. En nu merkt ze hoeveel dorst ze heeft. Ze laat zich in het slootje tussen bos en akker glijden. Ze heeft dorst. Naar het water nu. Het slootje is dieper dan ze denkt, verbreedt zich naar twee kanten. Ze kiest er een. Verder. En na verloop van tijd komt ze bij een plek die ze herkent, waar water uit de aarde komt stromen: een vertakking van de beek die door het bos loopt en die verderop in zee uitmondt. Ze drinkt. Ze hoort hen wel. Maar ze heeft lak aan hen.

Ze mogen haar pakken, haar hebben, haar krijgen.

Maar terwijl ze dat denkt voelt ze haar krachten terugkeren, ze weet het, ze voelt het. Kom maar. Het zal niet gaan. Het lukt ze nooit.

Geluiden van voetstappen en stemmen die wegsterven. Stilte, wind in de bomen. Wonderlijk. Ze zijn weer verdwaald. Het spoor weer bijster geraakt.

En het wordt ochtend, middag, avond, de schemering valt.

En in die schemering kruipt zij, Renée, door het hoge gras over het veld onder aan de berg bij het witte huis. Ze licht het zware buitenkelderluik op, glipt naar binnen. Gaat onder de tafel liggen en valt daar in slaap, een deken over zich heen. Een stranddeken. Die heeft Thomas daar neergelegd, al weet zij dat niet, al weet niemand dat, zelfs Ann-Christine niet. Die deken kon nog weleens van pas komen, heeft Thomas gedacht. Je kunt nooit weten. En inderdaad, je kunt nooit weten.

En bij die kelder komt Rosa haar de volgende dag halen. Zodra ze terug is in het zomerparadijs gaat Rosa er onmiddellijk naartoe. Een terugkeer die heel discreet en op een bepaalde manier heel gewoontjes plaatsvindt. Rosa gaat de berg af, passeert het witte huis, loopt over het veld. Voor haar is het geen probleem Renée te vinden. Ze schijnt precies te weten hoe ze moet lopen om bij haar te komen.

Het is in zekere zin een andere Rosa, ziet Thomas. Een nieuwe Rosa, een buitengewoon roze Rosa, al heeft ze dezelfde lichtblauwe jurk en hetzelfde witte vest aan als een eeuwigheid geleden. Daarmee houdt de gelijkenis echter op. Deze Rosa, die het kelderluik oplicht en zich tastend een weg door het duister binnenin zoekt, is een Rosa met handen waarvan je nooit zou dromen dat je er je eigen handen naar zou uitstrekken om ze vast te pakken en te strelen (en daar naderhand weliswaar om zou blozen).

De nieuwe Rosa staat in de opening van de donkere kelderruimte en roept Renée. Renée komt uit het duister te voorschijn. Ze komt naar buiten. Zonder verzet geeft ze zich over.

Natuurlijk wordt ze ziek. Ze krijgt koorts en ligt te hoesten en te snuiven en moet in haar kamer achter dichtgetrokken gordijnen in bed blijven. Ze wordt vertroeteld, omgeven door flessen frisdrank, *Donald Ducks*, en het Peter Panspel dat Thomas om twee redenen bij haar komt brengen.

De eerste reden is dat het haar spel is, ze heeft het een paar jaar geleden in het witte huis laten liggen en Thomas wil het aan zijn rechtmatige eigenaar teruggeven, aangezien hij en Kajus bezig zijn met opruimen en alles voor hun vertrek in te pakken, ze stoppen hun spullen in de kofferbak en snoeren ze vast op het dak van de auto.

De tweede reden is dat hij iets wil controleren.

'Waarom heb je het gedaan?' vraagt hij. Maar daar kan Renée geen antwoord op geven.

'Omdat ik er zin in had', zegt ze. 'Heb jij dat nooit?'

Thomas haalt zijn schouders op en gaat weg. Hij heeft gecontroleerd wat hij wilde controleren. Het klopt. Nu weet hij zeker dat haar toverkracht verdwenen is.

En Rosa staat op de berg en doet de was. Even heeft Thomas een ander beeld voor ogen. Namelijk dit. Hij moet plotseling denken aan hoe Rosa in het begin was, langgeleden, toen ze met haar fototoestel rondliep om foto's te nemen, foto's waarvan ze zei dat ze ze in een album zou plakken, wat ze nooit gedaan heeft, het is er nooit van gekomen, ze had er geen zin meer in, het was niet meer belangrijk, 'ik ben dat foto's nemen beu, Bella, ik wil mijn eigen leven ontwikkelen', zei ze een van deze zomers tegen Bella, de zomers met Rosa, Rosa met al haar kiekjes – al die foto's vliegen nu om haar heen, al die kiekjes wervelen over het hele zomerparadijs heen, vanaf dat plekje bij de wasteil waar ze nu staat, op het hoogste punt van de berg waar je het hele zomerparadijs kunt overzien, laat ze ze over het hele zomerparadijs heen wervelen, foto's, gewoon zoals ze zijn of in snippers.

'Kijk eens hoe ze vliegen, Thomas!'

Maar nee, het is alleen maar wasgoed. Een handwas in de wasteil, onderbroeken en dergelijke die je op de hand wast, ook al heb je een wasmachine. Die je zogenaamd elke avond even uitspoelt, want de westerse vrouw is heel hygiënisch. En als ze opeens opkijkt van de wasteil en Thomas toespreekt, is het met een zachte, nauwelijks hoorbare stem. Geen piepstemmetje, wel iets luider dan dat, maar het scheelt niet veel.

'Thomas', zegt Rosa.

'Thomas. Ik meende het. Alles. Meer kan ik niet zeggen. Ik kan het niet uitleggen. Alleen dat ik het mee...'

'Ja.'

'Ja', zegt Thomas, hoewel hij nee schudt en de berg is afgehold. En misschien heeft Rosa zijn weghollen opgevat als weer een nieuwe uiting van de stomheid die haar aan vrijwel alle kanten omringt sinds ze in het zomerparadijs is teruggekeerd. Een stomheid die haar één ding steeds opnieuw duidelijk moet maken, namelijk dat het haar schuld was, dat het allemaal háár schuld was, en nu hebben we het niet alleen over die geschiedenis met Rosa en Bella, maar over alles in een allesomvattend perspectief – daarbij inbegrepen het feit dat het zelfs die laatste zomermaand maar niet wilde gaan zomeren zoals Maj Johansson links en rechts laat weten, alsof ze het over het weer heeft hoewel ze toch maar net op tijd terug is van haar grote reis om nog een duit in het zakje, duit*en* in het zakje te doen met haar rappe tong voordat Thomas en Kajus gaan vertrekken. En terwijl ze vlak voor vertrek spullen op het dak van de auto vastsnoeren, staat zij erbij te praten.

Maar zo is het niet, Rosa.

De oorzaak van Thomas' stomheid is juist een heel andere. Hij is sprakeloos omdat hij het precies begrijpt. *Dat met Bella.* Maar hoe moet hij dat uitleggen? Hoe moet hij het zeggen? Hij weet zelf niet eens wat hij nu eigenlijk precies begrijpt. Alleen dát hij het begrijpt. Precies. Heel zeker.

Zeggen? Dat zijn maar woorden, praatjes.

'Ja.' Thomas is de berg afgehold naar het erf van het witte huis en de al bijna volgeladen auto.

En daar blijft het bij, tussen Thomas en Rosa in het zomerparadijs.

'Thomas. Ik zou willen vertellen van...'

Ook dat weet hij immers. Van de hotelkamer in Kopenhagen; hoe het was om op een ochtend wakker te worden en te merken dat ze er niet was. Een halve dag te wachten en dan te beseffen dat ze niet terug zou komen.

Want daar eindigde de vertelling over de Strandvrouwen. In een hotelkamer in Kopenhagen. De verklaring lag nogal voor de hand maar is, in dit verband, niet interessant. Bella deed het voorkomen alsof ze naar Polen moest. Ze ging echter niet naar Polen, iets waar ze haar redenen voor had, maar die horen niet bij dit verhaal. Het kind werd een aantal maanden daarna geboren, in het voorjaar van 1966. Op zich was het niet zo belangrijk, dat kind, of wie de gelukkige vader was, het soort dingen waarover Maj Johansson meer dan eens veelbetekenend haar asblonde krulletjeshoofd schudde. Een kind meer of minder, dat maakte werkelijk geen enkel verschil. Een kind meer of minder had Rosa heus niet kunnen tegenhouden. Ze moest en zou weg, en alles moest mee.

Kopenhagen, dat was alleen maar een tussenstop, in afwachting van iets anders. Maar op een ochtend werd ze wakker in de hotelkamer en was Bella er niet. En terwijl ze wachtte tot Bella kwam, begon het langzaam tot haar door te dringen dat ze misschien wel, ja, dat ze misschien wel om de tuin geleid was. Of dat ze zichzelf om de tuin had geleid. Je luistert niet, had Bella weleens tegen haar gezegd. Maar waarom zei ze dan niets, Bella?

En toen was het al kwart voor drie in de middag en was Bella al een paar uur verdwenen. Ze had haar spullen gepakt en was weggegaan terwijl Rosa sliep.

Ze had een briefje geschreven en in haar handtas gestopt, en de eerstvolgende keer dat ze haar handtas openmaakte zat ze op een benzinestation en was het al een halve dag later. Ze gooide het briefje weg en reisde verder. Of misschien had ze wel helemaal geen briefje geschreven.

Thomas woont weer in het witte huis.

'Gaan we gauw weg?' is het eerste dat hij vraagt als hij terug is. Kajus is al bezig met het inpakken van zijn zomerbibliotheek.

'Help eens even', zegt hij, en zo verzamelen ze al hun spullen en kleren en allerhande andere dingen in tassen en papieren zakken die ze in de tuin zetten om ze daarna in de auto te laden. De kapotte transistorradio wordt weggegooid, en verjaardagscadeaus, spellen, bouwpakketten en dergelijke pakt Thomas afzonderlijk in in zijn rode badtas. In de tussentijd komt de familie Johansson terug van haar grote reis. Als Erkki Johansson door de tuin komt aanhollen, hebben Kajus en Thomas juist de laatste dozen op het dak van de auto vastgesnoerd.

'Gaan jullie nu weg?' Erkki Johansson staat abrupt stil, stokt midden in een beweging. Zijn beweging is deze: hij heeft zijn hand naar Thomas uitgestrekt, geopend. In zijn handpalm ligt een schelp. Die heeft hij zelf opgeraapt, op de grens tussen scherenkust en open zee. Hij is matgeel van kleur en kleiner dan een halve pink en er zit bruine smurrie in. Maar die schelp is voor Thomas. Erkki Johansson heeft de schelp de hele reis lang speciaal voor Thomas bewaard. Zo zegt hij het niet precies. Maar het staat op zijn gezicht te lezen. Erkki Johansson kan niet liegen. Zijn gezicht is een open boek.

'Ja.' Thomas pakt de schelp uit Erkki Johanssons hand en stopt hem in zijn broekzak. Hij pakt zijn badtas en gaat in de auto zitten, voorin naast Kajus. Hij wuift. Erkki Johansson blijft in de tuin staan. Hij wuift ook. En Maj Johansson, die bijna een van haar lange zinnen middenin heeft moeten afbreken, ook. En dat is het laatste dat Thomas van Erkki Johansson ziet, in het zomerparadijs en waarschijnlijk voor altijd.

Maar de schelp bewaart hij. Hij legt hem in de bovenste lade van zijn bureau in zijn kamer in de stad. Hij legt hem gewoon tussen alle andere spullen, maar wel nogal voorin, zodat hij iedere keer als hij de la ergens voor opentrekt de schelp ziet liggen. Na verloop van tijd begint het ding te stinken, met een zwakke, zilte en zurige lucht. Het is een onaangename geur en ook al is ze niet sterk, ze verspreidt zich wel door de hele lade zodat alles wat daarin wordt bewaard er ook naar gaat ruiken. Al met al is het tamelijk smerig, maar toch kan Thomas zich er niet toe brengen de schelp weg te doen omdat hij hem aan Erkki Johansson doet denken, die een grote reis ging maken en een schelp vond die hij het mooist vond van alle schelpen van die hele reis, en die daarom besloot dat hij die schelp aan Thomas zou geven.

Na verloop van tijd denkt Thomas steeds minder vaak aan Erkki Johansson. In december 1965 doet hij een keer zijn la open, ontdekt de schelp en bestudeert hem alsof hij hem voor het eerst ziet. Hij zit vol smurrie. Wat doet dat ding in zijn la? Op dat moment schiet hem geen enkele geldige reden te binnen. Hij vermorzelt de schelp in zijn vuist, knijpt hem stuk boven de prullenbak.

En naar het zomerparadijs keren ze niet meer terug.

Thomas wordt een jongen zonder zomerparadijs. Een stadsjongen die sindsdien alleen nog maar af en toe een zijsprongetje maakt naar het landleven. De zomer daarna en de zomers dáárna zijn een ander soort zomers, hoofdzakelijk stadszomers met af en toe een onderbreking voor een padvinderskamp, een uitstapje met de padvinders, reisjes naar Lapland en kleine zomerhuisjes aan meren in het binnenland die per week worden verhuurd. De volgende midzomer al zal zo'n ander soort midzomer zijn. Thomas zal met een hengel op een aanlegsteiger bij een meertje staan, naast een jongen van ongeveer zijn leeftijd met ook een hengel. Ze zullen allebei een trainingspak aanhebben en ze zullen onder het vissen stoere dingen tegen elkaar zeggen, aangezien ze elkaar niet zo goed kennen. De ene vis na de andere zullen ze vangen, vissen die ze, nadat ze ze van de haak hebben gehaald, in een witte emmer vol water leggen die ze op de steiger tussen zich in hebben staan, want die jongen is de zoon van een collega van Kajus met wie ze om de kosten te drukken het huisje gezamenlijk huren, met de kinderen en de moeder van de jongen en Ann-Christine. De jongen en Thomas zullen samen een balletje trappen of darts spelen of pijltjes schieten met een blaaspijp of andere dingen doen waarmee ze zich een paar weken lang kunnen bezighouden. Dingen die jongens doen als ze samen zijn: Thomas somt alle spelers op van een bepaald voetbalelftal waarvan hij supporter is omdat de andere jongen supporter is van een ander elftal. Alle spelers op nummer, maar in omgekeerde volgorde. En iedere keer als hij een extra mooi doelschot achter de rug van de jongen plaatst, noemt hij de naam van een van de spelers van het elftal die altijd net zulke mooie doelpunten maakt als Thomas zou willen maken als hij zich voor voetbal interesseerde. Hij interesseert zich niet voor voetbal. Hij is padvinder. Zijn hobby is de padvinderij.

Thomas wordt een jongen zonder zomerparadijs. Dat is niet zo verschrikkelijk als het klinkt. Zomers. Leven bestaat ook elders. Thomas wordt iemand die veel van de herfst en de winter en de lente houdt, en van het stadsleven, met school en al. 's Zomers gaat hij weleens via het trappenhuis naar de kelder van de flat om daar te wachten tot de school weer begint. Hij weet niet waarom. Hij houdt van de herfst. Maar ook van de kelder, de kelderlucht, zoet, een beetje prikkelend in je neus. Het begint er alleen hoe langer hoe meer naar rook te ruiken. Steeds meer rook. Stiekeme rook. Bjöna is een oranje lichtvlek in het donker op een bagagedrager van een anonieme fiets achter in de kelder. Hij rookt soms een paar sigaretten achter elkaar om niet aldoor naar beneden te hoeven. En hij praat, in het donker.

Hij praat over muziek; noemt namen van verschillende pop- en rockgroepen die Thomas niet of alleen maar van horen zeggen kent, hij heeft het alsmaar over *tune in*, *turn on*, *freak out*, praat over dingen die in de wereld gebeuren, Thomas luistert wel en het interesseert hem ook wel, maar hij is zich er de hele tijd van bewust dat hijzelf ergens anders is dan waar Bjöna is. De wereld waar Bjöna en Nina Engel en al die anderen zijn, dat is niet zijn wereld.

Maar erg dramatisch is het allemaal niet, de scheidslijnen die er zijn vormen geen onoverkomelijke hindernissen of zoiets. Bjöna en hij zijn gewoon niet meer zulke ontzettend goede vrienden, ze interesseren zich voor verschillende dingen. Thomas' beste vriend heet Dennis Kronlund.

Soms ook vindt hij Bjöna's verhalen echt heel leuk. Juist omdat ze anders zijn. Bjöna doet ook erg zijn best om ze anders te laten zijn, en ook dat weet Thomas te waarderen. Die zomer, die weken dat iedereen opeens op de maan is, geeft Bjöna een keer zo'n harde trap tegen het fietsenrek dat het door de hele fietsenkelder dendert, en praat hij over de mythe die stukje bij beetje afbrokkelt. De maan en al dat gedoe, dat is een tot in het absurde toe doorgetrokken droom, zegt Bjöna, een droom die onder je ogen alweer afbrokkelt terwijl ze nog niet eens klaar zijn met de opvoering. Ongeveer tegelijk met de reis naar de maan rijdt de laatste Kennedy het water in met een auto waarin ook een blondje zit. Nee. Ze zal níét gered worden. Een nogal onscherpe foto in de kranten, een schoolfoto, van een *college-girl.* Mary Jo; weer zo'n pathetisch blondje dat niets met de inhoud te maken heeft.

Thomas wordt een jongen zonder zomerparadijs. Maar dat is niet zo erg. In plaats daarvan etst het flatgebouw in de stad zich in hem, met zijn kelder en al zijn drie verdiepingen, het vierkante binnenplein, het winkelcentrum, heel die buitenwijk daar en alle andere buitenwijken eromheen waartussen je je in blauwe en rode bussen heen en weer beweegt. Dat wordt zijn mentale kaart, een kaart die voortdurend geheimen verbergt en nieuwe inhouden openlegt.

Iemand zonder zomerparadijs. Dat is niet erg. Want buiten het zomerparadijs begint de wereld. Daar is al het andere, daar is van alles en nog wat. De wereld verwelkomt hem min of meer zachtzinnig, als het dennengroen waarop hij slaapt tijdens een padvinderskamp in het bos. Want Thomas is in de eerste plaats padvinder, en hij blijft padvinder tot aan het moment dat hij eind jaren zestig zijn eerste vriendinnetje krijgt, Camilla, het psycholoogje van de klas.

Bella. Ach ja, natuurlijk. Hij kan 's nachts in slaap vallen en een verlangen voelen. Een verlangen naar iemand, iets, dus niet vormloos en vaag. Maar wel anders dan gewoon. Een verlangen naar iemand die er tegelijkertijd wel en niet is. Waarbij hij zich bewust is van de discrepantie. Het Viviann-verlangen heet dat. Maar Viviann is dan alleen maar een beeld voor de stemming waarin je kunt verzeilen als je aan een meisje denkt met een witte blouse, een spijkerbroek en lang, steil, lichtbruin haar.

Bella. Ach ja. Natuurlijk. Maar dat ligt anders. En verschrikkelijk dramatisch is het niet. En de officiële versie, Het Hoofdstuk Zeemeermin, zoals die in een flat op de derde verdieping van een flatgebouw in een buitenwijk aan de oostkant van de stad wordt gekoesterd, met Kajus in de leunstoel voor de tv aan de andere kant van de muur, die versie is hem totaal vreemd. Die zou hem bijna boos maken als hij er dieper over zou nadenken en in de flat zou blijven hangen in plaats van naar buiten te gaan, zijn buitenwijk en de andere buitenwijken in, naar Dennis Kronlund, naar Bjöna in de kelder, naar school, naar de padvinderij en naar van alles en nog wat, van alles en nog wat.

Dramatischer dan dit is het eigenlijk niet.

Als Ann-Christine Kajus uiteindelijk na vier vruchteloze jaren verlaat, doet dat Thomas natuurlijk verdriet, maar het is niet zo'n groot, gezwollen verdriet vol metafysische betekenis. Hij hield gewoon van Ann-Christine. Ze was een aardig iemand.

'Vier vruchteloze jaren', zegt Ann-Christine. Het is herfst 1969, in de diepe garderobekast. En ze gaat naar de hal, trekt jas en schoenen aan en verlaat de flat, de deur met een klap achter zich dichtslaand. Ze kan het niet meer opbrengen. Zegt ze. Ze wil niet weg. Maar ze gaat toch.

Op dat moment zit Thomas met de zaklamp in zijn donkere jongenskamer. Daarnet stonden ze allemaal nog in de garderobekast, hij ook. Eerst alleen Kajus en Ann-Christine, die erin waren gaan staan om eens te kijken waar ze alle spullen van Ann-Christine zouden kunnen bergen nu ze eindelijk, na vele discussies, bij hen in de flat zou komen wonen. Ann-Christine heeft naar alle gele kartonnen dozen gewezen waarop Kajus met een dikke rode viltstift Isabella's naam had geschreven. Toen heeft ze gezegd dat ze die wel naar de kelderberging of naar de zolderberging konden brengen, en zelfs dat ze eerst de inhoud zouden kunnen uitzoeken en de overbodige spullen weggooien, mocht er op zolder of in de kelder weinig plaats zijn. Zoals altijd wanneer de gele dozen ter sprake komen die toch haast een hele wand met planken in beslag nemen, is Kajus dwars gaan liggen, en Thomas heeft alles gehoord en het gevoel gekregen dat hij zich maar eens bij Ann-Christine en Kajus moet voegen om de boel een beetje op te vrolijken. Voor zijn part mogen die gele dozen overal staan – daar gáát het immers niet om in de kwestie Bella – en hij heeft niets tegen Ann-Christines aanwezigheid in de flat. Integendeel. Dus is hij met zijn padvinderszaklamp naar de garderobekast gegaan, heeft de lamp uit en de zaklamp aan gedaan en de laatste onder zijn kin geplaatst zodat de lichtkegel over zijn gezicht viel, en zo heeft hij als een monster gezichten staan trekken om de boel wat op te vrolijken, hoewel hij al veertien jaar is en dus te oud voor dit soort kinderachtige spelletjes. Ann-Christine heeft wel gelachen, maar dat was maar heel even en meer uit beleefdheid, en vervolgens is ze toch naar de hal gegaan, heeft haar jas en schoenen aangetrokken en de flat verlaten.

Thomas staat bij het raam in zijn kamer. Hij doet de zaklamp aan. Ann-Christine staat bij de bushalte. Thomas knippert met de zaklamp. Drie keer lang, drie keer kort. Ze wuift. Ze begrijpt het wel. Ze haalt haar schouders op, spreidt haar handen uit. Dan komt de bus en ze is weg. Maar voor Thomas geldt: hij staat daar heus geen SOS met zijn zaklamp te seinen omdat hij hopeloos verloren is of zoiets. Hij was op Ann-Christine gesteld en hij wilde niet dat ze met de bus zou wegrijden om in het buitenland verder te gaan studeren en niet meer terug te komen. En hij schaamt zich voor Kajus.

Want voor Kajus is het feit dat Ann-Christine wegloopt alleen maar een bekrachtiging van een andere afwezigheid, een beduidend grotere, één met woestijnachtige dimensies, en die afwezigheid draagt de naam Afwezigheid van de Zeemeermin. Die afwezigheid maakt vrijwel alles onmogelijk, alle mogelijkheden om te leven, althans om een leven te leiden dat niet bestaat uit in een leunstoel voor de tv hangen. Heel dat verhaal dat in Thomas' ogen onder de beduidend minder vleiende titel 'Het Hoofdstuk Zeemeermin' valt.

Zo is het niet meteen geweest. Het duurt een poos voordat het leven zo'n spoor kan inslaan, zo'n patroon kan krijgen. Heel in het begin, in de herfst van 1965, als ze van het zomerparadijs naar de flat in de stad zijn teruggekeerd, voor het eerst naar een stadsleven zonder IsabellaZeemeermin, is er niets dan stilte, stomheid. Het lijkt allemaal onbegrijpelijk. Er zijn geen oorzaken, geen verklaringen. Die komen later, vanzelf. Deze: voorjaar 1966, begin maart, wordt er ergens op een kraamafdeling in Zweden een kind geboren. Bella's kind, het kind dat een tijdje later Julia Engel zal worden genoemd.

Thomas staat tijdens de halve finale van het school-ijshockeytoernooi in het doel en krijgt vlak voor de tweede periode, nog voordat hij zijn mondbeschermer goed heeft vastgemaakt, keihard de puck in zijn gezicht. Hij wordt naar het ziekenhuis gebracht waar zijn bovenlip en mondhoek gehecht moeten worden, en als hij weer een beetje bijgekomen is staat Kajus naast hem met de mededeling dat Bella iedereen versteld heeft doen staan door in Zweden een kind te baren. Zelf. Zonder er iemand in te moeien. Dus zonder dat er bekend is wie de vader is.

'Zullen we een telegram sturen, Thomas?'

Thomas schaamt zich, want Ann-Christine is erbij. En om de een of andere reden wordt hij ook boos, razend.

Hij beseft dat Kajus nog steeds niets heeft begrepen met betrekking tot Isabella-Zeemeermin, Isabella-Jazz-zangeres, Isabella-Filmster, Isabella-MooisteMoedervandeBinnenplaats, Isabella-Strandvrouw. Voor Kajus is alles nog steeds Blue Grass zoals vroeger, ook al gebruikt Isabella dat parfum allang niet meer. Alles van Isabella dat Kajus niet begreep, noemde hij Blue

Grass, alles wat weliswaar een pikante, sterke geur had maar wat verder gewoon parfum was, make-up, iets overbodigs en onbetekenends, niet iets dat telde.

Zoals die zomer, 1965: hoe Kajus dacht dat het op de een of andere manier voldoende zou zijn als hij naar Lapland ging of in zijn eentje in de serre ging zitten om met rust gelaten te worden. Met rust gelaten; alsof het voldoende zou zijn als iedereen iedereen maar met rust liet, alsof het weer als vroeger zou worden als iedereen maar ging zitten nadenken en tot rust zou komen zoals Kajus dacht, iedereen moest maar eens in alle rust afwachten en dan zou HET wel weer goed komen – waarbij HET een soort ingebouwd mankement van Isabella was dat wel verholpen zou worden als zij maar met rust gelaten zou worden en de kans kreeg om tot bezinning te komen –, en dan zouden ze weer vrolijk en aardig zijn, zichzelf weer zijn, en in de herfst in een stadsleven weer nader tot elkaar kunnen komen en de draad van vroeger weer opnemen, van Kajus' versie van vroeger met alles wat daarbij hoorde, luisteren naar jazzmuziek, voortborduren op de zeemeerminnenmythologie, steeds dieper doorgraven in alle geheimen daarvan, met zijn tweeën natuurlijk, Kajus en Bella, ofwel met het hele gezin, Kajus en Bella en Thomas – het Bekende Verhaal.

'Zullen we een telegram sturen, Thomas?' Nu, nu zich een redelijke verklaring aandient, Bella heeft telefonisch contact opgenomen (ze heeft uit een of andere telefooncel gebeld en een blijde gebeurtenis willen meedelen), nu is er ook een mogelijkheid voor een nieuw verhaal, nog een. Kajus denkt niet dat dit aan hem te zien is, maar hij is een open boek. In het nieuwe verhaal dat zich in zijn hoofd begint af te spelen, keert Bella terug (natuurlijk) met de jonggeborene (waarom niet, bij nader inzien) en aangezien zij temperamentvol en onberekenbaar is, iemand die andere wetten gehoorzaamt, moet men het gebeurde maar door de vingers zien, en bovendien is Kajus' liefde groot en fantastisch – in dat nieuwe verhaal wordt hij dientengevolge plaatsvervangend vader en wordt het nieuwgeboren wicht ingelijfd in een nieuw gezin, een kwartet in plaats van een klavertjedrie zoals vroeger ('Thomas, je krijgt een zusje, een klein zusje, Thomas, dat heb je toch zeker altijd gewild?' – dat gezeur). Thomas bloost inwendig en schaamt zich verschrikkelijk terwijl Ann-Christine er die keer niet eens bij is. Nu ja.

Natuurlijk komt ze niet terug, hoe ze de zaak ook 'in beraad houdt'. Twee jaar later horen ze pas weer echt iets van haar. Dan zit ze op Mallorca, als 'reisleidster'.

In het lieve leven, zoveel is duidelijk, denkt Thomas. En ze gaat verder. Van het ene leven naar het andere. Al die ansichten die ze stuurt, die telefoongesprekken, veel gekraak op de lijn, geroezemoes; een beetje zoals het klonk toen ze in Gabbes auto iets op de middengolf probeerden te ontvangen. Thomas begrijpt het precies. Het is het lieve leven.

Maar hij denkt er niet zo over na. Hij zit in een ander leven.

'Zullen we een telegram sturen?'

Thomas geeft geen antwoord op Kajus' vraag. Hij zwijgt. Op doktersvoorschrift zwijgt hij. Vanwege een verwonding aan zijn mond kan en mag hij drie dagen lang niet spreken. Sprakeloos en verbeten speelt hij Zeeslag met Ann-Christine, in gebarentaal.

Het eerste dat hij zegt als hij zijn spraakvermogen weer terug heeft, is dat hij met ijshockey stopt. Hij is bijna elf jaar en voor iemand zonder de talenten of de belangstelling om zich serieus op het ijshockey toe te leggen en in verschillende divisies mee te spelen is het hoog tijd om ermee te kappen.

'Dan heb ik wat meer tijd voor de padvinderij', zegt Thomas, waarop Kajus en Ann-Christine hem allebei verbaasd aankijken. Hij hoeft heus geen verklaring te geven. Ze accepteren zijn besluit, zoals Ann-Christine het in algemene termen uitdrukt. Hij hoeft echt zijn doen en laten tegenover hen niet te verantwoorden.

Thomas gaat naar de padvinderij. Hij wisselt van patrouille. Van BaloeBaloe gaat hij naar ShereKhan. Dat gaat zo. Als Thomas een keer op weg is naar een bijeenkomst van de welpen ziet hij Cassius Clay, of Muhammed Ali zoals Clay zichzelf hardnekkig noemt. Niet in het echt natuurlijk, maar op het omslag van een tijdschrift in een rek bij een krantenkiosk. Als Thomas Cassius Clay ziet, herinnert hij zich van alles en nog wat dat met boksen te maken heeft. Huotari's en zijn gemeenschappelijke belangstelling. Liston, de Stier Die Lezen Noch Schrijven Kon, die met een boksbal bokste terwijl er op de achtergrond muziek werd gespeeld. Night Train, eeuwen geleden, in het pretpark.

Bij aankomst op de padvinderij is Thomas niet meer zichzelf, maar een Andere Thomas. Eén moment neemt hij een andere gedaante aan en is hij Thomas de Ruziezoeker die zelfs Dennis Kronlund begint te provoceren zodat ze binnen enkele minuten slaags raken. Een welpenleider komt tussenbeide, de strijd blijft onbeslist. Achteraf zegt Dennis Kronlund tegen Thomas dat hij zich heeft ingehouden. Hij heeft zich wel door Thomas laten provoceren, maar vooral omdat diens plotselinge karakterverandering hem nieuwsgierig maakte. 'Lieg niet, idioot', zegt Thomas gedecideerd. Dennis Kronlund deinst even terug en kijkt Thomas verbaasd aan, nu met onmiskenbare waardering in zijn blik. Thomas en Dennis schudden elkaar de hand en dan is Thomas weer de oude. Toch zijn er twee dingen veranderd. Thomas en Dennis Kronlund worden vrienden. Na deze gebeurtenis zijn Thomas en Dennis onafscheidelijk. In hun vrije tijd, op school. En het laatste jaar bij de welpen, voordat ze een klasse opschuiven bij de padvinderij, is Thomas vice-patrouilleleider van de patrouille ShereKhan. Hij wordt benoemd op uitdrukkelijk verzoek van Dennis Kronlund.

Met de familie Engel gebeurt het volgende:

Gabbe blijft nog tot tegen de jaren zeventig met die cassetterecorders bezig. Hoe dan ook veel te lang om zijn vergissing in te zien en zich nog op tijd te kunnen terugtrekken. Hij had de C-standaard moeten kiezen. Gabbe komt in de muziekgeschiedenis niet als een vernieuwer te boek te staan. Gabbe verliest geld. Gaat failliet. Op de fles. Dat wil zeggen, de cassetterecordertak van zijn inmiddels omvangrijke ondernemersactiviteiten gaat op de fles. Gabbe heeft vele potjes op het vuur. Dus het heeft niet zoveel te betekenen. Integendeel, op zijn algehele economische situatie heeft het op de lange termijn misschien wel beslist een positief effect; Gabbe kan zijn activiteiten verder centraliseren en al zijn krachten op lucratievere projecten richten. En met succes; het bewijs daarvan vormt de bouw in het jaar 1970 van het Droomhuis in verreweg het chicste gedeelte van de lommerrijke stad waar de familie Engel zich heeft gevestigd. En verder heeft hij twee zomerhuizen, twee 'prachtige, getalenteerde dochters', een goed geconserveerde echtgenote, ex-grondstewardess, en bovendien luchtstewardessen om in zijn vrije tijd plezier mee te maken.

Aan stewardessen geen gebrek. Het aanbod groeit gestaag. Zeg dat er eind jaren vijftig in de hele wereld in totaal zo'n 7000 stewardessen waren, tien jaar later is dat aantal ongeveer 50.000. Als je die cijfers nader bestudeert kun je constateren dat ook de doorstroming vrij goed loopt. Maandelijks vloeien er ongeveer 750 stewardessen af, maar er treden tegelijkertijd 1000 nieuwe in dienst. En alle luchtvaartmaatschappijen zijn op hetzelfde type meisjes uit: 'We zijn niet op zoek naar fotomodellen of schoonheidskoninginnen', zegt personeelschef X bij Y, een van 's werelds grootste luchtvaartmaatschappijen. 'Wat wij willen is een meisje van wie de doorsnee passagier als hij haar ziet kan denken: wat een lief meisje is dat. Wat een schat van een kind.'

Renée meldt zich uit eigen beweging aan bij een schaatsclub om te leren schaatsen, want na die zomer dat ze het bos in trok is ze een tijdlang bezeten van de gedachte te leren schaatsen. Schaatsen, niet zoals bij ijshockey, maar kunstschaatsen zoals in Holiday on Ice en dergelijke. Pirouettes en verschillende figuren, binnenwaartse en buitenwaartse, sprongetjes in de lucht. Het wordt een fiasco. Ze leert zelfs niet goed achteruit schaatsen. De onbeholpenheid van haar lichaam verdwijnt niet, al traint ze het hardst van iedereen in haar groepje. Haar leraren verbazen zich, en zijzelf is ook verbaasd. Eigenlijk is haar falen ook enigszins een vernedering voor zo'n succesvol wedstrijdzeilster als zij. Ze hangt haar schaatsen aan de haak.

Die haak bevindt zich in de kleedkamer naast de schaatsbaan. Het is een middag in de maand maart. Renée verwijdert zich midden onder de les. Een halfuur later rijdt Rosa langs bij de schaatsbaan. Rosa wacht. Renée komt niet. Niemand weet waar ze is. Rosa rijdt rond om haar te zoeken. Ze telefoneert naar Renées klasgenoten en naar haar eigen vrienden en bekenden. Niemand die iets van Renée weet.

Rosa haalt de schaatsen van de haak in de kleedkamer bij de schaatsbaan. Ze rijdt naar huis en zet ze op tafel voor zich neer om er vervolgens met een fatalistische blik in haar ogen naar te gaan zitten staren. Het zijn natuurlijk dure schaatsen, heel wit met glanzende zwarte hakken. Als gemaakt om ernaar te zitten staren.

Maar er is helemaal niets aan de hand. Renée komt thuis. Ze zegt dat ze gewoon zin had om weg te gaan. Meer weet ze niet te zeggen.

Renée gaat bij de padvinderij, maar ze is ver achter bij de meisjes van haar leeftijdscategorie. Terwijl haar even oude vriendinnetjes Zwaluwvleugels of Zonnestralen zijn, het hoogste niveau bij de Kabouters, worstelt zij met de eerste taken voor het Kabouter-insigne. Deze achterstand, waaraan ze niets kan doen aangezien de insignes in een vaste volgorde moeten worden verkregen, probeert ze te compenseren door binnen een maand een recordhoeveelheid kleine blauwe driehoekige insignes te behalen; onder andere het insigne voor Opruimen, het insigne voor Bakken, het Klein-Hulpje-in-Huis-insigne, het Grote-Hulp-in-Huis-insigne. Ze vestigt een record, maar het valt eigenlijk niemand op.

Ze heeft een blauwe ronde pet met een haakje dat rechtop boven op haar hoofd staat en een blauw sjaaltje om haar nek, vastgemaakt met een dubbele knoop. Op de bijeenkomsten zingt ze 'wij trekken zonder zorgen, zingend in de morgen' en onder het zingen richt ze haar blik strak op de bruine leren riem van de groepsleider met een gesp waarop de tekst WEEST BEREID ronddanst. Zo'n riem wil ze hebben. Ze gaat mee op kamp in Klöverängen, steelt de riem en gaat van de padvinderij af.

In april blijft ze een week in het donker op haar kamer liggen, iets dat aanleiding geeft tot een bezoek aan de kinderpsycholoog. Wat moet die ervan zeggen? Ze valt buiten hun categoriseringen. Ooit was ze een dier in het bos. Dat valt niet te interpreteren, het is onvertaalbaar.

Maar dan breekt de zomer aan, het zeilseizoen. Renée wordt derde in de nationale kampioenschappen. Ze krijgt een nieuwe boot en een zwaar trainingsprogramma. Dat kost natuurlijk geld, maar geld is tegenwoordig het probleem niet.

Rosa telefoneert met Tupsu Lindbergh. Ze praat en praat, door alle jaren heen. Over ditjes en datjes praat Rosa Engel. Dromen, dromen, ook wel wat gedachten. Maar het blijven woorden.

Ergens aan het eind van de jaren zestig belandt Rosa op de top van de berg Auyán Tepuí, doordat Gabriel voor zaken in Venezuela moet zijn.

Dat is een oude droom. Op de top van de berg Auyán Tepuí, waar de Amerikaanse jachtpiloot Jimmie Angel ergens in de jaren dertig landde met zijn vliegtuigje dat in een modderpoel bleef steken en onmogelijk weer los te krijgen was en dat er tot op de huidige dag is blijven liggen – 'een fijne flamingo' – en waar hij de hoogste waterval ter wereld ontdekte, de *Angel*-waterval die naar hem werd vernoemd ofwel de Angel Falls, in het Engels een veel fraaiere naam. Het metaal van het vliegtuig dat een nationaal monument is geworden te kunnen aanraken, zich naast het vliegtuig te laten fotograferen, bij de blinkende plaquette die Jimmie Angels zoon eigenhandig op het vliegtuig heeft bevestigd, IN MEMORY OF A FATHER, in de afgrond te kijken tot het je duizelt.

Een droom tussen andere dromen. Dromen, dromen, dromen…

'Jeetje Tupsu, wat gaan onze dromen nu snel in vervulling. Het is gewoon niet bij te houden. De een na de ander wordt werkelijkheid. De tweede, de derde, de vierde. Mijn hoofd loopt me af en toe om, Tupsu.'

'Soms heb ik een gevoel alsof al die dromen me nog eens de kop zullen kosten.'

'Wat bedoel je?' vraagt Tupsu Lindbergh.

Maar Rosa kan geen antwoord geven dat begrijpelijk klinkt. Wat ze eigenlijk bedoelt, is dit: daar boven op de berg Auyán Tepuí denkt Rosa, terwijl ze naar Angel Falls kijkt en het haar duizelt – nee, ze denkt niet wat ze had moeten denken, zoals Nina Engel haar cynisch onder de neus wrijft als ze weer thuis zijn, want dit speelt zich af nadat Nina is opgehouden met parachutespringen: 'Hoe kun je een waterval ontdekken, mama? Die is er toch al die tijd al geweest? En de indianen hebben er vast en zeker al ik weet niet hoe lang een eigen naam voor gehad. Heeft iemand de indianen gevraagd hoe die waterval heet?'…

ik val val val

tot ze beseft dat ze helemaal niet valt. Ze staat stevig met beide benen op de grond. En ze zal ook niet vallen. Er staat te veel op het spel. Haar inleg is te hoog geworden.

Dat is wat ze tegen zichzelf zegt, ergens in de regionen van haar binnenste waar een stem spreekt waarnaar ze liever niet luistert, en dat is niet de stem van haar geweten maar een stem vol goede ideeën voor nieuwe levens, nieuwe gedachten, nieuwe plannen.

Als je hier van afvalt, kun je niet meer een pleister op de wonde plakken en alles achter je laten om naar een ander leven te gaan, aan andere verhalen te beginnen en dan zeggen dat die klap goed was voor je hoofd omdat die maakte dat je weer helder kon denken. Er staat te veel op het spel. Van de Auyán Tepuí aftuimelen? Je valt dood, te pletter.

'Ik val val val', zegt Rosa plotseling door de telefoon tegen Tupsu Lindbergh.

'Het is maar een heel gewone banale gedachte hoor, Tupsu.'

'Ik kan het niet beter uitdrukken.'

'Ik klets maar wat. Allemaal onzin.'

'Zo'n type ben ik nu eenmaal. Een kletstante. Ik ben precies wat ik lijk. Wat gaan jullie vandaag eten, Tupsu? Ik moet nog iets verzinnen voor vandaag.'

Blablabla. Tot ze de hoorn op de haak leggen. En elkaar weer opbellen. De volgende dag, en de daaropvolgende. En praten. Maanden gaan voorbij, en jaren.

De Strandvrouwen. Nooit. Een foto die op de wind is weggedwarreld. Dwirrel dwarrel, de berg af, een van de laatste dagen van augustus 1965.

Nee. Het kiekje is er nog. Ergens. Tussen al haar spullen.

Het is een dag aan het eind van de maand mei 1968.

Nina Engel komt door de lucht aangezweefd. Het parachutescherm heeft zich boven haar hoofd ontvouwd. Het is mooi in de zonneschijn. Rood, wit, blauw, en enorm. Wat een dag voor parachutespringen. Geen wind, vrij zicht zo ver als het oog reikt. Zo door de lucht te komen aanzeilen. De wereld van bovenaf te bekijken. Wat een perspectief.

Nina Engel, parachutespringster, geen prof maar wel bedreven, zij het niet zo bedreven als haar zusje Renée in de zeilsport. Nina Engel heeft vele sprongen gemaakt bij vele verschillende gelegenheden. Ze heeft zelfs aan wedstrijden meegedaan, maar alleen aan onderlinge, georganiseerd door haar eigen paraclub.

Aan het begin van deze sprong op deze dag concentreert Nina zich zoals gewoonlijk op die dingen waarop ze zich altijd concentreert als ze zich uit het vliegtuig werpt en naar de grond valt terwijl de parachute zich als een bloem boven haar hoofd openvouwt. De verschillende stadia van de sprong. De verfijning van die stadia.

De sprong als sportprestatie. Want dat is het springen voor Nina Engel, dat is het tot nu toe geweest. Tot aan vandaag. Juist op deze fantastische dag raakt ze plotsklaps één moment lang haar concentratie kwijt. Alles waar ze om denken moet met betrekking tot de verschillende stadia van de sprong, al die dingen die bij elkaar een sportprestatie moeten gaan vormen, zijn als weggevaagd.

Eén moment kijkt ze werkelijk neer op de aarde waar ze op afzweeft. Ze is er honderd meter, vijftig meter, dertig meter en minder vandaan.

Ze ziet geweld, oorlog, onrechtvaardigheid. Onderdrukking en provocaties. Daarginds boven Frankrijk kleurt de lucht rood van de auto's die tijdens de rellen in Parijs in de straten staan te branden.

En Nina Engel vraagt zich af: wat doe ik? Hier? Zwevend in de lucht?

Het inzicht komt plotseling, onverwacht. Ze weet het niet. Ze heeft geen fláúw idee.

Dit is zinloos.

En ze kijkt in de lucht om zich heen. Vogels, vogels. De duiven; zelfs de duiven hebben een zinniger taak. Zij zijn symbolen van vrede en vrijheid. Althans, de witte.

Ze lacht niet. Het klinkt grappig maar dat is het niet. Als je eenmaal zo'n gedachte hebt gehad is er geen terugkeer meer mogelijk. Je kunt niet op aarde landen en gewoon maar negeren wat je daarnet in de lucht nog dacht. Alsof die gedachte er nooit geweest is. Dat zou huichelarij zijn. Nina Engel weet één ding, al zijn er mensen die denken dat ze niet zoveel weet: ze wil niet huichelen. Maar wat moet ze nu? De toekomst, al die parachutesprongen, al die reisjes en schitterende vooruitzichten, het lijkt allemaal zo ongerijmd. Nina wordt bevangen door angst. Dat is een heel ernstig gevoel en ze wil er niet blijvend in vertoeven zoals haar moeder Rosa Engel.

Ze móét iets doen.

Ze overziet haar mogelijkheden. Men heeft van haar gezegd dat ze een mooie, heldere stem heeft, een perfecte stem voor megafoons.

En haar haar is ook mooi. Lang en donker en glanzend en vrij dik, een beetje als van een indiaanse. Dat heeft men haar in waarderende bewoordingen meegedeeld. En iedereen weet heel goed wie haar vader is. Gabriel Engel. Allang vóór deze volmaakte middag met zon en volmaakte weersomstandigheden was Nina Engel vanwege haar uiterlijk en achtergrond een volmaakt object, en op feestjes die ze weleens heeft bezocht heeft men zich uiteraard verplicht gevoeld haar dit onder ogen te brengen.

BONS. Nina Engel landt op aarde.

Ze rent. Zo hard als ze maar kan rent ze onder het parachutescherm vandaan om het enorme doek niet over zich heen te krijgen. Zoals het hoort, zoals ze vanbuiten geleerd heeft, het is een automatisme geworden. Vervolgens werpt ze zich op de grond en rolt verder. Dat is ze zo gewend, al is het volslagen onnodig. Maar ze vindt het prettig om over de grond te rollen nadat ze in de lucht heeft gezweefd. Om de grond te voelen, de aarde, niet alleen onder haar voeten maar in haar hele lichaam. Dan komt ze overeind, gespt de parachute los, gaat naar haar familie en zegt dat ze wil ophouden met al deze onwezenlijke dingen.

Het klinkt allemaal nog een tikje onbeholpen en knullig, omdat haar woordenschat nogal beperkt is. Maar ze zal het nog wel leren, ze gaat op onderzoek uit en ontwikkelt zich. Algauw zal ze een expert zijn in een andere taal, die datgene wat die angst en paniek in de lucht veroorzaakte, exacter uitdrukt.

III

Soortgenoten

'Our so called popular music (jazz, swing, bop and back to "progressive" jazz) is the real folk music of our times. It reflects and expresses the uncertainty and nostalgic longing with which most of us look at life today. We're not at all sure, now, that "dreams come true" – at least those dreams we all grew up with – "boy meets girl, boy loses girl, boy gets girl" and "they lived happily ever after". And yet we must keep on hoping that our particular dream will come true. We all want to be happy but we don't know how to get about reaching this exclusive state.'

Gerald Heard op de hoes van *Chet Baker Sings*, Pacific Records, 1956

Uit de geschiedenis van Thomas

'Ze was pas zeventien toen ik werd geboren', zegt Thomas jaren later tegen zijn eerste vriendinnetje Camilla, het psycholoogje van de klas. Ze zitten in een kamer, in zijn kamer in de flat in de stad, en achter de muur kijkt Kajus naar de televisie. Het is de winter na de landing op de maan en de tv laat steeds weer dezelfde beelden zien.

Aldrin met de seismometer. De Eagle is in de Stille Zuidzee geland. Hier een overzicht van Tranquility Base met de Eagle op de achtergrond. Er staat ons een nieuw decennium te wachten, waarin de thans gemaakte doorbraak zal worden benut om onze kennis van het universum, waarin de aarde slechts een stofje is, nog te vergroten.

Thomas interesseert zich niet voor de ruimte en voor raketten. Toch is ook hij een beetje aangestoken door het algemene enthousiasme voor de maan dat er die zomer een aantal dagen heeft geheerst. 'Het is geweldig als iemand van wie je houdt de kans krijgt te doen waar hij altijd van heeft gedroomd', zoals mevrouw Aldrin heeft gezegd. Niet dat het nu zoveel indruk maakt, natuurlijk niet. Maar toch. Zoveel in ieder geval wel dat Thomas, al hoort hij niet bij degenen die kunnen zeggen wat ze aan het doen waren toen president Kennedy werd vermoord, zich altijd zal herinneren waar hij was toen de eerste stappen op de maan werden gezet. In een padvinderstent, in het bos, aan het kaarten met Buster Kronlund, Dennis en nog een stel anderen. Midden in de nacht liepen ze over een veld. De maan scheen. Ze bleven staan, zeiden niets meer en dachten aan de astronauten hoog boven zich. Maar die astronauten waren niet te zien en Buster Kronlund maakte daar een grapje over. Ze lachten. De stemming van een grote stap voorwaarts in de geschiedenis van de mensheid zwakte af en verdween, en ze keerden terug naar hun donkere tent in het kamp, gingen in slaapzakken op het dennengroen liggen dat ze onder zich op de grond hadden uitgespreid, Thomas Storyteller diste verhalen op, Buster Kronlund zei dingen die ze zich later nog konden herinneren. Onder andere dit: 'een vrouw is het mooist op haar zeventiende'. Buster Kronlunds vriendinnetje was zeventien. Thomas werd meestal verliefd op die vriendinnetjes van Buster. Uiterlijk deden ze aan Thomas' klasgenote Camilla denken.

'Wat kijk je treurig. Vertel eens. Ik wil alles van je weten', zegt Thomas' klasgenote Camilla die eerste avond, later dat jaar, in de herfst.

Ze komt op een klassenfeestje naar hem toe.

Thomas zit al een hele tijd alleen in een hoekje na te denken hoe hij zich voelt nadat hij in rap tempo vier biertjes achterover heeft geslagen met de uitdrukkelijke bedoeling voor het eerst in zijn leven dronken te worden.

Hij voelt niets bijzonders.

De tweede avond zegt Camilla dat ze van hem houdt. Thomas heeft daar niets op te zeggen. Camilla zegt dat dat goed is. Je moet pas zeggen dat je van iemand houdt als je het echt meent.

De vierde avond, met Kajus veilig in de leunstoel voor de tv in de andere kamer aan de andere kant van de muur, sluipt Thomas de grote garderobekast in. Hij haalt een gele kartonnen doos van een plank waarop SPULLEN VAN ISABELLA staat. Hij neemt de doos mee naar zijn kamer, haalt het deksel eraf en keert hem boven zijn bed ondersteboven, zodat de inhoud over de hele sprei verspreid tussen hem en Camilla in komt te liggen. Hij knipt het bedlampje aan zodat alles scherp belicht wordt.

'Wauw', zegt Camilla. 'Je hele kindertijd in een doos, zeg maar.'

Dan zegt Thomas dat, van die zeventien jaar.

Hij is ontevreden. Waarom kan hij niet beter formuleren wat hij wil zeggen. Dat van die zeventien jaar, het lijkt wel een smartlap.

En aan Camilla's blik is dat ook te zien. Een smartlap, dat is het wat zich op het bed onder haar blik heeft uitgespreid. Ze pakt iets op, een plaatje dat uit een tijdschrift is gescheurd. Het is een foto van Anita Ekberg in de beroemdste fontein van de wereld. Camilla fronst haar voorhoofd. 'Wat is dit?' vraagt ze.

Thomas heeft er geen antwoord op. Hij weet precies wat het is. Het is het lieve leven. Maar dat kan hij niet zeggen. Van zijn leven niet.

Zeventien jaar: één moment vraagt Thomas zich af waarom Buster Kronlund sommige dingen zo kan zeggen dat ze goed klinken.

Maar Camilla houdt van Thomas. Dat wordt Thomas' redding. Camilla heeft een open oor voor Thomas' stilzwijgen, zijn onvermogen om te antwoorden. Ze maakt eruit op dat ze onwillekeurig een teer punt heeft geraakt.

Tijdens de seconden dat Thomas' onmacht om te antwoorden als een woestijn tussen hen in ligt, tussen Thomas Zonder Antwoord en Camilla met om haar lippen nog een smalende glimlach na de vraag waarop Thomas' geen antwoord kan geven in, probeert Camilla zich in Thomas' situatie in te leven. Als gevolg daarvan fronst haar voorhoofd zich opnieuw, het vormt een omgekeerde T op een manier die haar heel verschillend, haast wezenlijk anders maakt dan het vriendinnetje van Buster Kronlund, zijn tegenwoordige vriendinnetje, en alle andere. Maar dat is niet erg. Nu ziet het er misschien vreemd uit, maar later niet meer. Thomas zal eraan wennen. Hij zal leren ook van die T te houden, net als van andere dingen van Camilla. Van bijna alles.

Maar nu zit Camilla nog steeds na te denken.

Camilla ziet dat het Thomas aan woorden ontbreekt om zich mee uit te drukken en neemt de taak van het articuleren en formuleren op zich, aangezien zij van hen tweeën het meest verbaal begaafd is. Plotsklaps, terwijl Camilla zich in Thomas' situatie inleeft, verandert zij in de persoon die naar zij veronderstelt in Thomas opgesloten heeft gezeten en die nu plotseling als een duveltje uit een doosje te voorschijn tjoept, uit die gele kartonnen doos tussen hen in. Het onrechtvaardig behandelde, in de steek gelaten kind.

Ze houdt nog steeds het plaatje dat Anita Ekberg voorstelt met natte kleren in de Fontana di Trevi, in haar hand.

En ze zegt niets meer.

De smalende uitdrukking op haar gezicht sterft weg. Ze heeft opeens iets begrepen dat ze niet kan uitdrukken. Het is verkéérd. Hélemaal verkeerd.

Ze legt het plaatje weer neer. Tussen de spullen op het bed: de foto met handtekening van Paul Anka, een rood-wit-blauw sjaaltje – een Tupsu Lindberghsjaaltje, weet Thomas –, een e.p.-single TWIST *im Perfekt Tanzrytmus*, een aansteker van het merk Benson & Hedges, goudkleurig, een flacon GoGay-hairspray, krulspelden, een platenhoes, *Chet Baker Sings*, Pacific Records 1956, en andere dingen, van alles en nog wat.

Van alles en nog wat, Thomas.

En plotseling zegt Camilla, op een andere toon: 'Wat mooi allemaal, Thomas. Ontzettend mooi.'

ALDRIN MET DE SEISMOMETER OP TRANQUILITY BASE.

HET HOOGTEPUNT VAN DIT DECENNIUM.

NU WACHT ONS EEN NIEUW DECENNIUM.

In de andere kamer heeft Kajus het geluid nog harder gezet. Hij kijkt tegenwoordig veel televisie. Luistert niet zo vaak meer naar grammofoonplaten. De enige discussie over jazz die de laatste jaren tussen hem en Thomas is gevoerd, vindt plaats als Thomas hem een keer vertelt dat hij heeft gelezen dat Chet Baker zijn tanden is kwijtgeraakt bij een gevecht met gangsters in San Francisco.

'Mooi zo', heeft Kajus toen gezegd. 'Dan houdt hij verder zijn bek.'

Dat was trouwens niet waar. Chet Baker galmde nog steeds door de buizen van de flat. Eerst dachten ze dat degene die de plaat draaide dat deed om te pesten, om wraak te nemen voor alle keren dat ze op ongepaste tijdstippen muziek hadden gedraaid, in de badkamer onder andere, in de tijd dat de zeemeermin nog bij hen woonde. Maar na verloop van tijd begrepen ze dat het gewoon iemand was die van jazz hield.

Maar nu heeft Kajus het geluid van de tv harder gezet, want hij wil beslist niet storen. Hij is blij dat Thomas voor het eerst een vriendinnetje heeft, een verstandig meisje dat nog op bezoek is gekomen ook. En dit is de tijd waarin het meelijwekkend is om preuts te zijn. De geslachtsdrift is een natuurlijke drift zoals bij alle zoogdiersoorten, bij zowel jongere als oudere exemplaren.

'Wat mooi allemaal, Thomas', heeft Camilla gezegd.

Thomas heeft er geen antwoord op.

Maar even later heeft hij wel een antwoord. Hij denkt iets, en zegt het: 'Ik hou van je.' En doet het licht uit.

Testen 1973

I think I saw you in an ice-cream parlour
drinking milkshakes cold and long
Smiling and waving and looking so fine
don't think you knew you were in this song

1973, maart: Renée Engel, zestien jaar, in een zwarte wetsuit in de paskamer van het warenhuis. Het dure rubberen materiaal glanst, zuigt zich vast aan haar huid. Uit luidsprekers boven haar hoofd, bij de spiegel, komt muziek.

Renée is blootsvoets, haar teennagels lang en onverzorgd. Haar bovenkleren, de zware winterspullen, liggen op een hoop op de groene vloerbedekking. Renée is nonchalant met haar kleren van de beste kwaliteit.

Het zwart rond haar lichaam in de spiegel; haar ledematen, benen, armen en knokkels fragiel als kippenvleugeltjes.

Op haar huid komt kippenvel. Renée haalt een vleespasteitje uit een vetvrij papieren omslag. Ze gaat op het krukje in de paskamer zitten, leunt tegen de muur, eet.

1973, maart: Renée gaat naar Gabbes kantoor. Ze zoeft omhoog in de lift. Zit in een dikke bruinlederen fauteuil, bestemd voor bezoekers. Zinkt diep weg in de zachtheid, *Donald Duck* in een fauteuil voor een solide bureau waarachter een varkenspersoon, een directeur met rood snuitwerk, al sigaren paffend het hoogste woord voert. Gabbe rookt niet. Hij laat, net zoals in Amerikaanse televisieseries gebeurt wanneer er privé-bezoek is op kantoor, alle telefoongesprekken naar een ander toestel overschakelen zolang Renée op bezoek is. En zij is degene die meedeelt wat de plannen zijn.

Het komend zeilseizoen begint over een week of drie, vier

met de aflevering van een speciaal in Engeland bestelde Shamrock. Dit jaar gaat ze uit de Flying Junior naar een andere klasse over. Maar dat is niet de reden dat ze een nieuwe boot krijgt. Ieder seizoen begint met een nieuwe boot. Minstens één nieuwe boot per seizoen. Gabbe voert één telefoongesprek zelf, met Engeland. Je weet het maar nooit met die Engelsen. Onbetrouwbaar volk. Ze zijn niet zoals de Duitsers, of de punctuele Japanners, en zelfs niet zoals de Finnen, die boerenkinkels met hun boerenhersens maar ook met hun boerenverstand. Renée grijnst. *Arrival on schedule.*

Trainingskamp in Frankrijk. Twee weken, eind april. Gabbe knikt instemmend en effectief, haalt je-weet-wel-wat te voorschijn, ja natuurlijk, de Portefeuille, met het gebaar van de ingewijde. Alsof hij, behalve als financier, nog op een andere manier ergens een rol speelt in Renées plannen of daar deelgenoot van is. Dat is niet zo.

1973, maart: Gabbe heeft een hoop geld. Het vleespasteitje stinkt naar uien en modder, een daklozenlucht die ook onder de groene paskamergordijnen doordringt. Ze bewegen een beetje. Een vrouwenstem. God wat wil dat mens graag dat gordijn opentrekken. Haar handen jeuken om het te doen, hoort Renée, maar god nee, ze durft niet. Ze is als de dood, Renée weet het en zij weet het ook, die dame die op voeten in suède pumps met namaakgouden gespen onzeker heen en weer drentelt, ze durft niet. Gabbe heeft een hele hoop geld en er is niemand die niet weet dat Gabbe geld heeft. Zo wil Gabbe het. Renée is nonchalant met haar kleren van de beste kwaliteit die ze koopt met Gabbes creditcard, ze geeft niet om kleren maar toch, ze koopt steeds meer, brengt hele middagen, hele dagen in het warenhuis door, slentert van de ene afdeling naar de andere, koopt dingen, verstrooid, met een arrogantie die de verkoopsters angst inboezemt maar waaraan ze zich ook doodergeren, zij die niet hébben zoals Renée heeft, die wel zouden wíllen maar niet mógen omdat Renée degene is die mag.

De wetsuit is een zeer recent model, nieuwer dan nieuw. Renée wil hem hebben, natuurlijk wil ze hem hebben, om de aparte ritssluiting, om het merk, omdat hij zoveel geld kost, omdat het zeilseizoen eraan komt, maar speciaal en vooral: zomaar, nergens om.

Maar eerst dat vleespasteitje. Ze eet het vleespasteitje op.

'Ik neem deze.' Ze gooit de zwarte wetsuit op de toonbank neer voor de dame met de suède pumps. 'En deze,' dat betreft een stopwatch die op de toonbank ligt, 'en deze', een Space Pen die tekst onder water kan schrijven, uit de doos bij de kassa. En dan, ja natuurlijk: ze glimlacht en overhandigt Gabbes creditcard.

Papa betaalt. Als ze weg is maken ze de paskamer schoon. In het afvalbakje vinden ze een maandverbandje. Het is niet erg bebloed. Het is gewoon gebruikt, maar zo te zien wel dagenlang.

Deze dag: Renée gaat naar de grammofoonplatenafdeling en vraagt de verkoopster wat het voor plaat is die door de luidsprekers klinkt.

Ze koopt de plaat.

Hij verandert haar leven. Pats: en ineens is alles anders.

1973, april: Ze knipt haar haar kort. Verft het rood met henna. Koopt ivoorkleurige *foundation base.* Ze verft haar wimpers zwart, trekt zwarte strepen onder en boven haar ogen. Tekent, met trillende hand, een bliksemschicht op haar voorhoofd. Oranje, met zwarte contouren.

1973, juni, juli, augustus: Het rood verbleekt. Een succesvol zeilseizoen. Alles lukt haar. Ze is iedereen de baas.

1973, september: Terug naar school. Opnieuw rood haar. Opnieuw geknipt. *Cigarettes.* Ze bevestigt een bruine leren riem om haar hals: een symbool. Verliefd.

De tijd neemt een sigaret, stopt hem in je mond.

Witte kleren, glanzend satijn. Ze baart opzien, is hatelijk, boosaardig. Gaat samen met haar buurmeisje en klasgenote Charlotta Pfalenqvist de hond uitlaten op het verlichte voetpad. Verliefd op Charlotta's vriendje Steffi. Steffi en Charlotta zijn graag in Renées gezelschap. Ze ziet er zo apart uit en haar vader heeft geld net als hun vaders, dat is niet het belangrijkste maar het betekent wel een soort klankbodem; en bovendien is ze een bekende zeilster.

1973, september: Ze hebben een groepje gevormd. Een paar uit de klas en een paar van school, een paar uit de omgeving, uitverkorenen, zichzelf beschouwend als elkaars uitverkoren gezelschap op grond van gelijksoortige familieomstandigheden. 'Snobs, kaklui, stelletje verwende snotneuzen', zegt Nina Engel in de bus op weg naar huis van vergaderingen van het solidariteitscomité, in een fraaie groene tijdloze duffelse jas die in scherp contrast staat met Renées witte Satin Gleaming Coat (2000 FF). Renée heeft goudglitter op haar wangen, ze gaat tegenwoordig één keer per week naar een kapsalon om haar *appearance Just Right* te krijgen, en in het groepje verwende kakkineuze snotneuzen is zij de Mascotte, het enige *Space-child*, beduidend meer *sophisticated* dan die types die je af en toe weleens in de stad tegenkomt, met ongelijkmatig geverfde haren en gezichten opgeschilderd met uitgelopen Mary Quant-krijtjes of doodgewoon wasco of kleurpotlood, Renée is een Space-child van de beste kwaliteit, maar zij gaat gauw dood, dus het zij haar vergund. Maar niemand weet dat ze straks dood zal gaan, en alles is heel anders als Nina, met lange, mooie proletarische haren, zich tot Renée wendt: 'Denk je dan nooit aan anderen? Aan de omstandigheden van andere mensen?'

Bij de familie Pfalenqvist hebben ze minstens één luidspreker in iedere kamer. Renée danst alleen. Ze is graag een Eenzaam Space-child terwijl de anderen in het donker rond de open haard hangen en te veel drinken. Renée drinkt niet, rookt alleen maar. 'Wat is dat?' zegt Steffi en trekt aan haar hondenhalsband. Ze straalt onder zijn blik, 'o, gewoon een riem weet je wel' en gaat weg. Ze is verdomd verlegen.

Hij weet dat zij verliefd op hem is. Ze zijn allemaal verliefd op hem. Maar Charlotta is het leukst om te zien en heeft de grootste bek. De andere meisjes zijn net imitaties, allemaal ja, op die stuurse Renée na, maar die is nu eenmaal op een bepaalde manier geslachtloos en komt niet voor verkering in aanmerking, imitaties van Charlotta's gebronsde, blonde, door de zon van Val d'Isère en Barbados gebruinde gezicht en haar parelende, verrukkelijke lach, vooral als ze vieze moppen hoort, waarvan ze er trouwens zelf ook aardig wat kent. Ze kan bovendien impertinent zijn, op een discrete manier ongelooflijk impertinent. Soms haalt een van de jongens weleens andere meisjes naar hun feestjes, meisjes uit de stad of uit de arbeiderswijken in oost, knappe meisjes doorgaans, alleen is hun kleding op de een of andere manier net iets té, hoe moet je het zeggen, neem nou zo'n vreselijke kitscharmband, en aan hun taaltje merk je ook dat ze bepaalde dingen niet doen of niet kennen: het is niet dat ze geen geld hebben om naar Barbados te gaan – want daar wordt op feestjes niet over gesproken; reisjes, al die uiterlijkheden, dat zijn dingen die er vanzelfsprekend bij horen, dingen die je gewoon hebt, die er gewoon zijn, op de achtergrond, als een onuitgesproken klankbodem – nee, het is dat ze niet snappen waar Charlotta het over heeft als ze bijvoorbeeld tegen Renée zegt dat iets is 'om te creperen' en trouwens, ze worden meestal van de zenuwen heel dronken en dat maakt het gemakkelijk om tegen hen te zeggen dat ze weg moeten, Alle Buitenstaanders Moeten Nu Helaas WEG. Helaas, helaas…

1973; een feestje bij Charlotta Pfalenqvist, laat in september: Renée en Charlotta gieten zich vol rosé en Marc Bolan. 'Well You Dance, With Your Lizard Leather Boots On'. Renée wordt dronken, voor het eerst van haar leven, uitgezonderd die keer bij de slotfestiviteiten van de internationale regatta in Frankrijk, toen ze in de Regatta-tent ganzenlever at en zoveel champagne dronk dat ze door haar knieën zakte toen ze van haar plaats wilde opstaan om met de voorzitter van de jury te dansen, maar haar leven als zeilster, het soevereine zeilstersbestaan, is totaal vreemd aan dit leven met Charlotta en Steffi op wie ze verliefd is. Ze weet niet waarom, het is gewoon zo. Ze wil een vriendin, Charlotta is haar vriendin geworden, Charlotta springt die laatste weken voordat Renée sterft via het kelderraam Renées kelder in en uit.

Inderdaad ja, Renée woont in de kelder van de reusachtige vrijstaande eigen woning, de Villa, die Gabbe en Rosa volgens eigen ontwerp hebben laten bouwen. In de kelder wonen klinkt erger dan het is. Het souterrain bevat een sauna, een kamer met een open haard, een zwembad en voorts de ruimte die biljartkamer werd genoemd al was het maar een gewone pingpongtafel die er stond, totdat Renée zei dat ze die kamer nodig had, ze had behoefte aan meer Privacy in de kelderverdieping, 'ik moet me concentréren'. Renée heeft de bekers die ze met zeilen heeft gewonnen op planken langs de muur neergezet, ze heeft luidsprekers in twee hoeken van de kamer, een enorme zitzak op de grond en een heleboel lege ruimte, en dan die pingpongtafel, dat is een geweldig ding, die mag blijven staan. Drie affiches aan de wand. Angie en David Bowie, het hoofd van de een op de schouder van de ander. Zijzelf in de Shamrock II, een vergroting. Een dinosaurus die in een nogal groenarm oerlandschap aan het grazen is. Ze heeft een eigen badkamer. Op de plankjes in de badkamerkast staan parfumflesjes keurig op rijtjes. Chanel nummer vijf, Chanel nummer negentien en Chanel nummer twintig. Parfum, geen E.d.t. Er is een aparte rij voor de TESTERS. Ze steelt ook andere dingen, maar het moeten wel dure dingen zijn, en het moet moeilijk zijn om ze te stelen. Het is een test, vooral een test. Je moet je concentréren.

Op een bepaald moment tijdens Charlotta's feestje – Renée wordt dronken, loopt rond en houdt met iedereen vluchtige praatjes – heeft ze zich uitgekleed en is in haar eentje naar de sauna gegaan. Het moet al later zijn inmiddels, want het is opeens doodstil in het huis van Charlotta, iedereen is naar huis gegaan, in slaap gevallen, ligt ergens of hangt wat rond of is met iets anders bezig in de vele kamers en slaapkamers van het huis. Charlotta is onder zeil, dat is een ding dat zeker is; Renée heeft het braaksel op de vloerbedekking in Charlotta's kamer opgeruimd.

Renée zwemt zonder kleren in het zwembassin. Daar komt Steffi. Ze weet het. Ze heeft aldoor geweten dat hij zou komen.

New love – a boy and a girl are talking

New words – that only they can share in

New words – a love so strong it tears their heads to sleep through the fleeting hours of morning

Steffi springt het bassin in. Ze zwemmen. Droomt ze? Nee, daar is Steffi, in de sauna, in de kamer met het haardvuur, op de bank; ze kijkt naar het blauwe water van het zwembad dat een vierkante, geruite weerschijn werpt in de kamer met het haardvuur, terwijl hij hard en stotend bij haar binnenkomt. Steffi's lichaam is zwart, zijn ogen donker, gesloten, zijn borstkas vogelachtig en fragiel, volledig onbehaard, het arrogante plooitje bij zijn mondhoek extra markant vlak voordat hij over Renées buik klaarkomt, ze heeft de hele tijd naar hem en naar het blauwe schijnsel gekeken, de hele tijd heeft ze zijn schouderbladen stevig omklemd, fragiel als vleugels in haar handpalmen.

Steffi legt zijn handpalm op haar gezicht als hij klaarkomt. Niet uit haat of afschuw, maar omdat hij finaal weg is, ergens waar Renée niet is. In Lo-ve-land. Steffi, Stefan. Lovén. Stefan Lovén.

Steffi valt in slaap. Renée kronkelt zich onder zijn lichaam vandaan. Ze slaat de badjas van Charlotta's moeder om zich heen, loopt de trap op, het huis in dat leeg is, naar de keuken, gaat op de Constructa-afwasmachine van het gezin Pfalenqvist zitten roken.

Als ze weer naar Steffi teruggaat heeft hij de hele bank in beslag genomen. Renée gaat vlak voor de bank op het wollige vloerkleed liggen en trekt vochtige handdoeken over zich heen.

Ze wordt wakker doordat iemand zich tegen haar lichaam aan drukt. Ze doet haar ogen open om zeker te weten dat het Steffi is. Het is Steffi niet, het is een ander Space-child, met kortgeknipt haar net als zij, alleen minder rood en het is ook smerig gedaan, ze weet wel wie het is maar ze kan haar ogen niet geloven, al komt hij wel vaker op feestjes, al loopt hij haar na, de enige die haar op feestjes naloopt eigenlijk, hij aapt haar stijl na, het is iemand die ze haat, wat doet hij hier? Waar is Steffi gebleven? Waar is het blauwe schijnsel gebleven? Waar is de stilte gebleven?

Uit alle luidsprekers komt dreunende muziek en ergens in de verte klinkt Steffi's schorre lach, de kamer is vol nieuwe mensen, nieuwe meisjes, en degene die bij haar ligt en zijn lichaam tegen het hare aan duwt en denkt dat ze slaapt, is Lars-Magnus Lindbergh.

Ze schopt hem. In zijn kruis, in zijn buik, hard, zo hard als ze kan. Ze staat op en gaat door Lars-Magnus Lindbergh te schoppen. De anderen in de kamer grijnzen, vooral Steffi, die is nu heel anders dan daarnet, met een grote bek en met zijn armen om twee vreemde meisjes van buiten heen, terwijl Charlotta in haar keurige meisjeskamer onder haar 'Ho! We're going to Barbados'-affiches in haar eigen braaksel ligt te slapen. Maar

er zit niets anders op dan het feest voort te zetten.
En het feest wordt voortgezet.

1973, een paar dagen later: bij de familie Pfalenqvist inventariseert men welke eigendommen zoekgeraakt en kapotgemaakt zijn: glazen, gestolen valuta, de koelkast leeg en een groene vaste vloerbedekking bedorven (hoe heetten die meisjes uit die buitenwijk?), Charlotta krijgt huisarrest (uitgezonderd avondwandelingetjes met de hond in gezelschap van Steffi of Renée of Steffi en Renée), en de schuld ligt bij Lars-Magnus Lindbergh, bij wiens ouders Tupsu en Robin een delegatie van ouders haar opwachting maakt. Tupsu en Robin Lindbergh zeggen toe dat ze Lars-Magnus Lindbergh onder toezicht zullen houden. Hij is vreemd, hij is zijn haar gaan verven, hangt rond bij het huis van Renée. Renée wil niets van hem weten, net zomin als Gabbe en Rosa. Om Gabbe en Rosa te pesten laat Renée Lars-Magnus Lindbergh toch weleens binnen in haar kelder.

Steffi komt ook, zo nu en dan, als ze alleen is, op de terugweg van de wandelingetjes met Charlotta en haar hond. Hij ligt met Renée op de zitzak, in Renées bed, ze omklemt zijn spichtige schouderbladen. Zijn ogen zijn gesloten, hij gaat weer weg. Achter Charlotta's raam brandt licht.

1973, oktober, twee weken voor Renées dood: Lars-Magnus Lindberghs ouders Tupsu en Robin sturen uitnodigingen voor een gekostumeerd jongerenbal, onder toezicht, in hun villa. Eigenlijk zijn ze op een onuitgesproken manier als de dood om bij de Pfalenqvists in ongenade te vallen, zich welbewust van het feit dat zijzelf nog steeds in dat deel van het lommerrijke stadje wonen waar ook de honden korter zijn.

Gabbe en Rosa gaan de hond uitlaten. Steffi komt en legt Renée op haar rug op de grond. Nina komt thuis van een vergadering van het solidariteitscomité, en opgevrolijkt door de gedachte dat ze hier eigenlijk niet thuishoort, gaat ze via de kelder het huis binnen.

Steffi verdwijnt. Renée bijt Nina in haar pols, het bloed komt eruit.

'Je bent gek! Straks krijg ik nog rabiës!'

Gabbe en Rosa komen thuis. Renée sluit zich in de kelder op. De volgende dag, in de bus, zegt Nina: 'Hij gebruikt je. Heb je dan geen trots, burgertrut?'

Renée weet het. Ze zit op haar knieën tussen haar behaalde bekers de Champion I, de Tweede Prijs, de Regatta-ster door te turen hoe Steffi en Charlotta samen de hond gaan uitlaten, alledrie met pregnante passen op het asfaltpad in de kleurenpracht van de herfst.

Ze herinnert zich het blauwe schijnsel en voelt de schouderbladen, scherp, dwingend, in haar ruwe handpalmen waar ze de huid van afbijt.

'Al wat ik heb is mijn liefde voor liefde en liefde is niet liefhebben/liefdesspel/liefde.'

Het is geen beginselverklaring. Geen formule. Het is een deuntje, een songtekst.

'Gebruikt', ja natuurlijk. Op de een of andere manier rechtvaardigt die song dat gevoel. Maar gerechtvaardigd of niet: het is niet van belang.

TESTEN: je moet je concentreren.

Men zou kunnen denken dat er zich gevaarlijke onderdrukte agressies ophopen in de witte kelderkamer waar Renée zich heeft opgesloten om in alle rust te turen naar liefde die niet liefhebben/liefdesspel/liefde is, tussen haar trofeeën door die haar toch de facto vertellen dat zij een capabel, flink en werkelijk heel aardig meisje is op wie velen jaloers zijn, maar daar heeft zij geen boodschap aan, althans, ze weet het met gemak te negeren omdat ze liever in haar eentje boven op haar tafel ineengedoken zit te turen naar die drie figuren die daarginds met hun neus in de wind over de Baarmanslaan lopen. Men zou kunnen denken dat er wraakplannen worden gesmeed in dat beschadigde brein dat niet gewend is te verliezen, men zou kunnen denken dat er gevaarlijke dingen, gevaarlijke puberale dingen staan te gebeuren.

Renée staart, constaterend. Kijk eens aan, daar gaan Steffi en Charlotta, misschien legt hij haar straks wel op haar rug. Misschien, misschien ook niet.

Dat is het geheim van de hondenriem, een soort masochisme, maar ook opstandigheid. Stefan ziet het. En ergens weet Renée dat hij het ziet.

1973, oktober, anderhalve week voor Renées dood: maar er zijn ook andere momenten. Bijvoorbeeld als Renée op de zitzak het internationale blad voor de zeilsport ligt te lezen om geschikte termen te vinden voor de brieven die ze aan haar internationale zeilvrienden en -vriendinnen schrijft, die haar als gelijkwaardig beschouwen, die haar zelfs bewonderen, want zij is een van de weinige meisjes, misschien het enige meisje, dat successen boekt in wedstrijden.

Maar dan tikt Lars-Magnus Lindbergh tegen het raam en verandert het normale in iets grotesks. Hij heeft cassettebandjes bij zich. Ze laat hem binnen. Lars-Magnus Lindbergh heeft nu zelfs nog roder haar dan zij, hij heeft een voller gezicht, maar hij aapt haar na, dat is overduidelijk. Hij draagt deze keer dan wel geen Satin Gleaming Shirt zoals zij, hij heeft een wit T-shirt aan, maar zijn gezicht is met Mary Quant-krijtjes beschilderd en wel precies op de stijlloze manier waaraan zij zo'n hekel heeft. Lars-Magnus Lindbergh overvalt haar op de zitzak. Ze vecht zich vrij. Hij trekt zijn T-shirt uit en doet het licht uit, zij wringt zich los en doet het licht aan, krijgt een stomp in haar buik en ze rollen vechtend over de grond. Er wordt op het raam geklopt. Dat zijn Steffi en Charlotta met hun truien vol appels die ze net hebben gejat. Met zijn vieren eten ze appels. Het gaat niet goed met Lars-Magnus Lindbergh. Dat voelt Renée instinctief aan. Zij heeft een status als Space-child, hij is een figuur die er koste wat kost bij wil horen, het gaat niet goed met Lars-Magnus Lindbergh.

Met zijn vieren eten ze appels. De kaarsen branden. 'Donder nou maar op', zegt Renée tegen Lars-Magnus Lindbergh en geeft hem een trap, en Charlotta en Steffi grijnzen honend en blijven dat doen tot Lars-Magnus Lindbergh bakzeil haalt en zich inderdaad laat verjagen. Hij snapt ook niks, die slome sukkel. Met zijn drieën overgebleven krijgen ze het op een gegeven moment over een of ander cassettebandje. Steffi praat, kijkt naar Renée en maant Charlotta het bandje te gaan halen, het ligt op het bed in haar kamer, hij heeft het daar laten liggen, en na veel heen-en-weergepraat gaat Charlotta inderdaad weg om het op te halen.

Als ze weg is doet Steffi de rits van zijn broek open. Hij pakt Renées hoofd beet, knielt bij haar neer. Zij ligt uitgestrekt op de zitzak. En als Charlotta weer achter de gordijnen op het raam klopt, heeft ze een volle mond. Steffi doet open, Renée is op de wc, spoelt haar mond onder de stromende kraan. Stukjes appel erin. Hmmm. *I. like. you.*

1973, een week voor Renées dood: Steffi heeft Renées zwakke punt ontdekt, er de vinger opgelegd, en hij blijft erop drukken. De geheime plek, het equivalent van de kippenvleugels maar dan in Renées schedel, dat wat alleen zichtbaar is in de paskamers van het warenhuis waar ze tussen uiterste verwatenheid en elegantie haar kooplust botviert, dat wat eens, langgeleden, nóg een equivalent had in een nederlaag na een poging om met tent en mes en al naar het bos te vluchten. Steffi morrelt aan de band rond Renées hals, drukt zijn handpalm tegen Renées gezicht, hij komt klaar, ze is open, ze is nat.

Het is geen kwestie van liefde/niet-liefde/liefhebben/liefdesspel. We zijn een nieuwe dimensie binnengetreden. *Testen. Je moet je concentreren.*

Op een zaterdag belt hij haar op, hij wil dat ze naar hem toe komt. Zijn ouders zijn weg, ze maken een cruise met de ouders van Charlotta Pfalenqvist.

Renée proeft de smaak nog in haar mond. Tralala.

Hij neemt haar mee naar zijn kamer, een jongenskamer. Hij doet de deur op slot. Hij pakt een leren riem, een dunne, het is een hondenriem. Hij is lichtblauw en is misschien van de hond geweest die een halfjaar geleden doodgegaan is, misschien, misschien ook niet. Cherry Bomb, de oorzaak van zijn verkering met Charlotta. Samen hebben ze rouwarbeid verricht, hij sprak over zijn verdriet terwijl ze haar hondje uitlieten, eigenlijk het hondje van de hele familie Pfalenqvist, maar in de eerste plaats Charlotta's hondje omdat het zo'n verwend beestje is, de kleine blonde Doggie. De wereld is vol honden.

Hij maakt de riem aan Renées hals vast. Het andere eind bindt hij vast aan zijn bed nadat hij een paar rukken heeft gegeven om te controleren of haar hoofd beweegt. Het beweegt. Renées gelaatsuitdrukking is niet nurks zoals gewoonlijk. Haar blik is leeg.

Ze zit op de vloer met haar hoofd en rug tegen zijn bed geleund, ze laat zich vastleggen terwijl ze toch de riem evengoed zou kunnen losmaken en weg zou kunnen gaan. Onmogelijk. Symbool.

Steffi is geil. Renée proeft de smaak in haar mond.

Hij doet de gordijnen dicht, gaat de kamer uit en laat haar in het donker achter. Ook dat is weer berekening: ze zou zich heel goed gewoon kunnen losmaken, de gordijnen open kunnen schuiven, weggaan. Ze doet het niet. Het is als een spel of een test, *whatever*.

De tijd neemt een sigaret, stopt hem in je mond. Brandt een vinger, dan nog een vinger, dan...

Maar nog is ze niet bereid op te geven. Het is een kwestie van concentratie. Steffi komt. Ze drinken wijn uit gewone keukenglazen. Ze roken sigaretten en praten alsof er niets aan de hand is, alsof de lichtblauwe riem er niet is, over van alles en nog wat, ze luisteren naar muziek, lachen zelfs.

Later komen er anderen bij, Steffi's vrienden, drie stuks, Renée kent ze vluchtig, ze zijn een paar jaar ouder dan zij. Ze gaan kaarten, zo is afgesproken. 'Je kunt hier blijven of vertrekken', zegt Steffi op een toon alsof hij constateert dat de zee blauw is; de zee is blauw en het is zeker dat ze blijft. Ze drinkt meer wijn, rookt, gaat op bed liggen, luistert naar de muziek, het kaarten vindt plaats aan de andere kant van de deur in een andere kamer, de tijd verstrijkt, achter de gordijnen begint het te schemeren, een gevoel alsof ze zweeft. De kamer, lieverd, wees niet bang voor de kamer.

TESTEN : jullie die niet weten wat spel is. Of wat testen zijn.

Je moet je concentreren.

Renée weet het allemaal.

Steffi is de eerste.

Zuigen maar. Nu knapt er iets.

De anderen zijn de anderen. Er knapt iets.

Renée maakt de riem los, staat op, verlaat Steffi's huis, gaat weg, rechtstreeks naar Charlotta's huis.

Charlotta heeft appeltaart gebakken, ze eten taart met warme vanillesaus. Renée vertelt over Steffi en zichzelf op zo'n manier dat Charlotta Steffi ogenblikkelijk opbelt, het uitmaakt, aansluiting zoekt bij Renée, giechelt en gekheid maakt, haar meeneemt naar de toilettafel van haar moeder en haar gezicht ivoorkleurig schminkt, met een bliksemschicht op haar voorhoofd.

Wat is dat toch in Renée dat maakt dat mensen iets aan haar willen doen, ook Charlotta door haar teder als Space-child te beschilderen – zelf zou Charlotta zich nooit op die manier schminken. *Never!* Charlotta is prachtig en zonnig en natuurlijk, door Renée kan ze iets in zichzelf oproepen dat ze niet rechtstreeks durft te zien.

Wat nu té is in dit verhaal, dat is het feit dat Steffi en Charlotta een paar weken later worden herenigd in verband met Renées dood, dat ze opnieuw rouwarbeid te verrichten hebben, hun hart bij elkaar uitstorten, elkaar liefhebben, althans zeggen dat ze dat doen, elkaars handen vasthouden, met andere woorden dat ze op de een of andere manier de procedure die hen in eerste instantie bij elkaar had gebracht, de rouwverwerking na de dood van Steffi's hond Cherry Bomb, de hond die een lichtblauwe riem had en die, hoe symbolisch toch, op een cocktailparty werd doodgetrapt, nog eens overdoen.

1973, oktober, een paar dagen voor Renées dood: in de paskamer van het warenhuis; Renée haalt haar vleespasteitje uit het papier. De grijsbruine handschoenen van de vrouw in de snackbar met gaten voor de gebarsten vingertoppen staan haar nog levendig voor ogen. Om te creperen. 'Kut, ik heb geen geld genoeg', had ze volgehouden, tot ze twintig penni's korting kreeg. Haar echte portemonnee zat in haar tas, niet in de broekzak waaruit ze haar geld opdiepte. Haar tas, nu ja, die zat dicht, en ze had geen zin om hem open te maken. Ze heeft iets roods aan: een soort trainingspak, broek en jack.

De vijfde hap smaakt smerig. Ze spuugt de vijfde hap rechtstreeks het zwarte afvalbakje in. Ze moet kokhalzen en smijt het restant van het pasteitje waar rijst en sliertjes vlees uitpuilen weg, het komt op de vloer terecht, rijst en eigeel, hard, op de groene vloerbedekking.

Ze staat op, veegt de kruimels van haar kleren.

Ze ziet haar gezicht in de spiegel. In haar hoofd klinkt geen muziek, hoewel het hele warenhuis ervan dreunt. Het is stil. Ze maakt haar handpalm en vingers nat met naar vleespastei ruikende speekselklodders, haalt ze door haar dunne haar, over haar schedel, tot het haar helemaal nat is. Ze laat haar hoofd wat zakken. Haar gezicht is extra langwerpig, haar ogen vallen op als ze haar hoofd zo omlaag houdt, extra groot en donker. Ze richt haar hoofd op, ademt in en uit, in en uit, in haar eigen ritme; ze houdt haar gezicht vlak voor de spiegel en blaast lucht op zichzelf. Het spiegelglas is beslagen. De warmte en het vocht van haar adem slaan op haar eigen gezicht terug. Ze laat haar tong naar buiten hangen. Ze likt met lange halen de damp van het spiegelglas af, dwingt zich door te gaan met likken ondanks haar groeiende onbehagen. Ze likt tot ze moet kokhalzen en zurig vlees opboert in het afvalbakje, een mondvol. Ze gaat op het krukje zitten, laat haar hoofd tussen haar knieën hangen en drukt haar knieën tegen haar slapen. Tien seconden.

Daar is de dreun weer. Ze spitst haar oren.

1973, oktober, een paar dagen voor Renées dood: Rosa komt de kelder van Renée in. Ze laat zich op de enorme zitzak zakken, verliest tot haar verbazing elk houvast terwijl de zak haar omsluit, komt half liggend op de vloer terecht, heeft een glaasje sherry te veel op. Ze generen zich allebei, niet vanwege de zitzak of de sherry, maar omdat Rosa en Renée niet gewend zijn elkaar in de kelderkamer van Renée te spreken. Als er iets is, gaat Renée altijd naar boven. Bovendien heeft Gabbe, in zijn hoedanigheid van financier van het zeilproject, chauffeur en Portefeuille, al heel lang meer met Renées leven te maken dan Rosa.

Renée is geconcentreerd bezig haar nagels wit te lakken. Rosa bekijkt de uitgespreide vingers op de tafel. 'Mooi,' zegt ze, 'leuk', precies zoals ze Renée ook altijd complimenteert met haar rode haar, witte make-up en witte satijnen blouse, terwijl ze die toch te duur vond, veel te duur voor Renée. 'Mooi', zegt Rosa, niet uit meegaandheid, ze meent wat ze zegt, de hoofdzaak voor Rosa is, onder andere, dat Renée niet slonzig is en ook nooit geweest is, zoals zoveel andere tieners slonzig zijn. Renée heeft stijl: die merkwaardige Space-uitdossing.

Daar zou Rosa weleens naar willen vragen.

Ze zal nog spijt krijgen dat ze het niet gedaan heeft. Bovendien zou ze Renée vandaag niet zo omzichtig hebben hoeven benaderen, ze lakt haar nagels wit, maakt zich zorgvuldig op om weer zicht op zichzelf te krijgen, want eerder op de dag is er iets geknapt, achter groene gordijnen. Of niet? Gepieker achteraf, Steffi, ze heeft de halsband afgedaan, met gemengde gevoelens, en meteen daarna heeft ze gekotst, ze is verzwakt, opgepakt door detectives.

Dus eigenlijk zou er nu een klankbodem moeten zijn, wie weet wil Renée zich wel in de infantiliteit terug laten slingeren en is ze bereid gedetailleerd en langdurig te vertellen over de schuwe sterrenman ergens in de ruimte die zich eenzaam voelt, die gezelschap zoekt en die graag naar de aarde zou willen komen om met de mensen daar kennis te maken, als hij maar niet zo bang was '*to Blow Our Minds*', dat betekent: onze hersenpannen te laten springen, ons bang te maken, doodsbang, met zijn Spacy Appearance.

Rosa maakt het zich wat gemakkelijker op de grond, strijkt de franje van het kleed naast zich glad, het schiet haar opeens te binnen dat ze hier is omdat ze een woordenwisseling met Gabbe op de eerste verdieping plompverloren heeft afgebroken, ze heeft letterlijk beloofd dat ze zou gaan kijken 'wat haar dochter nu EIGENLIJK uitgespookt heeft'; van het warenhuis hebben ze namelijk contact opgenomen met Gabbe. Renée is op de parfumerieafdeling opgepakt wegens een onbeholpen poging een fles Chanel nummer negentien te stelen, E.d.t. nog wel, geen parfum, onder normale omstandigheden zou Renée er niet over piekeren om E.d.t. te stelen, E.d.t. stelen is geen kunst. Daarna had men contact opgenomen met Gabbe, ajakkie bah, ook nog de paskamer op de sportafdeling vies gemaakt, VERDOMME ZEG, NEE, wat dachten ze eigenlijk wel, dachten ze dat ze gek was, kut zeg, denken jullie dat ik gek ben verdomme, handje in papa's zak waar de portefeuille zit, de gespen van die pumps zitten los krijgt het personeel hier soms geen korting ze kunnen toch zeker wel goeie schoenen krijgen in dit warenhuis? Ik bedoel maar: de wereld is vol warenhuizen.

Om te creperen.

De parfumfles ergert Renée. Al die mislukkingen na elkaar, wat gebeurde er toch allemaal, was ze bezig haar kracht te verliezen? Het afdoen van de hondenhalsband: een teken van verlies? Zich wassen, schoon worden, nieuw, wit, glanzend, opnieuw beginnen. En weer opnieuw. Steeds weer opnieuw beginnen.

Het was een heel onbeholpen, halfslachtige poging tot diefstal. Natuurlijk had men van de zijde van het warenhuis niet aangedrongen op verdere vervolging, Gabbe werd er wel bij geroepen maar dat was een formaliteit. Gabbe bracht Renée thuis met de auto en ongeveer ter hoogte van Esbo wist ze hem aan het lachen te krijgen met haar beschrijvingen van de dames op de parfumerieafdeling, zo'n lach als zijzelf ook probeerde aan te kweken, ik zou toch zeker nooit E.d.t. nemen, denken ze dat ik niet weet wat ik wil, ik pakte die fles alleen maar om ze te pesten, bij wijze van test, je moet je concentreren. Zodra Gabbe thuiskomt gaat hij naar Rosa om haar te vragen waarom ze niet weet 'wat haar dochter EIGENLIJK uitspookt', waarop Rosa, gesterkt door haar derde aperitiefje, in de tegenaanval gaat en zegt dat dat evengoed zijn zaak is als de hare, en wanneer heeft hij bijvóórbeeld het laatst met Nina gesproken, enzovoort.

Nina is Gabbes zwakke punt. Ze spreken niet met elkaar. In Nina's ogen (ook in die van Renée, maar dat weet Gabbe niet, hij zou er kapot van zijn als hij het wist, het enige dat hem dan zou kunnen troosten is dat Renées opvatting over hem niet op dezelfde manier ideologisch en politiek gekleurd is als die van Nina; Renée haat communisten, ze haat rooien zoals Nina en haar naar stencilinkt stinkende vrienden die Renée pesten op school, al is dat wel minder geworden sinds ze een Space-child is en een luwe plek heeft gevonden in het afschuwelijke clubje kakkineuze lieden, zo luidruchtig en brallerig dat het kan worden gehaat, niet zoals men Renée vroeger haatte, maar met iets van respect, als een partner met wie men hoe dan ook bereid is te argumenteren) is Gabbe al een hele tijd identiek aan de varkensachtige persoon achter het bureau in het chique kantoorgebouw twaalf verdiepingen hoog in een wereld waar de airconditioning het voor 0,5 procent van de bevolking perfect doet, paf paf sigaren paffend en onderwijl fatsoenlijke mensen aan de overkant van zijn bureau ertoe aanzettend onvoordelige contracten te tekenen, met kille hand de noodlijdenden in de wereld afwijzend...

Nina en alle andere goede mensen lopen met rammelende collectebussen over stikhete trottoirs: wij moeten iets doen, dit is een zaak die ons aangaat!

Rosa is trots op Nina. Op dezelfde manier en om dezelfde reden als zij trots is op Renée: haar kinderen zijn geen van beiden slonzige tieners met truitjes zo kort dat hun navels bloot blijven. Kijk, nu is Renée klaar met haar nagels, ze heeft ook Rosa's Over Coat Enamel gebruikt zodat de lak dadelijk droog is, en zijzelf, Rosa, probeert hier te zitten, te zitten zoals het iemand van haar stand betaamt, ze moet giechelen, dat zal de sherry wel zijn die weer in haar hoofd opborrelt, hoezo zou ze hier moeten zitten zoals het iemand van haar stand betaamt, op de enorme zitzak van haar dochter, terwijl ze niet weet wat ze zeggen moet?

Ze vraagt Renée of het goed gaat op school.

Renée kijkt *von oben* op haar neer, vanaf haar positie op de tafel waar ze in kleermakerszit op de maat van de muziek naar voren en naar achteren wiegt, en Rosa heeft nog nooit zulke zorgvuldig zwartomrande ogen gezien, zulke witte glinsterende oogschaduw op de oogleden, zulke bleke wangen en zulk fonkelend rood haar. Rosa drijft weer mee op wonderlijke gedachtestromen: het lukt haar niet de persoon in kleermakerszit op de tafel in verband te brengen met iemand anders in een oranje trui met onuitsprekelijk haar waar niemand aan mocht komen, haar dat speelde tussen haar voortanden, glinsterend van speeksel.

'Hallo? Wat kom je doen?'

Rosa begrijpt dat ze weer heeft zitten zwijgen, dat ze weer van haar apropos gebracht is, dat ze weer een glaasje te veel op heeft.

'Mama', (zegt ze echt mama of zegt ze Rosa, daar zal Rosa de hiernavolgende weken, maanden, jaren, lang over piekeren, misschien houdt ze er wel nooit mee op, maar op een gegeven moment, als er een passende tijd verstreken is, besluit ze dat het 'mama' was; dit is namelijk een van de allerlaatste woorden die Renée tegen Rosa zegt voordat ze sterft, dit zijn de allerlaatste zinnen, om precies te zijn, die ze echt onder vier ogen uitwisselen.).

'Mama,' zegt Renée, 'heb je die film gezien met Elizabeth Taylor, *A Place In The Sun*?'

Renée barst uit in een kort, hysterisch gegiechel dat Rosa buitensluit, een gegiechel van het soort dat volgens de handboeken voor ouders die bang zijn dat hun kinderen aan de drugs zijn een aanwijzing is dat er gegronde redenen voor argwaan zijn. Maar Rosa denkt niet zo, zij voelt zich enkel gekwetst en buitengesloten door Renées gegiechel. Ze moet niet haar greep verliezen op wat er gebeurt, jezus, ze moet niet nog een sherry nemen, niet nog een sherry, verdomme, laat het nu Afgelopen Wezen!

'Je bent gewoon een beetje warrig, ma, stel je niet aan, beheers je een beetje', zij was het die altijd naar Nina ging met haar problemen (zo werden ze in Nina's kamer ook genoemd: problémen), nooit andersom, zij ging Nina's kamer binnen, maar nu, hier in Renées kamer, ziet ze duidelijk het verschil tussen haar twee dochters, aan de ene kant de totaal andere, vreemd-afstotende kamer van Renée, kaal en met een andere geur, van Chanel nummer vijf, van schmink, zweet, menstruerend tienermeisje en Chanel nummer vijf, het zonderlinge mengelmoesje van snackbar en parfum dat haar onzeker maakt, en aan de andere kant de helder belichte stencilkamer van Nina, het Aantal doden per dag aan de muur, de collectebussen, Wij moeten iets doen, *El pueblo unida amacer...* ze was werkelijk, werkelijk, trots op Nina, mijn dochter is zich bewust van wat er in de wereld gebeurt kon ze in gezelschap opmerken, haar dochter tot een troefkaart makend. In gezelschap van haar stand, alleen is ook daar de laatste tijd zichtbaar een aftakeling gaande. Terwijl de andere dames, de sprankelende Gunilla Pfalenqvist voorop, steeds sprankelender worden, steeds zelfverzekerder en zich meer bewust van de eisen van deze tijd zonder echter hun standsbesef kwijt te raken, en het nog steeds in zich hebben avondenlang de spil te zijn waar een heel gezelschap om draait net zoals zij dat ooit was – dat dacht ze tenminste – of is dat een mythe, is ook dat een mythe, OOK een mythe roept ze tegen zichzelf als ze er later op de avond steeds maar over door blijft malen, gegarandeerd stomdronken, al snikkend verstrengeld geraakt in haar eigen zijden panty van het merk Wolford, want wat moet je anders dragen dan panty's van het merk Wolford, in de afzondering van de badkamer, OOK een mythe, net als de mythe van haar opstand tegen het sleurhuwelijk met een studiegenoot waarin ze terechtgekomen was. Ze zal, verfomfaaid als Elizabeth Taylor in *Virginia Woolf*, aan Gabbe in het bed naast het hare de vraag stellen, op zwaar aangedikte therapeutentoon: Gabriel, heeft ons huwelijk nog enige zin? Met het verschil dat zij tot een leeg hoofdkussen spreekt, want Gabriel heeft het huis allang verlaten om een van zijn stewardessen te ontmoeten, het zijn niet altijd stewardessen maar stewardessen is een verzamelnaam, JEZUS, Rosa daar maak je je toch niet druk om, MORGEN STOP IK ERMEE dan stop ik er HELEMAAL mee nooit meer nooit nooit nooit meer sherry behalve dan een slaapmutsje, eentje voor het slapengaan, daar komt Nina binnen, nee er zijn geen gedachten meer ze is iemand zonder gedachten geworden een gedachteloos iemand *without fuel running fuel: she's so thirsty now* 'Mama, heb je weer medelijden met jezelf?', 'Beheers je', 'Beschouw jezelf niet als slachtoffer', 'Interesseer je ergens voor!'

Rosa is werkelijk trots op Nina.

Maar nu zit ze nog in de kamer van haar andere dochter, ze vraagt zich af wat er nu eigenlijk aan haar mankeerde dat ze er niet in slaagde, zoals het iemand van haar stand betaamt, de spil van een heel gezelschap te zijn, dat ze het op de een of andere manier niet voor elkaar kreeg, niet voor elkaar kreeg om zinnen die ze begonnen was af te maken, dat ze onduidelijk en met dikke tong praatte terwijl ze nog niets ophad, verstrikt raakte in steeds dezelfde vervelende moppen zonder ooit aan de clou toe te komen, kortom, dat ze zich pijnloos steeds meer aanpaste aan het decadente burgerdom dat Nina afschilderde als iets afschuwelijks, het toppunt, bah, van verachtelijkheid.

En nu zit ze hier op de enorme zitzak van haar andere dochter en is volkomen de draad kwijt.

Meer gebeurt er niet, behalve dat ze dorst heeft, dan dat Renée een internationaal zeiltijdschrift begint te lezen als ze uitgegiecheld is, en Rosa verder negeert. Maar wat Rosa zich, godsamme, wat ze zich GODSAMME haar leven lang zal blijven herinneren, dat is dat ze, als ze de deur van Renées kamer achter zich dichttrekt en de trap opgaat naar de keuken waar ze stiekem drinkt in de perioden dat ze stiekem drinkt en verder eigenlijk niets doet, een diffuus maar sterk gevoel heeft van volledige verlatenheid. Iémand laat íémand volledig in de steek. Ze heeft aardig wat sherry nodig om de verschillende elementen van dat gevoel te beseffen. Iemand verlaat iemand. Het is vaag. Wie is het? Renée? Rosa? Denk niet dat het zo eenduidig is. Want zo eenduidig is het niet.

Renée zit nog steeds als een yogi in kleermakerszit.

Ze voelt haar krachten stilletjes terugkeren, de reinheid, de stilte, de complete een… eenzaamheid. Een zwakke Rosa-geur, drank en Diorissimo, ze zet het raam open om de lucht weg te krijgen, helemaal weg, om alleen, eenzaam te zijn.

Plotseling, terwijl haar krachten terugkeren, herinnert ze

zich een krachtig beeld. Van toen ze een dier in het bos was. Een mes had, naar naaldbomen rook en naar zweet en boomsap, van toen er met vijftien geweren op haar werd gejaagd, tjéé zeg, vrij zijn in het bos met de jagers achter je aan, wat een heerlijke gedachte.

1973, oktober, een paar dagen voor Renées dood: (Ooit had ze een vriend, Thomas, 's zomers liep hij haar achterna, niet zoals Lars-Magnus Lindbergh, Lars-Magnus Lindbergh haat ze. Eén keer had hij haar een klap in haar gezicht gegeven. Verder was zij altijd degene die sloeg. Ze beet hem, de slechte gewoonte om mensen te bijten had ze nog niet afgeleerd, had ze niet willen afleren. Hij was een echte vriend geweest, Thomas, ze hadden samen dingen gedaan: raketje gespeeld, gevist en een stoffen dinosaurus uit een witte roeiboot gegooid en laten verdrinken. Denkt ze helemaal niet aan Thomas, is er niets dat haar met Thomas verbindt, de enige Echte Vriend, nu? Zo lang is het toch nog niet geleden. Lopen ze elkaar niet toevallig tegen het lijf bij het standbeeld van De Drie Smeden, maken ze niet even een praatje met elkaar op deze warme late herfstdagen... Nee hoor, Renée komt Thomas deze dagen voordat ze sterft niet tegen, ze denkt zelfs helemaal niet aan hem, waarom zou ze – heeft zij weet van de schakel tussen hen, is zij zich bewust van Julia, zeven jaar? Nauwelijks, het doet niet ter zake, het is volledig *Out Of The Question*).

1973, oktober, het feestje van Lars-Magnus Lindbergh, Renée zinkt.

Lars-Magnus Lindbergh heeft een zwarte wetsuit aan. Het is het enige kostuum op dit gekostumeerde bal. Zelfs Renée heeft iets gewoons aangetrokken. De drank is gratis en vloeit rijkelijk. Dat alleen al is altijd een reden om te komen. Renée heeft een waterdichte cassetterecorder bij zich, geel, in een rubberen hoes, een van Gabbes producten, een proefmodel. Het is een ding voor in de bus en buitenshuis, niet om mee te nemen aan boord van de oude mahoniekleurige rammelbak van de Lindberghs die nog altijd bij de steiger aangemeerd ligt, helemaal vooraan, bijna in het riet. Renée, deel uitmakend van een luidruchtige club welgestelde jongelui in een warme bus op een zaterdagmiddag, wordt per boot over de baai naar het eilandje van de Lindberghs gebracht, de baai die ze op haar duimpje kent maar die nu een vreemd-afstotende indruk maakt, in het nieuwste snelle, glanzende model van de familie Lindbergh, een vaartuig van polyester, van Klas Lindbergh, degene die waarschijnlijk de gang van zaken op het feest in de gaten moet houden en dus het toezicht belichaamt, maar die zich algauw aan de charmante Charlotta wijdt, die blond en fris ronddartelt in de herfstwind die met koude en harde vlagen rond de boot waait die deze chique, weerzinwekkende jongelui naar het knotsgrote château van de Lindberghs vervoert dat als een havik op de hoogste berg op het grootste eiland boven de baai hangt. Vanaf de aanlegsteiger van de Lindberghs, waar Renée met haar gele cassetterecorder gaat zitten, kijkt Renée naar alles wat haar zo volledig vreemd is. Het huis op de berg ver weg aan de overkant van de baai staat leeg of is verhuurd, is het eigenlijk nog wel van hun, Renée weet het niet meer, ze bezitten zoveel ze kan echt niet alles onthouden. Bovendien hebben ze ook nog eens een huis aan de echte scherenkust aangeschaft, achter de doorgang naar zee.

De tijd neemt een sigaret. Stopt hem in je mond. Brandt een vinger. Dan nog een vinger. Dan...

sigaret.

Ze ontdekt de boot in het riet, springt het dek op, veert op en neer, het hout van de glanzende mahoniekleurige speedboot van de familie Lindbergh, destijds een van de meest begeerde objecten van de hele baai, nu een afgedaan geval, een stijlloos ding, gebruikt en versleten net als de Lindberghs zelf, geeft mee.

Er blijven zeven uitverkoren jongelui over nadat Charlotta uit het zicht verdwenen is met Klas Lindbergh, die hoe dan ook nog wel enige gebronsde charme heeft behouden, maar charme of niet: het gaat Charlotta erom snel HET kwijt te raken. De gedachte HET kwijt te raken heeft haar voortdurend beziggehouden sinds ze het uitgemaakt heeft met Steffi nadat was uitgekomen wat hij Renée had AANGEDAAN (wegens omstandigheden is Steffi niet een van de uitverkoren jongelui), Renée die HET, dus, al kwijt is. Charlotta heeft zelfs condooms gekocht, met bobbeltjes, per ongeluk. In de bus wedden Renée en zij erom of je wel of niet iets van die bobbeltjes voelt. Charlotta zal nooit de kans krijgen te rapporteren wie de weddenschap heeft gewonnen. Renée sterft namelijk, straks over een paar uur al. Charlotta giechelt op een manier die erop duidt dat ze die gebobbelde condooms misschien helemaal niet per ongeluk heeft gekocht. Dat het een test is; is zij ook een tester?

'Weet je wat het is met jou', zegt Charlotta Pfalenqvist in de bus. 'Wat het is met jou,' vervolgt Charlotta, 'dat is dat je een cassetterecorder hebt waar je geen gewone cassettes in kunt afspelen.'

'Het is de verkeerde stándaard', fluistert Renée met zo'n overdreven nadruk op de eerste lettergreep dat enkele van de weerzinwekkend kakkineuze meisjes vóór hen zich omdraaien en tersluiks afgunstige blikken werpen op de speciale verstandhouding die Renée en Charlotta Pfalenqvist met elkaar hebben.

'En hij is waterdicht', vervolgt Renée. Haar warme adem kietelt Charlotta Pfalenqvists fantastische oortje met de robijnen oorhanger erin.

'Nee toch?' Charlotta Pfalenqvist trekt haar wenkbrauwen omhoog precies zoals haar moeder Gunilla Pfalenqvist dat pleegt te doen, en ze glimlacht, zoals ook Renée glimlacht, want Renée en Charlotta zijn zich ervan bewust dat iedereen in deze bus op dit moment jaloers naar hen kijkt.

'Ja echt', antwoordt Renée. 'Wat dacht je dan, idioot? Waarom zou dat ding anders van plastic zijn?'

En als Renée op dit moment zou hebben geweten dat ze over

een paar uur al zou sterven, dan zou ze best een beetje tegen haar lot hebben geprotesteerd; ze had best willen zien wat er van hen samen geworden zou zijn, van haar en Charlotta Pfalenqvist.

Charlotta zet de cassetterecorder aan en draait aan de volumeknop.

Your face, your race, the way that you talk
I kiss you, you're beautiful, I want you to walk
We've got five years

Maar er zijn geen jaren meer, geen maanden.

Uren, minuten, dat is alles.

Er zijn nog vijf uitverkoren jongelui over nadat Lars-Magnus en Renée in de afgedankte mahoniekleurige rammelbak van de Lindberghs richting zee zijn gevaren. Het is windkracht zes. Er staan hoge golven. Hun lantaarns zijn het enige licht in de duisternis. De duisternis op zee is niet zwart maar groen en grauw, hier en daar schittert een ster aan de hemel. Het groen en het grauw zijn kou en schuim en harde wind en een langzame, prikkelende zekerheid dat het misgaat, dat Lars-Magnus Lindbergh, die koppig volhoudt dat hij het water kent als geen ander, behalve misschien Renée, die in elkaar gedoken op de bodem van de boot zit, met haar cassetterecorder die werkelijk door alles heen blijft doorspelen, door wind en kou en haar groeiende irritatie over het feit dat Lars-Magnus Lindbergh een knoeier en een idioot is heen.

Dan lopen ze aan de grond. KLOINK... in de groene, grauwe, winderige duisternis, enkel verlicht door sterren en vooralsnog door het schijnsel van hun eigen lantaarns.

Maar nu bevindt Renée zich nog aan land. Ze is teruggegaan naar het feest, heeft een garnalentoastje gepakt, een glas smerige bowl genomen, het glas in de gootsteen leeggegooid en haar toastje met de verkeerde kant naar boven op Tupsu Lindberghs bank in de kamer met de open haard achtergelaten.

Ze is naar de eerste verdieping gelopen waar in de ene kamer Charlotta zit met Klas Lindbergh, maar waar de andere kamer Leeg is. Een Lege Kamer, van de broer van Klas Lindbergh, hoe heette hij ook alweer? Vanuit die kamer kijkt ze weer naar buiten, je kunt hier verder kijken dan beneden vanaf de steiger. Vlaggenstokken en daken van huizen en bossen die ze kent, aardbeienbedden... ik wil, denkt Renée, ik wil – ergens heen, verdomme. En ze ziet zichzelf de zee op gaan, ze gaat naar beneden, de steiger op, om een geschikte boot uit te zoeken. Dan komt Lars-Magnus Lindbergh eraan en zegt dat ze die ouwe rammelbak moeten nemen, daar kun je mee scheuren, zegt hij, het is de scheurboot van het gezin Lindbergh. Hij is dronken, hij hoeft heus niet mee verdomme, maar niettemin springt hij in de boot, start de motor, en even later stevenen ze recht op de sauna van de Johanssons af. Op het laatste moment zwenken ze af, keren om en koersen de doorgang richting zee in. Die sauna is trouwens niet meer van de Johanssons. De Johanssons hebben het witte huis gekocht, zijn met de verhuizing bezig: boven de serre bouwen ze een echte sauna met alles erop en eraan. De houten steiger aan het strand is er ook niet meer. De binnenbaai is volgegroeid met riet. De bodem van de baai is aan deze kant helemaal volgeslibd, er is niet gebaggerd, niemand heeft eraan gedacht te baggeren, ze zitten eigenlijk zo weinig op het strand, er is gewoon geen tijd voor: Erkki zit altijd in de garage aan brommers te prutsen.

KLOINK dus, in de duisternis. De motor slaat af. Lars-Magnus Lindbergh geeft een schreeuw dat hij hem niet aan de praat krijgt. Hij staat maar te schreeuwen terwijl de lantaarns doven, en dat terwijl hij degene is met een wetsuit aan.

'Ik kan niet, mijn handen zijn helemaal stijf!'

en Renée:

'Wacht nou idioot, laat mij', maar haar vingers zijn net zo stijf en van motoren heeft ze geen enkel benul.

De boot is onmiddellijk weer losgeraakt. Op de wind drijven ze de golven in, die hoog zijn. Renée begrijpt eigenlijk al snel dat er niet veel aan te doen is. En als zij en Lars-Magnus toch maar met vereende krachten de motor omhoog proberen te krijgen om naar de schroef te kijken snapt ze nog iets, behalve dat het geen nut heeft want het is te donker en ze hebben geen zaklantaarn bij zich: namelijk dat de boot lek is en water maakt, dat het meeste water waarmee hij langzaam volloopt van onderaf komt.

'Hozen!' Lars-Magnus Lindbergh lijkt wel een slaapwandelaar als hij gehoorzaamt.

'Er kan ons niks gebeuren, hozen idioot, we zijn vlak bij de wal.'

Liegen maar. Nu knapt er iets.

Renée heeft maar een vaag vermoeden van waar ze zich bevindt. Misschien drijft de boot zelfs wel de zee op (hij drijft in feite naar de wal; Lars-Magnus Lindbergh, die in zijn wetsuit in leven blijft, wordt bewusteloos maar levend op het strand bij een zomerhuis gevonden, kleren die mogelijk van Renée afkomstig zijn, die om het leven komt, worden pas in het voorjaar gevonden op een klip in zee).

Zelf prutst ze onhandig met de noodsignalen. Lars-Magnus Lindbergh hoost.

Drie vuurpijlen verlichten de hemel, de ene na de andere, en de laatste mislukt, komt niet omhoog. Daarna is het heel stil.

De boot is tegen die tijd helemaal volgelopen, de golven slaan eroverheen.

Op het allerlaatst hebben ze geprobeerd zich aan het voordek vast te klampen: het duivelse is dat het ondanks alles, hoewel het allemaal snel en ogenblikkelijk zou moeten gebeuren, toch nog tamelijk langzaam gaat. Ze hebben nog tijd om oranje zwemvesten van onder het voordek te halen en die aan te trekken maar niet om ze vast te maken, zodat ze in het water onmiddellijk weer afglijden, ze hebben tijd voor die vuurpijlen, met andere woorden tijd om zich voor te bereiden, terwijl de stilte en de duisternis om hen heen blijven.

Ze schreeuwen de hele tijd. Hun geschreeuw wordt niet gehoord.

Ook niet in dit verhaal. Hoe doordringender hun geschreeuw, hoe stiller het wordt.

Lars-Magnus Lindbergh weet één ding: nu zal hij sterven.

Renée en Lars-Magnus Lindbergh klampen zich aan het voordek vast. Daar ergens verliest Lars-Magnus Lindbergh Renée uit het oog. Ze verdwijnt gewoon, wordt van het dek gespoeld, zinkt, komt om. Dan is Lars-Magnus Lindbergh alleen over met de kou en de duisternis en drijft verder weg met de boot. Even later is er geen boot meer. Lars-Magnus Lindbergh doet een paar zwemslagen. Zwart. Leeg. Daarna geronk van een motor en de draaiende wieken van een helikopter, schijnwerpers verlichten de zee...

Dan is Renée al gestorven. Gezonken, verdronken.

Een heel eind weg, onder de sterren.

Daar is enkel wind en grauwheid. En groene duisternis.

Een gele cassetterecorder ergens in het water.

Lars-Magnus Lindbergh, buiten kennis maar wel in leven, op miraculeuze wijze in leven gebleven, wordt een minuut of vijftien later op een strand gevonden, na helikoptergeronk en geluiden van een motorboot, lichten die de stilte en de huilende duisternis waarin Renée omkomt en verdwijnt, kapotscheuren.

Maar luister, ergens, heel ver weg in het heelal misschien, klinkt dit lied op, ginds op zee plant het zich voort door duisternis en ijzige kou, wordt het op de wind over de golven meegevoerd terwijl Lars-Magnus Lindbergh daar ergens slap en bewusteloos ligt en het aan de grond gelopen mahoniekleurige pronkstuk uit de jaren zestig kapotslaat tegen nieuwe blinde klippen en verbrijzeld wordt. En daar, ergens in het water, ligt een gele waterdichte cassetterecorder het water tegen te houden.

Didn't know what time it was the lights were low
I leaned back on my radio
Some cat was layin' down some rock 'n roll lotta soul, he said
Then the loud sound did seem to fade
Came back like a slow voice on a wave of phase
That weren't no D.J. that was hazy cosmic jive

There's a starman waiting in the sky
He'd like to come and meet us
But he thinks he'd blow our minds
There's a starman waiting in the sky
He's told us not to blow it
Cause he knows it's all worth while
He told me:
Let the children lose it
Let the children use it
Let all the children boogie

Citaten:

blz. 9: uit *The Love Song of J. Alfred Prufrock* van T.S. Eliot
blz. 29: uit *Vetandets äventyr* ('Avonturen van de kennis') van Sten Selander
blz. 137: uit *The silent world* van Jean-Yves Cousteau
blz. 320-349: uit songteksten van David Bowie op de grammofoonplaat *The Rise and Fall of Ziggy Stardust and the Spiders from Mars*
verder hier en daar uit *Nya Pressen*, *Life International*, *Anna* en *Femina*

Dit is een fictief verhaal en op sommige plaatsen zijn enkele kleine vrijheden genomen met betrekking tot de weergave van documentair materiaal.

Veel dank voor waardevolle informatie aan Kristin W., Merete, Pirr, en geweldig veel dank aan Henrika, aan wie dit boek is opgedragen.

* Noot

Finland heeft twee officiële talen, het Fins en het Zweeds. Tegenwoordig heeft slechts ongeveer 6 procent van de Finnen het Zweeds nog als moedertaal. Het wordt in het dagelijks verkeer gesproken langs de west- en zuidkust en op de Åland-eilanden. De Zweedstalige minderheid vormde vergeleken met de Finstalige boerenbevolking vanouds een elite van welgestelde, hoger opgeleide en invloedrijke burgers. Pas in 1903 kreeg het Fins in Finland een officiële status en werd het geheel aan het Zweeds gelijkgesteld. In de loop van de twintigste eeuw zijn de maatschappelijke tegenstellingen tussen de Finstaligen en de Zweedstaligen veel kleiner geworden.

Zweedstalige kinderen in Finland leren het Fins als tweede taal. Ze horen en lezen het overal om zich heen, op school, in boeken en kranten, op de radio en televisie. Dat de Zweedstalige kinderen in deze roman onderling weleens Fins met elkaar spreken, vooral wanneer zij kennelijk enige afstand van hun ouders willen nemen, is dan ook niet vreemd.

Dank aan Ruud Disse voor zijn vertaling van een aantal passages uit het Fins.

De vertaalster

Monika Fagerholm bij De Geus

Het Amerikaanse meisje

In 1969 duikt een jong Amerikaans meisje op in de moerassige kuststreek dicht bij de Finse hoofdstad Helsinki. Haar aanwezigheid maakt op iedereen grote indruk. Als ze niet lang daarna dood wordt gevonden en haar vriendje zelfmoord pleegt, wordt ze meteen deel van de plaatselijke mythologie. De gebeurtenis voedt de eindeloze dromen en spelletjes van eenzame jongens en meisjes. 'Het spel had een naam. Het heette "Het mysterie van het Amerikaanse meisje".'
Later, tegen het Finse decor van uitzinnige zomers, sombere herfsten en veel drank, komen twee meisjes op het spoor van de ware toedracht rond de sterfgevallen.